新潮文庫

ねじまき鳥クロニクル

第2部

予言する鳥編

村上春樹著

新潮社版

ねじまき鳥クロニクル

第2部 予言する鳥編

目次

〈第1部 泥棒かささぎ編〉

（第3部　鳥刺し男編）

ねじまき鳥クロニクル

第2部　予言する鳥編

一九八四年七月から十月

1　できるだけ具体的なこと、文学における食欲

間宮中尉《ちゅうい》をバスの停留所まで見送ったその日の夜、クミコは家に帰ってこなかった。僕は本を読んだり音楽を聴いたりしながら帰りを待っていたのだが、時計の針が十二時をまわったところであきらめてベッドに入った。そして知らないうちに明かりをつけたまま眠りこんでしまった。目が覚めたのは朝の六時前だった。窓の外はすっかり明るくなっていた。薄いカーテンの向こうで鳥が囀《さえず》っているのが聞こえた。ベッドの隣には妻の姿はなかった。白い枕《まくら》は綺麗《きれい》にふくらんだままで、見たところ夜のあいだにそこに頭を置いたものは誰もいないようだった。ベッドサイド・テーブルの上には、洗濯《せんたく》したばかりの彼女の夏物のパジャマがきちんと畳んで置いてある。僕が洗って、僕が畳んだのだ。僕は枕元の電灯を消し、時間の流れを整えるように、大きく一度深呼吸をした。

パジャマ姿のまま家の中をひととおり探してみた。まず台所に行き、居間を見渡し、彼女

の部屋を覗《のぞ》いてみた。風呂《ふろ》場《ば》と便所を調べ、念のために押入れまで開けてみた。でもどこにもクミコの姿はなかった。家の中はいつもより心なしかひっそりとして見えた。まるで僕一人がうごきまわって、その物静かな調和を無意味に乱しているみたいだ。

他にこれといってするべきこともないので、台所に行ってやかんに水を入れ、ガスの火をつけた。湯が沸くとそれでコーヒーを作り、テーブルの前に座って飲んだ。そしてトースターでパンを焼き、冷蔵庫の中からポテト・サラダを出して食べた。ひとりで朝食を食べるのは本当に久しぶりのことだ。考えてみれば僕らは結婚してからこのかた、ただの一度も朝食を抜いたことがなかった。昼食を抜くことはしばしばあったし、時には夕食を抜くことだってあった。でもどんなことがあっても朝食だけは抜かなかった。それは一種の暗黙の了解であり、ほとんど儀式に近い行為だった。我々はどんなに遅く床に就いても、朝は早く起きて、なるべくきちんとした朝食を作り、時間が許すかぎりゆっくりとそれを食べた。

しかしその朝、クミコの姿はそこになかった。僕は黙って一人でコーヒーを飲み、黙って一人でパンを食べていた。向かいには無人の椅子《いす》がひとつあるだけだ。その椅子を見ながら、彼女が昨日の朝につけていたオーデコロンのことを思いだした。そしてそのオーデコロンを彼女に贈ったかもしれない男のことを想像してみた。僕はクミコがどこかの男とベッドの中で抱き合って寝ているところを想《おも》い浮かべた。その男の手が彼女の裸の体を撫《な》でているところを想像した。昨日の朝ワンピースのジッパーを上げたときに目にした、彼女の陶器のようにつるりとした背中のことを僕は思いだした。

どうしてかはわからないが、コーヒーには石鹼《せっけん》の味が混じっていた。ひとくち飲んで少ししてから、口の中に嫌《いや》な後味が残った。最初は錯覚かと思ったのだけれど、ふたくちめにもやはり同じ匂《にお》いがした。カップの中のコーヒーを流しの中に捨て、別のカップにコーヒーを注《つ》いで飲んでみた。でもそこにもやはり石鹼の匂いがした。なぜ石鹼の匂いなんかがするのか、理解できなかった。ポットはよく洗ったし、水にも問題はなかった。でもそれはたしかに石鹼か、あるいは化粧水のような匂いだ。僕はコーヒーポットの中のコーヒーを全部捨て、新しく湯を沸かしかけたが、途中で面倒になってやめてしまった。そしてカップに水道の水を入れ、コーヒーのかわりにそれを飲んだ。とくにコーヒーが飲みたいというわけでもないのだ。

九時半になるのを待って彼女の会社に電話をかけてみた。電話に出た女の子に岡田クミコをお願いしますと言った。岡田さんはまだ出社していないようですね、と彼女は言った。僕は礼を言って電話を切った。それから僕は気持ちが落ちつかないときにいつもそうするように家の掃除をした。古新聞と雑誌をまとめて紐《ひも》でしばり、台所の流しと食器棚《しょっきだな》を綺麗に拭《ふ》き、便所と風呂の掃除をした。鏡と窓ガラスをガラス・クリーナーで磨《みが》き、電灯の傘《かさ》を外して洗った。シーツを取り替えて洗濯し、新しいシーツをかけた。

十一時になると、またクミコの会社に電話をかけてみた。前と同じ女の子が出て、同じ答えを返した。岡田さんはまだ出社していませんね、と彼女は言った。

「今日は欠勤するんでしょうか？」と僕は訊《き》いてみた。

「さあ、そういうことは聞いておりませんが」、彼女の声にはどのような感情もこもっていなかった。そこにある事実をただそのままに述べているだけだ。

何はともあれ、十一時になってもクミコがまだ出社していないというのは、普通のことではなかった。出版社の編集部というのは一般的に勤務時間のでたらめなところだけれど、クミコの会社はそうではない。彼らが作っているのは健康やら自然食品に関する雑誌だったし、彼らが関《かか》わる筆者や食品会社や農場や医者やらはみんな朝早くから起きて働き、夕方には仕事を終えるという人たちだ。だからクミコもクミコの同僚たちもそれにあわせて、朝の九時に全員きちんと出社し、編集作業の忙しい時期を別にすれば六時までには退社した。

電話を切ってから寝室に行ってクローゼットに吊《つ》るされたクミコのワンピースやブラウスやスカートを一通り点検してみた。もし家を出ていったのなら、クミコは自分の洋服を持っていったはずだ。もちろん僕は彼女が持っている服を全部記憶しているわけではない。自分がどんな服を持っているかさえろくに覚えていないのに、他人の持っている服のリストまで記憶できるわけがない。でも僕はクミコの服をクリーニング屋に持っていったり、持って帰ったりすることが多かったから、彼女がどういう服をよく着て、どういう服を大事にしているかをだいたい把握《はあく》していた。そして僕の記憶によれば彼女の洋服はおおよそ全部そこに揃《そろ》っていた。

それにクミコには服を持ち出すような余裕がなかったはずだ。彼女が昨日の朝に家を出ていったときのことを、もう一度正確に思いだしてみた。どんな服を着ていたか、どんなバッグを持っていたか。彼女が持っていたのは、いつも会社に行くときに持っていくショルダーバッグだけだった。そこには手帳やら化粧品やら財布やらペンやらハンカチやらティッシュペーパーやらがぎっしりと入っている。とても着替えが入るようなバッグではない。

彼女のチェストを開けてみた。引き出しの中にはアクセサリーやら靴下《くつした》やらサングラスやら下着やらスポーツ・シャツやらがきちんと整理されて入っていた。そこから何が消えているかなんてとてもわからない。あるいは下着やストッキングくらいならあのバッグにも入るかもしれない。でも考えてみれば、そんなものはわざわざ持ち出さなくても、どこででも簡単に買える。

それから浴室に行って化粧品入れの引き出しをもう一度点検してみた。そこにもこれといった変化はなかった。細々とした化粧品やアクセサリーの類《たぐ》いが詰め込まれているだけだった。僕は例のクリスチャン・ディオールのオーデコロンの蓋《ふた》をあけて、もう一度匂いをかいでみた。前と同じ匂いがした。いかにも夏の朝に相応《ふさわ》しい白い花の匂いだった。そして僕はまた彼女の耳と、白い背中を思いだした。

僕は居間に戻って、ソファーの上に寝ころんだ。そして目を閉じて耳をすませた。でも時計が時を刻む音の他には、音らしい音は聞こえなかった。車の音も鳥の囀りも、何も聞こえない。これからどうすればいいのか、僕にはわからなかった。もう一度彼女の会社に電話をしようと思って受話器を取り、ダイヤルを回しかけたのだが、前と同じ女の子が電話に出ることを考えると気が重くなって、途中で受話器を置いてしまった。そうなると、僕にできることはなにもなかった。僕にできるのは、ただじっと待つことだけだ。あるいは彼女は僕を捨てるかもしれない――何が理由かはわからない、でもそれはとにかく起こりうることなのだ。しかしその場合にも、彼女は黙って何も言わずに僕を捨てるような人間ではなかった。もしクミコが僕のもとから去っていくとすれば、彼女は何故《なぜ》僕のもとから去っていくのかという理由を、できる限り正確に僕に伝えようとするはずだ。それについてはほとんど百パーセント確信があった。

あるいは彼女は事故にあったのかもしれない。自動車にはねられて病院に運ばれたのかもしれない。そして意識不明のまま輸血をされているのかもしれない。そう思うと僕の胸はどきどきした。とはいっても彼女のバッグの中には運転免許証やらクレジット・カードやら住所録やらが入っている。もし事故があったとしたら病院なり警察なりから連絡が入っているはずだ。

僕は縁側に座ってぼんやりと庭を眺《なが》めていた。しかし実際には何も見てはいなかった。何かを考えようと思ったのだけれど、ひとつのことに意識を集中することができなかった。僕はワンピースのジッパーを上げるときに見たクミコの背中を何度も何度も思いだした。耳のうしろのオーデコロンの匂いを思いだした。

一時過ぎに電話のベルが鳴った。僕はソファーから起き上がって受話器を取った。

「もしもし、岡田様のお宅でしょうか？」。それは加納マルタの声だった。

「私は加納マルタと申します。実は猫《ねこ》のことでお電話をさしあげているのですが」

「猫?」と僕はぼんやりした声で言った。猫のことなんてすっかり忘れてしまっていたのだ。それからもちろん猫のことを思いだす。それは大昔のことのように思えた。

「奥様がお探しになっていた猫のことです」と加納マルタは言った。

「ええそうですね、もちろん」と僕は言った。

加納マルタは電話の向こうで何かを測るようにしばらく黙っていた。僕の声の調子が彼女に何かを感じさせたのかもしれない。僕は咳払《せきばら》いをして、受話器を反対の手に持ち替えた。

少しあってから加納マルタは言った。「猫はよほどのことがない限り二度と見つからないのではないかと思うのです。お気の毒ですが、おあきらめになられた方がいいと思います。猫は去ってしまいました。おそらく猫はもう戻ってはこないでしょう」

「よほどのことがない限り?」と僕は訊きかえした。でも答えはかえってこなかった。

加納マルタは長い間黙っていた。僕は彼女が話し始めるのを待っていたのだが、じっと耳を澄ませても、電話口からは息づかいひとつ聞こえなかった。電話が故障したんじゃないかと思い始めた頃《ころ》になってやっと彼女は口を開いた。

「岡田様」と彼女は言った。「こういうことを申し上げるのはあるいは失礼かとは思うのですが、猫のことの他に、何か私にお手伝いできるようなことはございますでしょうか」。僕はそれに対してすぐに返事を返すことができなかった。受話器を手にしたまましろの壁にもたれかかった。言葉が出てくるまでに少し時間がかかった。

「いろんなことがまだはっきりしていないんです」と僕は言った。「はっきりしたことはまだ何もわからないんです。ただ頭の中で考えているだけです。でもとにかく女房が家を出てどこかに行ってしまったと思うんです」。そして僕はクミコが昨日の夜帰ってこなかったこと、今朝もまだ出社していないことを加納マルタに説明した。

加納マルタは電話の向こうでしばらく考えこんでいるようだった。

「それはたしかにご心配でしょう」と加納マルタは言った。「今の時点では、私には何も申し上げられそうにありません。しかしおそらく近々に、いろんな物事が明らかになっていくでしょう。今は待つしかありません。お辛《つら》いとは思いますが、ものごとにはしかるべき時期というのがあります。潮の満干《みちひ》と同じことです。誰にもそれを変えることはできません。待つべきときにはただ待つしかないのです」

「ねえ、加納マルタさん、猫のことでいろいろとお世話になっておいて、こんなことを言うのは申し訳ないんですが、僕は今、あまり筋の通った一般論を聞きたい気分ではないんです。僕はどちらかというと、途方に暮れているんです。本当に途方に暮れています。そして嫌な予感がするんです。でもどうすればいいのか、さっぱりわからない。いいですか、僕はこの電話を切ったあと何をすればいいのかもわからないんだ。僕が欲しいのはどんな小さなつまらないことでもいいから、具体的な事実なんです。わかりますか？　目で見ることができて、手でたしかめることのできる事実です」

電話の向こうで、何かが床に落ちるような物音が聞こえた。それほど重くない、たとえば真鍮《しんちゅう》の球のようなものが、床木の上に落ちたような音だ。それから何かが擦《す》れる音が聞こえた。トレーシング・ペーパーを指のあいだにはさんで、いきおいよく引っ張ったような音だ。電話口からそれほど遠くもなく、それほど近くもない場所で、それらの動きはなされたようだった。でも加納マルタはとくにそんな物音には注意を払っていないようだった。

「わかりました。具体的なことがいいんですね」、加納マルタは平板な声で言った。

「そうです。できるだけ具体的なことがいいんです」

「電話を待つことです」

「電話なら今でもずっと待っていますよ」

「おそらく、名前の初めにオのつく人からもうすぐ電話がかかってくるはずです」

「その人はクミコのことについて何かを知っているのですか？」

「そこまではわかりかねます。どんなことでもいいから、具体的事実が知りたいとおっしゃったから、申し上げているだけです。それからもうひとつ、そのうちに半分の月が何日か続くことになるでしょう」

「半分の月？」と僕は言った。「それは空に浮かんでいる月のことですか？」

「そうです。空に浮かんでいる月です。しかしいずれにせよ、岡田様、お待ちになることです。待つことがすべてです。それではまた近いうちに」と言って加納マルタは電話を切った。

僕は机の上から電話番号リストを持ってきて、〈オ〉のページを開いてみた。そこには全部で四つの名前と住所と電話番号が、クミコの小さな丁寧な字で書きこんであった。いちばん最初には僕の父親の名前──岡田忠雄──があった。一人は小野田という僕の大学時代の友人、一人は大塚という歯科医、あとは大村酒店という近所の酒屋だった。

まず酒屋は除外していいだろう。酒屋は歩いて十分ほどの距離にあったが、たまに電話をかけてビールのケースを配達してもらうことを別にすれば、我々とその酒屋とのあいだに特別な関係は何もない。歯科医も関係ない。僕はそこで二年ばかり前に奥歯の治療を受けたが、クミコはそこに行ったことは一度もなかった。彼女は、少なくとも僕と結婚してからは、どんな歯科医にもかかったことがなかった。小野田という友人とは僕はもう何年も会っていなかった。彼は大学を出てから銀行に就職して、二年めに札幌支店勤務を命じられて、それ以来ずっと北海道に住んでいる。今では年賀状のやりとりをするくらいのものだ。彼がクミコに会ったことがあるかどうかも、僕には思いだせなかった。

あとに残ったのは僕の父親だけだった。でもクミコが僕の父親と何か深い関わりを持つとは考えられなかった。母が死んで、そのあと父親が再婚して以来、僕は父親とは顔を合わせたこともなければ、手紙をやりとりしたこともなければ、電話で話したこともない。そしてクミコはただの一度も僕の父親に会ったことはない。

電話帳のページをぱらぱらと眺めているうちに、僕は自分たちがどれくらい人づきあいの悪い夫婦であったかということにあらためて気づいた。結婚してから六年間、我々は仕事場の同僚たちとの便宜的なつきあいを別にすれば、ほとんど誰とも関わりあいを持たずに、ふたりだけで奥に引っ込んで暮らしていたようなものだった。

僕は昼食のためにまたスパゲティーを作ることにした。別に腹が減っていたわけではない。それどころか食欲なんてほとんどなかった。でもいつまでもじっとソファーに座って電話のベルが鳴るのを待っているわけにもいかない。何かの目標に向けて、とりあえずからだを動かす必要があった。僕は鍋《なべ》に水を入れてガスの火をつけ、それが沸騰《ふっとう》するまでにFM放送を聴きながらトマトのソースをつくった。FM放送はバッハの無伴奏のヴァイオリン・ソナタを放送していた。非常に上手な演奏だったが、そこには何かしら人を苛立《いらだ》たせるものがあった。その原因が演奏者の側にあるのか、あるいはそれを聴いている今の自分の精神状態にあるのか、どちらかはわからなかったけれど、とにかく僕はラジオのスイッチを切り、黙って料理をつづけた。オリーブ・オイルを熱してにんにくを入れ、そこにみじん切りにした玉葱《たまねぎ》を入れて炒《いた》め、玉葱に色がつきはじめた頃に、あらかじめ刻んで水を切っておいたトマトを入れた。何かを切ったり炒めたりするのは悪くなかった。そこにはたしかな手応《てごた》えがあり、音があり、匂いがある。

鍋の湯が沸くと塩を入れ、スパゲティーを一摑《つか》み入れた。そしてタイマーを十分にセットし、流しの中の洗い物をした。でも出来上がったスパゲティーを前にしても、食欲はまるで湧《わ》いてこなかった。やっと半分だけ食べてあとは捨てた。残ったソースは容器に入れて冷蔵庫にしまった。まあ仕方ないさ、そもそも初めから食欲はなかったのだ。

何かを待っているあいだずっとものを食べている男の話を、昔どこかで読んだ記憶があった。ずいぶん長く真剣に考えたあとでやっと、それがヘミングウェイの『武器よさらば』であることを思いだした。主人公は（名前は忘れてしまった）イタリアからボートで国境を越えてようやくスイスに逃れて、そこの小さな町で妻の出産を待っているのだが、彼はそのあいだに、しょっちゅう向かいのカフェに入っては何かを飲んだり食べたりする。小説の筋はほとんど覚えていなかった。僕が記憶しているのは、主人公が異国の地で妻の出産を待ちながら、次から次へと食事を続ける、その結末に近い場面だけだ。僕がその場面をよく覚えているのは、そこに強烈なリアリティーが含まれているように感じたからだ。不安で食事が喉《のど》を通らなくなるよりは、逆に異常なくらい食欲が湧いてきた方が文学的にリアルであるような気がしたのだ。

でも実際にこうして、静かな家の中で時計の針を眺めながら、何かが起こるのをじっと待っていると、『武器よさらば』とは違って、食欲なんてまるで湧いてこなかった。そしてそのうちにふと、食欲が湧いてこないのは、あるいは僕の中に文学的リアリティーのようなものが欠如しているからではないかと思った。自分自身がまずく書かれた小説の中の一部になったような気がした。お前はぜんぜんリアルじゃない、と誰かに糾弾されているみたいだ。あるいは実際にそのとおりなのかもしれない。

電話のベルが鳴ったのは、午後の二時前だった。僕はすぐに受話器を取った。

「岡田さんのお宅ですか？」と聞きおぼえのない男の声が言った。低くて艶《つや》のある、若い男の声だ。

「そうです」と僕はいくぶん緊張した声で言った。

「二丁目の二十六番地の岡田さんですね」

「そうです」

「こちらは大村酒店と申します。いつもお世話になっております。これから集金にお伺いしたいと思うんですが、ご都合はよろしいでしょうか？」

「集金？」

「ええ、ビールが二ケースとジュースが一ケースの代金です」

「いいですよ、まだしばらくは家にいると思うから」と僕は言った。それで我々の会話は終わった。

僕は受話器を置いてから、その会話の中にクミコについての何かの情報が含まれていたのかどうか思いだしてみた。しかしそれはどんな角度から見ても、酒屋からかかってきた集金についての短く現実的な電話だった。僕はたしかにビールとジュースを注文していたし、それは酒屋から配達されていた。三十分後にその酒屋がやってきて、僕は二ケースのビールと一ケースのジュースの代金を払った。

酒屋の若い店員は愛想のいい男だった。僕が代金を払うと彼はにこにこしながら領収書を書いた。

「ねえ岡田さん、今朝駅前で事故があったのご存じですか？　今朝の九時半頃」

「事故？」と僕はびっくりして言った。「誰が事故にあったの？」

「小さな女の子なんですけどね、バックしてきたバンに轢《ひ》かれちゃったんです。重体みたいです。私もちょうどその事故の直後に通りかかったんですけど、朝からああいうの見るって嫌《いや》ですね。小さい子って怖いんですよ。バックするときにミラーにはいらないしね。駅前のクリーニング屋さんご存じですか？　ちょうどあの前ですよ。あのあたりは自転車がとめてあったり、段ボール箱が積んであったりで見通しがよくないんだ」

酒屋が帰ったあと、これ以上家の中でじっとしていることに我慢できなくなってしまった。家の中は突然蒸し暑く、暗く、狭苦しくなったようだった。僕は靴を履いて、とにかく家を出た。鍵《かぎ》もかけなかった。窓も閉めなかったし、台所の電気も消さなかった。レモンドロップを舐《な》めながら、近所をあてもなくただうろうろと歩きまわった。でも酒屋との会話を頭の中で再現しているうちに、駅前のクリーニング店に洗濯《せんたく》ものが預けっぱなしになっていたことを思いだした。クミコのブラウスとスカートだ。引換えの紙は家に置いてきたが、まあ行けばなんとかなるだろうと僕は思った。

町は僕の目にはいつもとは少し違って見えた。道ですれ違う人々の姿はみんな何かしら不自然で、何かしら技巧的だった。僕は歩きながら彼らひとりひとりの顔を観察した。そして彼らはいったいどういう種類の人間なのだろうと考えた。いったいどんな家に住んで、どんな家族を持って、どんな生活を送っているのだろう。彼らは妻以外の女と寝たり、夫以外の男と寝たりしているのだろうか。幸せなのだろうか。自分たちが不自然で技巧的に見えていることを知っているのだろうか。

クリーニング店の前にはまだ事故のあとが生々しく残っていた。路面には警察の引いたらしい白いチョークの線があり、何人かの買い物客が集まって深刻な顔つきで事故の話をしていた。しかし店の中の様子はいつもと同じだった。例の真っ黒なラジオ・カセットが、例によってムード・ミュージックを演奏し、奥の方では旧式のエアコンが唸《うな》りを立て、アイロンのスチームがもうもうと天井まで立ちのぼっていた。曲は『ひき潮』だった。ロバート・マックスウェルのハープ。海に行けたら素敵だろうなと僕は思った。僕は砂浜の匂《にお》いと、砕ける波の音を想像した。鷗《かもめ》の姿を思い浮かべ、よく冷えた缶《かん》入りのビールのことを思った。

僕は主人に受取りの紙を忘れたのだと言った。「たしか先週の金曜日か土曜日にブラウスとスカートを預けたと思うんですが」

「岡田さんね、岡田さん……」と主人は言った。そして大学ノートをめくった。「うん、あったあった。ブラウスに、スカートと。でもね、これはもう奥さんが持っていってるよ、岡田さん」

「そうですか」と僕はびっくりして言った。

「昨日の朝に取りに来てるよ。私が奥さんに直接渡したからよく覚えてる。会社に行くついでに寄ったみたいだったね。そのときに受取りも貰《もら》った」

言葉が出てこなかったので、僕は黙って彼の顔を見ていた。

「あとで奥さんに訊《き》いて確かめてみてよ。間違いないから」とクリーニング屋は言った。そしてレジスターの上に置いてあった煙草の箱から煙草を一本だしてくわえ、ライターで火をつけた。

「昨日の朝にですか?」と僕は訊いてみた。「夕方じゃなくて」

「朝だよ。八時頃だっけね。おたくの奥さんは朝いちばんのお客だったからね、それでよく覚えているんだ。ほら、朝いちばんのお客が若い女のひとだと気分がいいじゃないか」

僕はうまく表情を作れなかったし、出てきた声は僕の声には聞こえなかった。「それならいいんです。女房が取りに来たとは知らなかったもんだから」

クリーニング屋はうなずいて、僕の顔をちらっと見てから、ふたくちかみくち吸っただけの煙草をもみ消し、アイロンかけに戻っていた。彼は僕の何かに興味を持ったようだった。僕に向かって何かを言いたそうに見えた。でも結局何も言わないことに決めたようだった。僕の方も彼にいろんな質問をしたかった。クミコは洗濯ものを取りにきたときどんな様子だったかとか、何を手に持っていたかだとか。でも僕は混乱して、ひどく喉が渇いていた。とりあえずどこかに座って冷たいものを飲みたかった。そうしないことにはもう何も考えられないような気がした。

クリーニング屋を出ると近所の喫茶店に入り、アイスティーを注文した。喫茶店の中は涼しく、客は僕一人しかいなかった。壁の上の小さなスピーカーが、大編成のオーケストラ用に編曲されたビートルズの『エイト・デイズ・ア・ウィーク』を流していた。僕はもう一度海のことを考えた。裸足《はだし》になって、波打ち際《ぎわ》に向かって砂浜を進んでいくところを想像した。砂浜は焼けつくように熱く、風には潮の匂いが重く混じっている。僕は大きく息を吸い込み、空を見上げる。両手を広げて上に向けると、そこに夏の太陽の火照《ほて》りをしっかりと感じることができる。やがて波が冷ややかに僕の足を洗う。

クミコが会社に出勤する前にクリーニング屋で服をピックアップして行くというのは、どう考えても変な話だ。そんなことをしたら、そのプレスされたばかりの服を手に下げて満員電車に乗らなくてはならないからだ。そして帰りもまた同じようにそれを手に下げて満員電車に乗ることになる。荷物になるし、だいいちせっかくクリーニングに出した服がくしゃくしゃになってしまう。服の皺《しわ》や汚れに対して神経質なクミコがそんな無意味なことをするとは思えない。会社の帰りに店に寄れば済むことだ。帰りが遅くなるのなら、僕に取ってきてくれと頼めばいい。考えられる可能性はひとつだけだった。その時のクミコにはもう家に戻るつもりはなかったのだ。彼女はブラウスとスカートを手に持って、そのままどこかに行ってしまったのだろう。それがあればとりあえずの着替えはできるし、それ以外のものはどこかで買えばいい。彼女はクレジット・カードも持っているし、銀行のカードも持っている。自分だけの独立した預金口座も持っている。行こうと思えば、どこにだって好きなところに行けるのだ。

そして彼女はたぶん誰かと——男と一緒なのだろう。それ以外に彼女が家を出ていく理由なんて何もないから、たぶん。

たぶん事態は深刻なのだろう。クミコは服やら靴《くつ》やらを全部あとに置いて消えてしまったのだ。彼女は服を買い揃《そろ》えるのが好きだったし、いつも大事に手入れをしていた。それをみんな捨ててほとんどからだひとつで出ていくには、それなりの決意が必要だったはずだ。でも何の躊躇《ちゅうちょ》もなく——と僕には思えた——ブラウスとスカートだけを下げてクミコは家を出ていった。いや、そのときクミコは服のことなんて考えもしなかったのかもしれない。

僕は喫茶店の椅子《いす》にもたれて、切ないくらい殺菌されたバックグラウンド・ミュージックを聴くともなく聴きながら、クリーニング店のビニールの袋に包まれ、針金のハンガーがついたままの洋服を下げて満員の通勤電車に乗ろうとしているクミコの姿を想像した。彼女の着ていたワンピースの色を思いだし、耳のうしろのオーデコロンの匂いを思いだし、つるりとした完璧《かんぺき》な背中を思いだした。僕はひどく疲れているようだった。一度目を閉じてしまったら、自分がここではないどこか別の場所にふらふらと行ってしまいそうな気がした。

2

この章では
良いニュースはなにひとつない

喫茶店を出たあと、またあてもなくその辺を歩き回った。歩いているうちに、午後の激しい暑さのせいで、僕はだんだん気持ちが悪くなってきた。寒けのようなものさえ感じた。でも家には帰りたくなかった。ひっそりとした家の中で、来るあてもない電話をじっと待つことを思うと、たまらないくらい息苦しくなった。

思いつけることといえば、笠原メイに会いに行くことくらいだった。僕は家に戻ると庭の塀《へい》を乗り越え、路地を通って彼女の家の裏手まで行った。そして路地を隔てた向かいの〈空き家〉の塀にもたれて、鳥の石像のあるその庭を眺《なが》めていた。ここに立っていれば、そのうちに笠原メイは僕の姿をみつけるだろう。かつら会社のアルバイトに出かけるのを別にすれば、庭で日光浴をしているにせよ、自分の部屋にいるにせよ、彼女はだいたいいつも家にいて路地の様子をうかがっているのだ。

笠原メイはなかなか姿を見せなかった。空には雲ひとつなかった。夏の光が僕の首筋をじりじりと焼いていた。足元からはむっとする草の匂いが立ちのぼっていた。鳥の石像を眺めながら、しばらく前に叔父から聞いた話を思いだし、その家に住んでいた人々の運命に思いをめぐらせようとした。でも僕に思い浮かべられるのは海だけだった。冷たくて青い海。僕は何度も深呼吸をし、時計を眺めた。今日はもう駄目《だめ》かもしれないとあきらめかけた頃《ころ》に、ようやく笠原メイが姿を見せた。彼女は庭を抜けて、ゆっくりとこちらにやってきた。デニムのショートパンツにブルーのアロハシャツを着て、赤いゴムサンダルを履いていた。彼女は僕の前に立って、サングラスの奥から微笑《ほほえ》みかけた。

「こんにちは、ねじまき鳥さん。猫はみつかった？　ワタヤ・ノボルくんは」

「いや、まだみつからないね」と僕は言った。「でも今日は出てくるのにずいぶん時間がかかったんだね」

笠原メイはデニムのヒップポケットに両手を突っ込んで、おかしそうにまわりを見まわした。「ねえねえ、ねじまき鳥さん、いくら私が暇だといってもね、なにも朝から晩まで目を皿にしてずっと路地を見張って生きているわけじゃないのよ。私だって私なりにやることは少しくらいはあるのよ。でもとにかく、御免なさい。そんなに長く待ったの？」

「それほど長くじゃない。ただ、ここに立っているととても暑かったんだ」

笠原メイは僕の顔を長いあいだ仔細《しさい》に眺めていた。そして小さく眉《まゆ》をしかめた。「どうしたの、ねじまき鳥さん、なんだかひどい顔してるわよ。しばらくどっかに埋められててさっきやっと掘りだされたばかりっていう感じの顔よ。ちょっとこっちに来て、木陰に入って休んだ方がいいんじゃない」

彼女は僕の手を取って、自分の家の庭に連れていった。そしてキャンバスのデッキチェアのひとつを樫《かし》の木の下に移動して、そこに座らせた。密生した緑の枝が、生命の香りのする涼しい影を落としていた。

「大丈夫よ、例によって誰も家にはいないから。ぜんぜん気にすることないわよ。しばらくそこで何も考えずにやすんでいなさい」

「ねえ、お願いがひとつあるんだけど」と僕は言った。

「言ってみて」

「僕のかわりに電話をかけてほしいんだ」

僕はポケットから手帳とボールペンを出して、妻の会社の電話番号を書いた。そしてそのページを破って彼女に渡した。ビニールの表紙のついた手帳は汗で生あたたかくなっていた。

「ここに電話をかけて、岡田クミコという人が会社に出てきているかどうか、そしてもし出てきていなかったら、昨日は出社したかどうか、それだけを訊いてほしいんだ」

笠原メイはその紙を受け取り、唇《くちびる》を結んでじっと見ていた。それから僕の顔を見た。「大丈夫、ちゃんとやってあげるから、頭をからっぽにしてそこで横になっていなさい。すぐに戻ってくるから」

笠原メイが行ってしまうと、僕は言われたとおりそこに横になって目を閉じていた。からだのあらゆる部分から汗がにじみ出ていた。何かを考えようとすると頭の奥が疼《うず》いたし、胃の底のあたりには糸屑《いとくず》のかたまりのようなものが沈んでいた。ときおりもったりとした吐き気の予感がする。あたりは静まりかえっていた。そういえばずいぶん長いあいだねじまき鳥の鳴き声を聞いてないような気がするな、とふと思った。最後にねじまき鳥の声を聞いたのはいつだったろう。たぶん四日か五日くらい前だ。しかし記憶は正確ではない。気がついたときにはもうねじまき鳥の声は聞こえなくなっていた。あの鳥はあるいは季節の変化にあわせて移動をしていく鳥なのかもしれない。そういえばねじまき鳥の声を聞くようになったのは、この一ヵ月くらいのことだった。それからしばらくのあいだ、その姿の見えない鳥は僕らの住む小さな世界のねじを毎日巻きつづけていた。それはねじまき鳥の季節だったのだ。

十分ばかりたってから、笠原メイが戻ってきて、手に持っていた大きなグラスを僕に渡した。渡すときに、からからという氷の音がした。その音は遥《はる》か遠くの世界から聞こえてくるような気がした。僕のいる場所とその世界のあいだには、いくつも門が存在する。今はたまたま全部の門が開いているから、僕にはその音が聞こえるのだ。でもそれは本当に一時的なものだ。いつか、それがひとつでも閉じれば、僕の耳にはその音は届かなくなる。「レモンを入れた水だから、飲みなさいよ」と彼女は言った。「飲むと頭がすっきりするから」

僕はその水を半分飲んで彼女に戻した。冷たい水が喉《のど》を通って、僕の体の中をゆっくりと下降していった。それから激しい吐き気が僕を襲った。胃の中で腐乱した糸屑がほどけ、それが喉もとにまでずるずると上がってきた。僕は目を閉じてなんとかそれをやり過ごそうとした。目を閉じると、ブラウスとスカートを下げて電車に乗るクミコの姿が浮かぶ。吐いてしまった方がいいのかもしれないと僕は思った。でも僕は吐かなかった。何度か深呼吸をしているうちに、それは徐々に薄らいで消えて去っていった。

「大丈夫？」と笠原メイが尋ねた。

「大丈夫だよ」と僕は言った。

「電話したわ。私のことは親戚《しんせき》のものだって言っておいたわ。それでいいのよね？」

「うん」

「この人、ねじまき鳥さんの奥さんなんでしょう？」

「そう」

「昨日も出社してないんだって」と笠原メイは言った。「会社にも何の連絡もなくて、ただ休んでいるの。だから会社の人も困っているのよ。そういうタイプの人じゃないからって言ってた」

「そう。何の連絡もしないで黙って会社を休むようなタイプじゃないんだ」

「昨日からいなくなっちゃったの？」

僕はうなずいた。

「かわいそうなねじまき鳥さん」と彼女は言った。彼女は僕のことを本当にかわいそうに思っているようだった。そして手をのばして、僕の額の上に置いた。「何か私にできることはあるかしら？」

「今のところは何もないと思うな」と僕は言った。「でもとにかくありがとう」

「ねえ、もっと訊いていいかしら？　それとも、あまり訊かない方がいいかしら？」

「訊いても別にかまわないよ。答えられるかどうかはわからないけれど」

「奥さんは男の人と一緒に家を出ていったの？」

「わからない」と僕は言った。「でもひょっとしたらそうかもしれない。そういう可能性はあると思う」

「だってさ、一緒に暮らしていたんでしょう、ずっと。一緒に暮らしていてそんなこともわからないの？」

たしかにそのとおりだな、と僕は思った。どうしてそんなこともわからなかったんだろう？

「かわいそうなねじまき鳥さん」と彼女はもう一度言った。「私に何か教えてあげられればいいんだろうけど、残念ながら私にもぜんぜんわかんないのよ、結婚生活がどういうものかなんて」

　僕は椅子から立ち上がった。そうするには思ったより強い力が必要だった。「いろいろとありがとう。助かったよ。でもそろそろ行かなくちゃ」と、僕は言った。「何か家に連絡があるかもしれない。誰かから電話がかかってくるかもしれないから」

「家に帰ったらすぐにシャワーを浴びるのよ。まず最初にシャワー。わかった？　そして綺《き》麗《れい》な服に着替えるのよ。それから髭《ひげ》も剃《そ》りなさいね」

「髭？」と僕は言った。そして手で自分の顎《あご》を撫《な》でてみた。たしかに僕は髭を剃り忘れていた。髭を剃るなんていうことを、朝から一度も思いつきもしなかったのだ。

「そういう細かいことがわりに大事なのよ、ねじまき鳥さん」と笠原メイは僕の目を覗《のぞ》き込むように見ながら言った。「家に帰ってじっくり鏡を見なさい」

「そうするよ」

「あとでまた遊びにいっていいかしら？」

「いいよ」と僕は言った。それから僕はつけくわえた。「君が来てくれると助かると思う」

笠原メイは黙ってうなずいた。

家に戻って僕は鏡の中に映った自分の顔を見た。たしかに僕はほんとうにひどい顔をしていた。僕は服を脱いでシャワーを浴び、丁寧に髪を洗い、髭を剃り、歯を磨《みが》き、顔にローションをつけ、それからもう一度鏡の中の自分の顔を細かいところまで点検した。さっきより少しはましになっているようだった。吐き気ももう収まっていた。頭がまだ少しぼんやりしているだけだ。

僕はショートパンツをはき、新しいポロシャツを出して着た。そして縁側に座って柱にもたれ、庭を眺めながら濡《ぬ》れた髪を乾かした。そしてこの何日かに自分の身のまわりに起こった出来事をまとめてみようとした。まず間宮中尉《ちゅうい》から電話がかかってきた。それが昨日の朝のことだ——そう、間違いなくそれは昨日の朝だった。そして妻は家を出ていった。僕は彼女のワンピースの背中のジッパーを閉めた。そしてオーデコロンの箱をみつけた。それから間宮中尉がやってきて、奇妙な戦争の話をした。外蒙古《もうこ》の兵隊に捕まって、井戸に放《ほう》り込まれる話だ。彼は本田さんの形見を置いていく。でもそれはただの空の箱だ。そしてクミコは帰ってこない。彼女はその朝に駅前のクリーニング店で洗濯《せんたく》ものをピックアップしている。そしてそのままどこかに消えてしまった。会社にも連絡はない。それが昨日の出来事だ。

それだけのことが全部、本当に一日のうちに起こったとは、僕にはうまく信じられなかった。あまりにも多くのことが起こりすぎている。

そんなことをあれこれと考えているうちに僕はひどく眠くなってきた。それも普通の眠さではない。それは暴力的と言ってもいいくらい激しい眠気だった。誰かが無抵抗な人間からその着衣を剝《は》ぎ取るみたいに、眠りが僕から覚めた意識を剝ぎ取ろうとしているのだ。僕は何も考えずに寝室まで行って服を脱ぎ、下着だけになってベッドに入った。僕は枕元《まくらもと》の机に置いてある時計を見ようとした。でも頭を横に向けることすらできなかった。僕はそのまま目を閉じ、底が見えないくらい深い眠りの中に急速に落ちていった。

眠りの中で僕はクミコのワンピースのジッパーを上げていた。白いつるりとした背中が見えた。でもジッパーをいちばん上まであげてしまうと、それはクミコではなく、加納クレタであることがわかった。その部屋の中には僕と加納クレタしかいなかった。

それはこの前の夢と同じ部屋だった。ホテルのスイート・ルームだ。机の上にはカティーサークの瓶《びん》とグラスがふたつ置いてあった。たっぷりと氷を入れたステンレス・スチールのアイスペールもあった。外の廊下を誰かが大声で話しながら通り過ぎた。声はよく聞き取れなかったが、外国語みたいな響きだった。天井からは点灯されていないシャンデリアが下がっていた。部屋の中を照らしているのはほの暗い壁付き電灯だけだ。分厚い窓のカーテンもやはりぴったりと引かれていた。

加納クレタが着ているのはクミコの夏物のワンピースだった。淡いブルーで、鳥の模様がパターンとして、透かし彫りのように入っている。裾丈《すそたけ》は膝《ひざ》の少し上あたりだ。加納クレタはいつものように、ジャクリーン・ケネディみたいな化粧をしていた。そして左の腕に二本一組のブレスレットをつけていた。

「ねえ、そのワンピースはどうしたの。それは君のものなの？」と僕は尋ねた。

加納クレタは僕の方を向いた。そして首を振った。彼女が首を振ると、カールした毛先が気持ち良さそうに揺れた。「違います。これは私のものじゃありません。一時的に借りているだけなんです。でも気にしないでください、岡田様。このことで誰にも迷惑はかけていませんから」

「ここはいったいどこなんだろう？」と僕は言った。

加納クレタはそれには答えなかった。前と同じように、僕はベッドに腰かけていた。僕はスーツを着て、水玉のネクタイをしめていた。

「何も考えなくていいんですよ、岡田様」と加納クレタは言った。「心配することなんて何もありません。大丈夫、みんなちゃんとうまくいきますから」

そして彼女は前と同じように僕のズボンのジッパーを外し、僕のペニスを取り出し、それを口の中に含んだ。前と違うのは、彼女が服を脱がないことだった。加納クレタはずっとそのクミコのワンピースを着ていた。僕は体を動かそうとした。でも体は目に見えない糸で縛られたようにぴくりとも動かなかった。そして僕のペニスは、彼女の口の中ですぐに硬く大きくなった。

彼女のつけまつげが動き、カールした髪の毛先が揺れるのが見えた。彼女の二本のブレスレットが乾いた音を立てた。彼女の舌は長く、柔らかく、絡《から》みつくようにもつれるように僕を舐《な》めた。それから彼女は、もう少しで僕が射精に導かれるだろうというところで、突然僕のからだから離れた。そしてゆっくりと僕の服を脱がせた。上着を脱がせ、ネクタイを取り、ズボンを脱がせ、シャツを脱がせ、下着を取り、裸になった僕を仰向けにベッドに寝かせた。でも自分は裸にはならなかった。彼女はベッドの上に座って、僕の手を取り、それをそっとワンピースの下に持っていった。彼女は下着をつけていなかった。僕の指は彼女の性器の温かみを感じた。それは深く、温かく、たっぷりと湿っていた。僕の指は何の抵抗もなく、まるで吸い込まれるようにその中に入った。

「ねえ、綿谷《わたや》ノボルがもうすぐここに来るんだろう？　君はここで彼を待っていたんじゃないの？」と僕は言った。

加納クレタは何も言わずに僕の額にそっと手を置いた。「岡田様は何も考えなくていいんです。そういうことはぜんぶ私たちがやります。私たちに任せてください」

「私たち？」と僕は言った。でも答えは返ってこなかった。

彼女は僕の体の上にまたがるように乗り、硬くなったままの僕のペニスを手に取るとするりと彼女の中に導いた。そして奥の方まで入れてから、ゆっくりと腰を回転させ始めた。彼女の体の動きに呼応するように、淡いブルーのワンピースの裾が、僕の裸の腹と脚の上を撫でていた。ワンピースの裾を広げて僕の上に乗っている加納クレタは、まるで柔らかい巨大なキノコのように見えた。夜の翼の中でひっそりとその繊維をひろげ、落ち葉の上に音もなく顔を出す陰花植物のように。彼女のヴァギナは温かく、そして同時に冷たかった。それは僕を包み込み、誘い込み、そして同時に押し出そうとしていた。その中で、僕のペニスはもっと硬くなり、もっと大きくなった。まるでそのままはちきれてしまいそうだった。それは不思議な感覚だった。性欲や性的快感といったものを越えた何かだった。彼女の中の何かが、何か特別なものが、僕の性器を通って、少しずつ僕の中に忍び込んでくるような気がした。

加納クレタは目を閉じて顎《あご》を軽く上に向け、夢でも見ているように体を静かに前後に揺らせていた。ワンピースの下の彼女の胸が呼吸にあわせて膨らみ、すぼまるのが見えた。前髪が何本か落ちて、その額にかかっていた。僕は自分が広大な海の真ん中にひとりきりで浮かんでいるところを想像した。目を閉じ、耳を澄ませ、顔にあたる小さな波の音を聞こうとした。僕のからだは、生ぬるい海の水にすっぽりと包まれていた。ゆっくりと潮が流れていた。僕はそこに浮かびながら、どこかに向けて流されていた。加納クレタの言ったとおり、何も考えないことにした。目を閉じ、体の力を抜いて、流れに身をまかせた。

ふと気がつくと部屋の中は真っ暗になっていた。僕は部屋の中を見回してみたが、ほとんど何も見えなかった。壁付きの電灯はいつのまにかひとつ残らず消えていた。僕のからだの上で加納クレタの青いワンピースがゆらゆらと揺れているのが、シルエットのように微《かす》かに見えるだけだった。「忘れなさい」と彼女は言った。でもそれは加納クレタの声ではなかった。「何もかも忘れてしまいなさい――眠るように、夢を見るように、温かい泥《どろ》の中に寝ころんでいるように。私たちはみんな温かい泥の中からやってきたんだし、温かな泥の中に戻っていくのよ」

それは電話の女の声だった。僕のからだの上に乗って、今僕と交わっているのはあの謎《なぞ》の電話の女だった。彼女はやはりクミコのワンピースを着ていた。僕の知らないあいだにどこかで加納クレタとその女とが入れ代わってしまったのだ。僕は何かを言おうとした。何を言おうとしたのかはわからない。でもとにかく何かを言おうとしたのだ。でも僕はひどく混乱していたし、声は出てこなかった。僕が口から吐きだすことができたのは、熱い空気のかたまりだけだった。僕はしっかりと目を開けて、からだの上にいる女の顔を見とどけようとした。でも部屋の中はあまりにも暗すぎた。

女はそれ以上は何も言わずに、前よりももっとなまめかしく腰を動かし始めた。彼女の柔らかな肉が僕の性器を包み込み、そっと締め上げた。それはまるで独立した生き物のようだった。僕は彼女のからだの背後でドアノブが回される音を聞いた。あるいは聞いたような気がした。何かがきらりと白く闇《やみ》の中で光った。廊下の光を受けてテーブルの上のアイスペールが光ったのかもしれない。あるいはそれは鋭い刃物のきらめきだったかもしれない。でも僕にはもう何を考えることもできなかった。そして射精した。

僕はシャワーを浴び、体を洗い、精液のついた下着を手で洗った。やれやれ、どうしてこんなややっこしいときに、わざわざ夢精なんかしなくちゃいけないんだろう。

僕はもう一度新しい服に着替え、もう一度縁側に座って庭を眺《なが》めた。太陽の光が、厚く繁《しげ》った緑の葉陰でまぶしく踊っていた。幾日も続いた雨のおかげで、鮮やかな緑の雑草が地面のそこかしこに頭をもたげ、それが庭に微妙な退嬰《たいえい》と停滞の影を与えていた。

またしても加納クレタだ。短い期間に二度も夢精をして、そのどちらの時も相手は加納クレタなのだ。これまでのところ、加納クレタと寝たいと僕が考えたことはただの一度もない。ちらっと考えたことすらない。なのに僕はいつもその部屋の中で加納クレタと交わっている。僕にはその理由がわからなかった。そして途中で加納クレタと入れ代わったあの電話の女はいったい誰なのだろう。あの女は僕のことを知っている。そして僕も彼女を知っていると言う。僕はこれまでに性的交渉を持った相手をひとりひとり思いだしてみた。でも電話の女はそのうちの誰でもなかった。しかしそれでも、頭の中に何かひっかかるところがあった。それが僕を苛立《いらだ》たせた。

何かの記憶が、狭い箱の中から外に出たがっているようだった。僕はその何かの不器用なもぞもぞとした動きを感じることができた。ちょっとしたヒントだけでいいのだ。その糸を一本引っ張れば、すべてはあっさりとほどけてしまうはずだった。それは僕にほどかれるのを待っていた。でも僕にはその一本の細い糸を捜し当てることができなかった。

やがて考えるのをあきらめた。「何もかも忘れてしまいなさい——眠るように、夢を見るように、温かい泥の中に寝ころんでいるように。私たちはみんな温かい泥の中からやってきたんだし、温かな泥の中に戻っていくのよ」


六時になっても電話はかかってこなかった。笠原メイが遊びにきただけだった。ビールをちょっとだけ飲みたいと言ったので、冷蔵庫から冷えたビールを出し、二人でわけて飲んだ。腹が減ったのでパンにハムとレタスをはさんで食べた。僕が食べるのを見ていると、笠原メイも同じものが食べたいと言った。それで彼女のために同じものを作った。ふたりで黙々とサンドイッチを食べ、ビールを飲んだ。僕はときどき壁の時計に目をやった。

「ここの家はテレビないの？」と笠原メイが訊《き》いた。

「テレビはない」と僕は言った。

笠原メイは唇《くちびる》の端の方をちょっと嚙《か》んだ。「まあそういう気がしなくもなかったんだ。ここにはテレビがないんじゃないかって。テレビは嫌《きら》いなの？」

「とくに嫌いなわけでもないけど、なくても不自由はないからね」

笠原メイはそれについて一人でしばらく考えていた。「ねじまき鳥さんは結婚して何年になるの?」

「六年」と僕は言った。

「それでその六年間ずっとテレビなしでやってたの?」

「そうだね。最初はテレビを買うようなお金の余裕もなかった。でもそのうちにテレビのない生活に慣れちゃったんだ。静かでいい」

「きっと幸せだったのね」

「どうしてそう思うの?」

笠原メイは顔をしかめた。「だって私なんか、テレビなしで一日も暮らせないもの」

「それは君が不幸だから?」

笠原メイはそれには答えなかった。「でもクミコさんは家には戻ってこない。だからねじまき鳥さんはもうそれほど幸せではない」

僕はうなずいてビールを一口飲んだ。「まあそういうことだね」。まあそういうことだ。

彼女は煙草《たばこ》をくわえて、慣れた手つきでマッチで火をつけた。「ねえ、思ったとおりすごく正直に言ってほしいんだけど、私のこと醜いと思う?」

僕はビールのグラスを下に置いて、あらためて笠原メイの顔を見た。僕はそのとき彼女と話をしながら何かべつのことをぼんやりと考えていたのだ。彼女は大きめの黒いタンクトップを着ていたから、少し下を向くと、その小さく盛り上がった少女らしい乳房の上半分がはっきりと見えた。

「君はぜんぜん醜くなんかない。それは確かだよ。どうしてわざわざそんなことを訊くのかな?」

「私がつきあっていた男の子はよくそう言ってたわ。お前なんかブスだし、ムネだって小さいって」

「それはバイクで事故を起こした男の子のこと?」

「そう」

僕は笠原メイがゆっくりと煙を口から吐くのを眺めていた。「その年頃《としごろ》の男の子というのはよくそういうことを言うものなんだよ。自分の気持ちをぴったりとうまく表現することができないから、それとはとんでもなくかけ離れたことをわざと言ったりやったりするんだ。そして無意味に人を傷つけてたり、あるいは自分が傷ついたりする。とにかく君はぜんぜん醜くない。とても可愛《かわい》いと僕は思うよ。嘘《うそ》とかお世辞とかじゃなくてね」

笠原メイは僕の言ったことについてしばらく考えていた。彼女はビールの空き瓶の中に煙草の灰を落とした。「ねじまき鳥さんの奥さんは綺麗《きれい》な人?」

「どうだろう。僕にはよくわからないな。そう言う人もいるし、言わない人もいる。好みの問題だからね」

「ふうん」と笠原メイは言った。そして指の爪《つめ》でつまらなさそうにグラスを何度かこつこつと弾《はじ》いた。

「それで君のそのバイクのボーイフレンドはどうしているの? もう彼には会わないの」と

僕は尋ねてみた。

「もう会わない」と笠原メイは言った。そして左目の脇《わき》の傷あとをそっと指で触れた。「もう二度とその子と会うことはないわね。それはたしかよ。二百パーセントくらいたしかよ。右足の小指を賭《か》けたっていいわよ。でもその話は、今のところあまりしたくないの。なんというかさ、言っちゃうとウソになることってあるでしょう？　そういうのってねじまき鳥さんにはわかるかしら？」

「わかると思う」と僕は言った。それから僕はふと居間の電話に目をやった。電話は机の上で沈黙の衣をまとっていた。それは無生物のふりをしてそこにうずくまり、獲物が通りかかるのを待っている深海の生き物のように見えた。

「ねえねじまき鳥さん、いつかその男の子のことをねじまき鳥さんに話すわ。話したくなったらね。でも今はダメ。まだぜんぜん話す気になれないの」

それから彼女は腕時計を見た。「さあもう家に帰らなくちゃ。ビールをありがとう」

僕は笠原メイを庭の塀《へい》のところまで送っていった。満月に近い月が、粒子の粗い光を地上に注いでいた。そして僕は満月を見ることによってクミコの生理が近いことを思いだした。でも結局のところ、それももう僕には関係のないことになってしまうのかもしれない。そう思うと、自分の体の内側が未知の液体で満たされたような、奇妙な感触が僕を襲った。それはどことなく悲しみに似たものだった。

笠原メイは塀に手をかけてから僕の顔を見た。「ねえねじまき鳥さん、ねじまき鳥さんはクミコさんのことが好きなんでしょう?」

「そうだと思う」

「もし奥さんに他に恋人がいて、その人と一緒にどこかに行ってたとしても、ねじまき鳥さんはまだ奥さんのことが好き? 奥さんがやっぱりあなたのところに戻ってきたいと言ったら、ねじまき鳥さんは奥さんのことを受け入れるかしら?」

僕はため息をついた。「それはむずかしい問題だな。実際にそうなったときに、あらためて考えるしかないね」

「私は余計なことを言ってるのかもしれないわね」と笠原メイは言った。そして小さく舌うちをした。「でも怒らないでね。私はただ単純に知りたかっただけなのよ。奥さんが突然家を出ていっちゃうっていうのがいったいどういうものなのか。ほら、私にはわからないことがいっぱいあるから」

「べつに怒ってないよ」と僕は言った。そしてもう一度満月を見上げた。

「じゃあ元気でね、ねじまき鳥さん。奥さんが帰ってきて何もかもうまく行くといいわね」、笠原メイはそう言うとびっくりするくらい身軽に塀を乗り越えて、夏の夜の中に姿を消した。

笠原メイがいなくなると、僕はまたひとりぼっちになった。僕は縁側に座って、笠原メイが投げかけた質問について考えてみた。もしクミコに恋人がいて、彼女がその男と一緒にどこかに行ったとして、それでも僕はもう一度彼女を受け入れることができるだろうか。僕にはわからなかった。本当にわからなかった。僕にだってわからないことはいっぱいある。

突然電話が鳴った。僕はほとんど条件反射のように手をのばして受話器を取った。

「もしもし」と女が言った。加納マルタの声だった。「こちらは加納マルタでございます。たびたび電話を差し上げて、誠に申し訳ございません。ところで明日は岡田様は何かご予定がおありでいらっしゃいますでしょうか？」

何も予定はないと僕は言った。僕には――予定というものがないのだ、とにかく。

「それでは明日のお昼ごろに岡田様とお目にかかることができればと思うのですが」

「それはクミコと何か関係があることですか？」

「そういうことになるのではないかと思います」と加納マルタは慎重にことばを選んで言った。「それから綿谷ノボル様もおそらく同席されることになると思います」

僕はそれを聞いて思わず受話器を落としそうになった。「ということは、我々は三人で一緒に会って話をするということですか？」

「そのようになると思います」と加納マルタは言った。「そうすることが今の場合には必要なのです。電話ではこれ以上細かいことをご説明できないのですが」

「わかりました。それで結構です」と僕は言った。

「それでは、一時にこの前お目にかかったのと同じ場所でいかがでしょう？　品川パシフィック・ホテルのコーヒールームで」

一時に品川パシフィック・ホテルのコーヒールームで、と僕は復唱した。そして電話を切った。

十時に笠原メイから電話がかかってきた。とくに用事があるわけではなかった。彼女は誰かと話をしたかっただけだった。僕らはしばらく害のない話をした。最後に彼女は言った。

「ねえねじまき鳥さん、あれから何か良いニュースはあった？」

「良いニュースはないよ」と僕は答えた。「何もない」

3　綿谷ノボル語る、下品な島の猿の話

コーヒールームに着いたとき、約束していた一時までにはまだ十分以上間があったにもかかわらず、綿谷ノボルと加納マルタは既に席に着いて僕を待っていた。昼食の時間に重なっていたせいでコーヒールームは込みあっていたが、僕はすぐに加納マルタの姿をみつけることができた。天気のいい夏の午後に赤いビニールの帽子を被《かぶ》っている人間は、世の中にそんなに沢山はいない。もし彼女が同じような形と色のビニールの帽子を幾つも収集しているのでなければ、それは最初に会ったときに被っていたのと同じ帽子であるはずだった。そして彼女は前と同じようにさっぱりとした趣味のいい身なりをしていた。白い半袖《はんそで》の麻のジャケットの下に丸首のコットンのシャツ。ジャケットもシャツもしわひとつなく真っ白だった。アクセサリーはなし、化粧もなし。赤いビニールの帽子だけがそれらの服とは雰囲気《ふんいき》も材質も何もかもまったくそぐわなかった。僕が席に着くと、彼女はそれを待っていたように帽子を脱いでテーブルの上に置いた。帽子の隣には小さな黄色い革のハンドバッグが置かれてい

た。彼女はトニック・ウォーターのようなものを注文していたが、やはりまったく手をつけていなかった。それは、長いタンブラーの中でなんとなく居心地悪そうに空《むな》しく小さな泡《あわ》を立てていた。

綿谷ノボルは緑色のサングラスをかけていた。僕が席に座ると彼はそれをはずし、しばらく手に持ってじっとレンズを眺めていたが、やがてまたかけなおした。彼は紺のコットンのスポーツ・ジャケットの下に、おろしたてのように見える白いポロシャツを着ていた。前にはアイスティーのグラスが置かれていたが、彼も飲み物にはほとんど手をつけていなかった。

僕はコーヒーを注文し、冷たい水をひとくち飲んだ。

しばらくのあいだ誰も口をきかなかった。綿谷ノボルは僕がやってきたことにさえ気づかないように見えた。僕は自分が透明になっていないことを確認するために、掌《てのひら》をテーブルの上に出して何度かひっくりかえしてみた。やがてウェイターがやってきて、僕の前にコーヒーのカップを置き、ポットからコーヒーを注《つ》いだ。ウェイターが行ってしまうと、加納マルタがマイクの調子でも試すみたいに小さく咳払《せきばら》いをした。でも何も言わなかった。

最初に口を開いたのは綿谷ノボルだった。「あまり時間がないからできるだけ簡単に、率直に話をしよう」と彼は言った。彼は一見してテーブルの真ん中に置かれたステンレス・スチールのシュガーポットに向かって話しかけているように見えたが、彼が話しかけている相手はもちろんこの僕だった。彼は便宜的に、両者の中間に位置しているシュガーポットに向けて話しかけているのだ。

「簡単に、率直に何の話をするんですか？」と僕は率直に訊いてみた。

綿谷ノボルはやっとサングラスを取ってそれをテーブルの上に畳んで置き、それから僕の顔を見た。この前最後に彼と会って話をしたのはもう三年以上前のことだったが、今こうして一緒にいても、久しぶりに会ったというような思いはまったく湧《わ》いてこなかった。テレビや雑誌で時折その顔を見せられていたせいだろうと僕は思った。ある種の情報というのは、好むと好まざるとにかかわらず、求めると求めざるとにかかわらず、煙みたいに人間の意識や目に入り込んでくるのだ。

しかし間近に顔を突き合わせてよく見てみると、この三年のあいだに彼の顔の印象がずいぶん変わってしまったことに気づかされた。以前そこに見受けられたあのどろんとしたいわく言いがたい淀《よど》みのようなものはどこか奥の方に押しやられ、スマートで人工的な何かがそのあとを埋めていた。ひとことで言えば、綿谷ノボルはより洗練された新しい仮面を手に入れたのだ。それはたしかによくできた仮面だった。それはあるいは新しい皮膚のようなものなのかもしれない。でもそれが仮面であるにせよ、皮膚であるにせよ、僕は――この僕でさえ――その新しい何かの中に、ある種の魅力のようなものを認めないわけにはいかなかった。まるでテレビの画面を見ているみたいだなと僕はふと思った。彼はテレビに出てくる人間が話すように話し、テレビに出てくる人間が動くように動いていた。僕と彼とのあいだには常に一枚のガラスが介在しているように感じられた。僕はこっち側にいて、彼はあっち側にいた。

「話というのは、君もたぶんわかっているだろうけれど、クミコのことだ」と綿谷ノボルは言った。「これから先、君たちがどうするかということだよ。君とクミコとが」

「どうするというのは、具体的に言うとどういうことなんでしょうか？」と僕は言って、コーヒーカップを持ち上げ、それを一口飲んだ。

綿谷ノボルは不思議なくらい表情のない目でじっと僕の顔を見た。「どういうことって、君だってこんな状態をいつまでも続けていくわけにもいかないだろう。クミコが他に男を作って出ていって、君があとに一人で残されているということだよ。そういうのは誰のためにも良くない」

「男を作った？」と僕は言った。

「まあまあ、ちょっとお待ちください」と加納マルタがそこで口をはさんだ。「話には順番というものがございます。綿谷様も岡田様も、順番に話を進めて参りましょう」

「よくわからないな。だって順番もなにもないでしょう」と綿谷ノボルは無機的な声で言った。「いったいこの話のどこに順番があるんですか？」

「まず彼に話させればいい」と僕は加納マルタに言った。「そのあとでみんなで適当に順番をつけましょう。もしそういうものがあればの話だけれど」

加納マルタはしばらくのあいだ唇《くちびる》を軽く結んで僕の顔を見ていたが、やがて小さく頷いた。「けっこうです。ではまず綿谷様がお話しください」

「クミコには君の他に男がいた。そしてその男と一緒に家を出ていった。これははっきりしているんだ。となると、これ以上結婚生活を続ける意味はないだろう。幸いなことに子供もいないし、諸般の事情に鑑《かんが》みて、慰謝料の交渉も不必要だろうし、そうなれば話は早い。ただ籍を抜くだけでいいんだ。弁護士の用意した書類にサインして、判を押して、それでおしまいだ。それから念のために言っておくが、私の言っていることは、綿谷家の最終的な意見でもある」

僕は腕ぐみをして、彼の言ったことについてしばらく考えてみた。「いくつか質問があります。まずだいいちに、どうしてクミコに男がいるとわかるんでしょう？」

「クミコから直接聞いたからだよ」と綿谷ノボルは言った。

僕はなんと言っていいのかよくわからなかったので、両手をテーブルの上に置いたまましばらく黙っていた。クミコが綿谷ノボルにそのような個人的な打ち明け話をするというのは、いささか不可解だった。

「一週間くらい前のことだけれど、クミコが私に電話をかけてきて、話があると言ったんだ」と綿谷ノボルは言った。「それで我々は会って話をしたんだ。自分にはつきあっている男がいるとクミコははっきりと私に言った」

僕は久しぶりに煙草《たばこ》が吸いたくなった。でももちろん煙草はどこにもなかった。そのかわりに僕はコーヒーをひとくち飲み、それをソーサーの上に戻した。かたんという大きな乾いた音がした。

「そしてクミコは家を出ていった」と彼は言った。

「わかりました」と僕は言った。「あなたがそう言うからには、おそらくそうなんでしょう。クミコには他に恋人がいたんでしょう。そしてそのことであなたのところに相談に行ったんでしょう。僕にはまだよく信じられないけれど、あなたがそんなことでわざわざ僕に嘘《うそ》を言うとは思えませんからね」

「もちろん嘘なんかつかない」と綿谷ノボルは言った。彼のくちもとには微笑《ほほえ》みさえ浮かんでいた。

「それで、あなたの話はそれだけですか？　クミコに男ができて出ていったから、僕に離婚に同意しろと？」

綿谷ノボルはエネルギーを節約するように微《かす》かに一度うなずいた。「私は、君にもたぶんわかっていると思うけれど、もともとクミコと君との結婚には賛成じゃなかった。他人のことだからと思って、あえて積極的に反対はしなかったけれど、今になってみればきちんと反対していればよかったのかもしれないと思わないでもない」、彼はそう言ってから水をひとくち飲み、そのグラスをテーブルの上に静かに置いた。そして話を続けた。「最初に君に会ったときから、私は君という人間に対して何の希望も持ってはいなかった。君という人間の中には、何かをきちんとなし遂げたり、あるいは君自身をまともな人間に育てあげるような前向きな要素というものがまるで見当たらなかった。そこには、もともと光るべきものもないし、何かを光らせようとするものだってなかった。君のやることは何から何までたぶん中途半端《はんぱ》で終わるだろう、何ひとつ達成できないだろうと思った。そして事実そのとおりになった。君たちが結婚してから六年経《た》った。そのあいだに、君はいったい何をした？　何もしてない――そうだろう。君がこの六年のあいだにやったことといえば、勤めていた会社を辞めたことと、クミコの人生を余計に面倒なものにしたことだけだ。今の君には仕事もなく、これから何をしたいというような計画もない。はっきり言ってしまえば、君の頭の中にあるのは、ほとんどゴミや石ころみたいなものなんだよ。

どうしてクミコが君と一緒になったのか、私には今でもよく理解できない。あるいは彼女は君が頭の中に抱えているそのゴミとか石ころみたいなものを面白いと思ったのかもしれない。でも結局のところゴミはゴミだし、石ころは石ころだ。要するに最初からボタンがかけ違えられていたんだよ。もちろんクミコにも問題はあった。あの子にはまあいろんな事情があって、子供の頃《ころ》から幾分屈折したところがあった。そういうところできっとあの子は、君に一時的に引かれたんだと思う。でももうそれも終わった。いずれにせよ、こうなったからには話は早く進めた方がいい。クミコのことは私と両親とで考える。君はこれ以上手を出さないでくれ。クミコがどこにいるかも探さないでくれ。これはもう君の問題じゃないんだ。君がこれ以上出てきても、話が余計面倒になるだけだ。君はどこか別の場所で君に相応《ふさわ》しい人生を始めた方がいい。その方がお互いのためだ」

話が終わったことを示すために綿谷ノボルはグラスに残っていた水を飲み干し、ウェイターを呼んで、新しい水を注がせた。

「他に何か言いたいことは？」と僕は尋ねてみた。

綿谷ノボルはまた微かに一度、今度は首を横に振った。

「それで」と僕は加納マルタに向かって言った。「それでこの話のいったいどこに順番がつくんですか？」

加納マルタはハンドバッグから小さな白いハンカチを取り出し、それで口もとを拭《ふ》いた。そしてテーブルの上に置かれた赤いビニールの帽子を手に取って、それをハンドバッグの上に置いた。

「おそらくこれは、岡田様にはショッキングなお話であると思います」と加納マルタは言った。「私どもといたしましても、面と向かってこういうお話をするというのは、まことに心苦しいことなのです。おわかりだとは思いますが」

綿谷ノボルは地球が自転を続け、貴重な時間が失われつつあることを確認するために、腕時計に目をやった。

「わかりました」と加納マルタは言った。「率直に、簡単に話をしましょう。奥様はまず私に会いにいらっしゃったのです。私のところにご相談にいらっしゃったのです」

「私の紹介でね」と綿谷ノボルが口をはさんだ。「クミコが猫《ねこ》のことで相談を持ちかけてきて、それで私が二人を引き合わせたんだ」

「それは僕があなたに会う前のことですか、それともあとのことですか？」と僕は加納マルタに訊《き》いた。

「前のことです」と加納マルタは言った。

「ということは」と僕は加納マルタに言った。「順番をつけて整理すると、だいたいこういうことになりますね。つまり、クミコは綿谷ノボルさんを通じて、あなたの存在を前から知っていた。そしていなくなった猫についてあなたのところに相談に行った。それからそのあとで、どういう理由でかは知らないけれど、自分が最初に会ったことは伏せて、僕にあなたに会いにいかせた。そして僕はこの同じ場所であなたと会って話をした。要するにそういうことですか？」

「だいたいそういうことです」と加納マルタは言いにくそうに言った。「最初は純粋に猫の捜索のことだったのです。しかしそこにはもっと深い何かがあると私は感じたのです。ですから私は岡田様にお会いしたいと思ったのです。直接お会いしてお話をしたいと思ったのです。そしてそのあとで私はもう一度奥様とお目にかかって、いろんなもっと深い個人的な事情のようなものをうかがわなくてはなりませんでした」

「そしてそこでクミコはあなたに自分に恋人がいることを話したわけですね」

「要約すればそのようになるかと思います。それ以上くわしいことは私の立場上申し上げかねるのですが」と加納マルタは言った。

僕はため息をついた。ため息をついてどうなるというものでもないのだけれど、つかないわけにはいかなかった。「それで、クミコはその男とはずっと以前からつきあっていたのですか？」

「二ヵ月半か、それくらいの期間になるかと思います」

「二ヵ月半」と僕は言った。「二ヵ月半ものあいだ、どうして僕はぜんぜんそれに気がつかなかったんだろう？」

「それは岡田様が、奥様のことをまったく疑っていらっしゃらなかったからです」と加納マルタは言った。

僕はうなずいた。「たしかにそのとおりだ。僕はそんなことを一度だって疑ったことはなかった。僕はクミコにそんな嘘がつけるとは思わなかったし、今でもうまく信じられないんです」

「結果がどうであれ誰かを全面的に信じることができるというのは、人間の正しい資質のひとつです」と加納マルタは僕に言った。

「なかなかできることじゃない」と綿谷ノボルが言った。

ウェイターがやってきて、僕のカップにコーヒーのおかわりを注いだ。隣のテーブルでは若い女が大きな声で笑っていた。

「それで、この集まりのそもそものテーマはいったい何なんですか？」と僕は綿谷ノボルに向かって言った。「何のために僕らは三人でここに集まっているんだろう。僕にクミコとの離婚を承諾させるためですか。それとも他に何かもっと深い目的のようなものがあるんですか？　あなたの話していることは一見筋が通っているように見えるけれど、肝心なところがどうも曖昧《あいまい》でぼやけてる。あなたはクミコに男がいて、それで家を出ていったと言う。じゃあ家を出てどこに行ったんですか？　どこに行って何をしているんですか。一人で行ったんですか、それともその男と一緒なんですか。クミコはどうして僕に何も連絡してこないんですか。男がいるのなら、それはそれで仕方ない。でも僕はクミコの口からそれを聞きたいし、それまでは何も信じない。いいですか、当事者は僕とクミコなんです。我々がそれを話し合って決める。あなたが口を出す問題じゃない」

綿谷ノボルは手をつけていないアイスティーのグラスを脇《わき》に押しやった。「我々がここにいるのは、君に通告するためだ。そして私が加納さんにお願いしてここに来てもらったんだ。二人だけで話すより第三者がいた方がいいと思ったんだ。クミコの相手の男が誰で、今どこにいるのかそんなことは知らん。クミコも大人なんだから、好きなように行動する。あるいはたとえどこにいるか知っていても君にそんなことを教えるつもりはない。クミコが君に連絡しないのは、君と話をしたくないからだ」

「クミコはいったいあなたに何を話したんですか？　あなたがた二人はあまり親密ではないように僕は理解していたんですがね」と僕は言った。

「もしクミコと君がそんなに親密だったら、どうして他の男と寝たりするんだろう？」と綿谷ノボルは言った。

加納マルタが小さく咳払いをした。

「自分は他の男と関係を持っているとクミコは言った。そしていろんなことをきっちりと清算したいと言った。私は離婚すればいいと忠告した。それについて考えてみるとクミコは言った」、綿谷ノボルはそう言った。

「それだけですか？」と僕は尋ねた。

「他にいったい何がある？」

「僕にはどうも解《げ》せないんですよ」と僕は言った。「正直に言って、クミコがそれだけのことをあなたのところに相談に行くとは思えないんだ。こう言ってはなんですが、クミコはその程度のことなら、あなたになんか相談しやしませんよ。自分の頭で考えます。あるいは僕に直接話をします。ひょっとして他に何か話があったんじゃありませんか。あなたとクミコとのあいだで顔をつきあわせて話しあわなくちゃいけないようなことが？」

綿谷ノボルは微笑みをうっすらと口許《くちもと》に浮かべた。今度のは明け方の空に浮かんだ三日月のような、薄く、冷たい微笑みだった。「語るに落ちる、というやつだね」、彼は静かな、しかしよく通る声で言った。

「語るに落ちる」と僕は自分でためしに口に出してみた。

「そうだろう。女房を他の男に寝取られて、おまけに家出されて、それを他人のせいにしようとするなんて、そんな馬鹿《ばか》な話は聞いたこともない。私だってこんなところに来たくて来ているわけじゃない。仕方なく来ているんだ。こんなことは消耗以外の何ものでもない。まるでどぶに時間を捨てているようなものだ」

彼が語り終えると、深い沈黙が下りた。

「下品な島の猿《さる》の話を知ってますか？」と僕は綿谷ノボルに向かって言った。

綿谷ノボルは興味なさそうに首を振った。「知らないね」

「どこかずっと遠くに、下品な島があるんです。名前はありません。名前をつけるほどの島でもないからです。とても下品なかたちをした下品な島です。そこには下品なかたちをした椰子《やし》の木がはえています。そしてその椰子の木は下品な匂《にお》いのする椰子の実をつけるんです。でもそこには下品な猿が住んでいて、その下品な匂いのする椰子の実を好んでたべます。そして下品な糞《くそ》をするんです。その糞は地面に落ちて、下品な土壌《どじょう》を育て、その土壌に生えた下品な椰子の木をもっと下品にするんです。そういう循環なんですね」

僕はコーヒーの残りを飲んだ。

「僕はあなたを見ていて、その下品な島の話をふと思いだしたんです」と僕は綿谷ノボルに言った。「僕の言いたいのは、こういうことなんです。ある種の下品さは、ある種の淀《よど》みは、ある種の暗部は、それ自体の力で、それ自体のサイクルでどんどん増殖していく。そしてあるポイントを過ぎると、それを止めることは誰にもできなくなってしまう。たとえ当事者がいいと思ってもです」

綿谷ノボルの顔にはどのような表情も浮かんではいなかった。微笑みも消えていたし、苛《いら》立《だ》ちの影もなかった。眉《まゆ》のあいだに小さな皺《しわ》のようなものが一本見えるだけだった。そんな皺が前からそこにあったのかどうか、僕には思いだせなかった。

僕は話をつづけた。「いいですか、僕はあなたが本当はどういう人間かよく知っています。あなたは僕のことをゴミや石ころのようなものだと言う。そしてその気になれば僕のことを叩《たた》きつぶすくらい朝飯前だと思っている。でも物事はそれほど簡単ではない。僕はあなたにとっては、あなたの価値観から見れば、たしかにゴミや石ころのようなものかもしれない。でも僕はあなたが思っているほど愚かじゃない。僕はあなたのそのつるつるしたテレビ向き、世間向きの仮面の下にあるもののことを、よく知っている。そこにある秘密を知っている。クミコもそれを知っているし、僕もそれを知っている。その気になれば、僕はそれを暴《あば》くことができる。白日のもとに晒《さら》すこともできます。そうするには時間はかかるかもしれないけれど、僕にはそれができる。僕は詰まらない人間かもしれないが、少なくともサンドバッグじゃない。生きた人間です。叩かれれば叩きかえします。そのことはちゃんと覚えておいた方がいいですよ」

綿谷ノボルは何も言わずに、その無表情な顔でじっと僕を見ていた。その顔はまるで宙に浮かんだ石のかたまりみたいに見えた。僕の言ったことはほとんどがはったりだった。僕は綿谷ノボルの秘密なんて何も知らなかった。そこには何か深く歪《ゆが》んだものがあるはずだという想像はついた。でもそれが具体的にどのようなものであるのか、僕には知るすべもなかった。でも僕の言ったことは、彼の中の何かを突いたようだった。僕はその手応《てごた》えを彼の顔の上にはっきりと見ることができた。綿谷ノボルはいつもテレビの討論会でやっているように、僕の発言をあざ笑ったりもしなかったし、あげ足を取ったり、巧妙に隙《すき》をついたりもしなかった。彼はほとんど身動きひとつせずにただじっと黙っていただけだった。

それから綿谷ノボルの顔にちょっと奇妙なことが起こりはじめた。彼の顔が少しずつ赤くなっていったのだ。それも不思議な赤くなりかただった。顔のところどころがひどく赤くなり、ところどころがうっすらと赤くなり、それ以外の部分は奇妙に青白くなったように見えた。それは僕に、いろんな種類の落葉樹や常緑樹が好き勝手にいりまじって生えていて、そのおかげでとりとめなくまだらな色あいに染まった秋の林を思わせた。

やがて綿谷ノボルは黙って席を立ち、ポケットからサングラスを出してかけた。顔色はあいかわらず不思議なまだら色に染まったままだった。それはなんだか彼の顔にすっかり定着してしまったように見えた。加納マルタは何も言わず、ぴくりとも動かず、じっとそこに座っていた。僕は知らん顔をしていた。綿谷ノボルは僕に向かって何かを言おうとした。でも結局何も言わないことに決めたようだった。彼は黙ってテーブルを離れ、姿を消した。

綿谷ノボルが帰ってしまったあと、僕と加納マルタはしばらく口をきかなかった。僕はひどく疲れていた。ウェイターがやってきて、コーヒーのお代わりはいかがでしょうかと僕に尋ねた。いらないと僕は言った。加納マルタはテーブルの上に置いた赤い帽子を手に取って、二、三分ただじっと眺《なが》めていたが、やがてそれを隣の椅子《いす》の上に置いた。口の中に苦い臭《にお》いがした。僕はグラスの水を飲んで、その臭いを洗い流そうとした。でも臭いは取れなかった。

少しあとで加納マルタが口を開いた。「感情というものは、ときには外に向かって解き放つ必要があるのです。そうしないことには、内部に流れが淀んでしまうことになります。言いたいことをおっしゃって、気持ちはすっきりなさったでしょう?」

「いくぶんは」と僕は言った。「でも何も解決していない。何も終わっていない」

「岡田様は綿谷様のことがお好きではないのですね？」

「僕はあの男と話をするたびに、おそろしく空虚な気持ちになるんです。まわりにある何もかもがみんな、実体のないものに見えてくるんです。目につくすべてががらんどうに見える。でもそれがどうしてなのかを、口に出して正確にきちんと説明することができない。そしてそのおかげで、僕はときどき僕ではないようなことを言ったり、僕ではないようなことをやったりしてしまう。そしてそのあとでとても嫌《いや》な気持ちになる。二度とあの男と会わないで済むのなら、僕としてはこんなに嬉《うれ》しいことはありませんね」

加納マルタは何度か首を振った。「残念ながら、岡田様はこれからも何度か、綿谷様と顔を合わせられるでしょうね。それを避けることは不可能です」

たぶん彼女の言うとおりだろうと僕は思った。あの男とはそんなに簡単には縁が切れないかもしれない。

僕はテーブルの上のグラスを取って、またひとくち水を飲んだ。どこからこの嫌な臭いがやって来るのだろうと僕は思った。

「ところでひとつだけ伺いたいのですが、あなたはこの件に関しては、いったいどちらの側についているんですか？　綿谷ノボルの方ですか、それとも僕の方ですか？」、僕は加納マルタにそう尋ねてみた。

加納マルタはテーブルの上に両肘《りょうひじ》をついて、掌《てのひら》を顔の前であわせた。「どちらの側でもありません」と彼女は言った。「そこには側というようなものはないからです。そういうものは、そこには存在しないのです。それは、上と下があり、右と左があり、表と裏があるというようなものごとではないのです、岡田様」

「なんだか禅みたいな話ですね。考え方のシステムとしては面白いけれど、それ自体では何の説明にもなっていない」

彼女はうなずいた。そして顔の前であわせていた両手を五センチばかり開き、少し角度をつけて僕の方に向けた。小さな形の良い掌だった。「たしかに私がお話ししていることは、まったく要領をえないことです。お腹立ちになるのももっともです。しかし私が今岡田様に何かをお教えしても、それはおそらく現実的には何の役にも立たないし、役に立たないばかりか却《かえ》って物事を損なうことになるでしょう。それはあなた御自身の力で、御自身の手で勝ち取るしかないことなのです」

「野生の王国」と僕は微笑《ほほえ》んで言った。「叩かれたら叩きかえす」

「そういうことです」と加納マルタは言った。「そのとおりです」、それから彼女はまるで誰かの遺品でも回収するみたいに、ハンドバッグをそっと手に取り、赤いビニールの帽子をかぶった。加納マルタがその帽子をかぶると、これで時間にひとくぎりがついたという一種不思議な実感があった。

加納マルタが帰ったあと、僕は何を考えるともなく、長いあいだそこにじっと一人で座っていた。立ち上がってからどこに行って何をすればいいのか、まったく思いつけなかったからだ。でもだからといって、いつまでもそこにいるわけにもいかなかった。二十分ほどあとで、僕は三人分の勘定を払ってそのコーヒールームを出た。結局誰も勘定を払っていかなかったのだ。

4 失われた恩寵、意識の娼婦

家に帰って郵便受けの中を覗いてみると、分厚い封書がひとつ入っていた。間宮中尉《ちゅうい》からの手紙だった。封筒には例によって見事な筆で黒々と僕の名前と住所が書いてあった。僕はまず服を着替えて洗面所で顔を洗い、台所に行って冷たい水をグラスに二杯飲んだ。そして一息ついてから、手紙の封を切った。

薄い便箋《びんせん》に万年筆で、間宮中尉は細かい字を書きこんでいた。便箋は全部で十枚はありそうだった。僕は便箋をぱらぱらとめくってから、それをもう一度封筒の中にしまった。それだけの長文の手紙を読むにはいささか疲れ過ぎていたし、集中力を失っていた。その肉筆の字の羅列《られつ》を目で追っていると、それらはまるで青い色をした奇妙な虫の群れのように見えた。そして僕の頭の中ではまだ綿谷ノボルの声が微《かす》かに響いていた。

ソファーに横になって、何も考えずに長いあいだ目を閉じていた。何も考えないでいるのは、そのときの僕にとってはそれほどむずかしいことではなかった。何も考えないためには、いろんなことをちょっとずつ考えればいい。いろんなことをちょっとずつ考えて、そのまま空中に放してしまえばいいのだ。

間宮中尉から来た手紙を読んでしまおうと僕が決心したのは、結局夕方の五時前のことだった。僕は縁側に座って柱にもたれ、封筒から便箋を出した。

最初のページは長い時候の挨拶《あいさつ》やら、先日の訪問の礼やら、長居をしてつまらない長話をしてどうこうというような謝罪の文章で占められていた。間宮中尉は非常に礼儀正しい人物なのだ。礼儀というものが日常生活の重要な部分を占めていた時代から生き残ってきた人間なのだ。僕はその部分をざっと流し読みして、それから次のページに移った。

「前置きがすっかり長くなってしまいました。申し訳ありません」と間宮中尉は書いていた。「今回私が失礼をもかえりみませず、岡田様の迷惑をも承知の上でこのような手紙を差し上げた目的は、私が先日お話しいたしましたことが、作り話でもなく、あるいはまた年寄りのいい加減な思い出話でもなく、細部にわたるまで厳然とした真実であるということを、知っていただきたかったからです。岡田様もご承知のとおり、戦争が終わって随分時間も経《た》ちましたし、記憶というものもそれにつれて自然に変質していくものです。人が老いるのと同じように、記憶や思いもやはり老いていくのです。しかし中には決して老いることのない思いもあります。褪《あ》せない記憶もあります。

私は今の今にいたるまで、岡田様以外の誰にもこの話を聞かせたことはありません。おそらく世間の大方の人々の耳には、私のこの話は荒唐無稽《むけい》な作り話として響くことでしょう。

多くの人間は、自分に理解可能な範囲内にない物事はすべて不合理なものとして、考慮を払う価値のないものとして、無視し黙殺してしまうものです。またこの私にいたしましたところで、そんな話が本当に荒唐無稽な作り話であればどんなによかろうと思っているのです。それが自分の思い違いであれば、あるいは単なる妄想《もうそう》か夢であればと思いつつ、そこに一縷《いちる》の望みを繋《つな》ぎつつ、今までずるずると生き延びて参ったのです。私は何度も自分にそう納得させようと努めて参りました。あれは妄想なのだ、何かの思い違いなのだと。しかし私がその記憶をどこかの暗闇《くらやみ》に無理に押しやろうとするたびに、それはますます強固に、鮮明になって戻ってきました。そしてその記憶はあたかも癌《がん》の細胞のように私の意識の中に根を張り、肉に食い込んでしまったのです。

私は今でも、その細部のひとつひとつを、まるで昨日起こったことのように鮮明に克明に思いだすことができます。砂や草を手に取り、その匂いを嗅《か》ぐことだってできます。空に浮かんだ雲のかたちを思いだすことができます。砂混じりの乾いた風を頰《ほお》に感じ取ることすらあります。むしろ私にとりましては、その後の自分の身に起こった様々な出来事の方が、夢うつつの非現実的な妄想のようにさえ思えるのです。

私自身のものであったと言うことができるような人生の根幹は、あの見渡すかぎり遮《さえぎ》るもののひとつない外蒙古《もうこ》の平原の中で、凍りつき焼けきれてしまったのです。その後私は国境を越えて侵攻してくるソ連軍戦車隊との激しい戦闘で片腕を失い、極寒のシベリアの収容所で想像を絶した辛酸を舐《な》め、その後帰国してから田舎の社会科の教師としてこともなく約三十年奉職し、その後農耕に携わりながらひとりで生きて参りました。しかしそれらの歳月は、私にはまるで一幕の幻影のようにさえ感じられます。それらの歳月は歳月でありながら歳月ではないのです。私の記憶は、そのような空《むな》しき形骸《けいがい》のごとき歳月を一瞬にして乗り越え、あのホロンバイルの荒野にまっすぐに戻ってしまうのです。

私の人生がそのように失われ、形骸と化してしまった原因は、おそらくあの井戸の底で私が見た光にひそんでいると私は思うのです。十秒か二十秒だけまっすぐに井戸の底にまで射《さ》し込んできた、あの強烈な太陽の光にです。それは一日にただ一度、何の前触れもなく突然やってきて、そしてあっと思うまもなく去っていきました。しかし私はその僅《わず》かな時間の光の洪水《こうずい》の中に、それこそ一生かけても見ることができないほどの事物を見てしまったのです。そしてそれを見た私は、それを見る前の私とはまったく違った人間になってしまったのです。

あの井戸の底で起こったことが、いったい何であったのか、四十年以上たった今でも私にはその意味がまだ正確には把握《はあく》できないのです。ですからこれから申し上げますことは、あくまで私の作り上げたひとつの仮説に過ぎません。論理的な根拠のようなものは、そこには何ひとつとしてありません。しかし今のところ、私はこの仮説が私の経験いたしましたことの実相にいちばん近いのではないかと考えております。

私は外蒙古の兵隊たちによって蒙古の平原の真ん中にある深く暗い井戸の底に放《ほう》り込まれ、脚や肩を痛め、食物も水もなく、ただ死ぬのを待っておりました。私はその前に、ひとりの人間が生きたまま皮を剝《は》がれるのを見ておりました。そのような特殊な状況下にあって、私の意識はきわめて濃密に凝縮されており、そしてそこに一瞬強烈な光が射し込むことによって、私は自らの意識の中核のような場所にまっすぐに下りていけたのではないでしょうか。とにかく、私はそこにあるものの姿を見たのです。私の目は何を見ることもできません。私はただ光にすっぽりと包まれているのです。私のまわりは強烈な光で覆《おお》われます。私は光の洪水のまっただなかにいます。でもそこには何かが見えます。一時的な盲目の中で、何かがその形を作ろうとしています。それは何かです。それは生命を持った何かです。光の中に、まるで日蝕《にっしょく》の影のように、その何かが黒く浮かび上がろうとします。でも私にはその姿をはっきりと見定めることができません。それは私の方に向かってやってこようとしています。それは私に何か恩寵のようなものを与えようとしているのです。私は震えながらそれを待ちます。でもその何かは、思いなおしたのか、それとも時間が足りなかったのか、結局私のところにはやってこないのです。それは形をはっきりと作り上げる直前でふっとその姿を溶解させ、再び光の中に消えてしまうのです。そして光が薄らいでいきます。光の射し込む時間が終わったのです。

それがまる二日間続きました。同じことの繰り返しでした。溢《あふ》れかえる光の中に何かがそのかたちを浮かび上がらせようとし、そして果たせぬままに消えていくのです。私は井戸の中で飢え、渇いておりました。その苦しみは尋常なものではありませんでした。しかしなおかつ、そんなことは究極的には大した問題ではなかったのです。私がその井戸の中でいちばん苦しんだのは、その光の中にある何かの姿を見極められない苦しみでした。見るべきものを見ることができない飢えであり、知るべきことを知ることのできない渇きでありました。その姿をはっきりと明確に見ることができたなら、私はこのまま飢え渇いて死んだってかまわないと思いました。本当に私はそう思ったのです。私はその姿を見るためなら何を犠牲にしてもいいと思っていたのです。

　でもその姿は私の前から永遠に奪い去られました。その恩寵は私には与えられないままに終わってしまいました。そして前にも申し上げましたとおり、その井戸を出たあとの私の人生はがらんどうの脱《ぬ》け殻《がら》のようなものになってしまったのです。ですから私は終戦の直前にソ連軍の満州侵攻が迫っていたとき、自ら志願して前線に赴きました。シベリアの収容所でも、意識的に困難な状況に自らを置くべく努力しました。しかしどうしても死ぬことはできませんでした。本田伍長《ごちょう》があの夜に予言したように、私は日本に戻って、びっくりするほど長生きをする運命にあったのです。私はそれを最初に聞いたとき、嬉しく思ったことを覚えています。でもそれはむしろ呪《のろ》いに近いものだったのです。私は死なないのではなく、死ねなかったのです。本田伍長が言ったように、私はそんなことを知らない方がよかったのです。

　何故《なぜ》ならば啓示と恩寵が失われたときに、私の人生もまた失われていたのです。かつて私の中にあった生命あるものは、それ故《ゆえ》に何かしらの価値を有していたものは、もうひとつ残らず死に絶えておりました。あの激しい光の中で、それらは焼かれて灰になってしまっていたのです。おそらく、その啓示なり恩寵なりの発する熱が、私という人間の生命の核を焼き切っていたのです。私はその熱に耐えうるだけの力を持たなかったのでしょう。ですから、私は死ぬことを怖いとは思いません。肉体の死を迎えることは、私にとりましてはむしろ救済でさえあります。それは私が私であることの苦痛から、その救いのない牢獄《ろうごく》から私を永遠に解放してくれるのです。

またまた話が長くなってしまいました。お許しください。でも私が本当に岡田様にお伝えしたいのはこういうことなのです。私は自分の人生というものを何かの拍子に失い、その失われた人生とともに四十年以上生きてきた人間です。そして私は、そのような立場にある人間として思うのですが、人生というものは、その渦中《かちゅう》にある人々が考えているよりはずっと限定されたものなのです。人生という行為の中に光が射し込んでくるのは、限られたほんの短い期間のことなのです。あるいはそれは十数秒のことかもしれません。それが過ぎ去ってしまえば、そしてもしそこに示された啓示を摑《つか》み取ることに失敗してしまったなら、そこには二度目の機会というのは存在しないのです。そして人はその後の人生を救いのない深い孤独と悔悟の中で過ごさなくてはならないかもしれません。そのような黄昏《たそがれ》の世界の中にあって、人はもう何ものをも待ち受けることはできません。彼が手にしているものは、あるべきであったものの儚《はかな》い残骸にすぎないのです。

私は何はともあれ、岡田様にお目にかかってこの話をすることができたことを嬉しく思っております。それが岡田様にとって何かの役に立つものかどうか、私にはわかりかねます。しかし私はそれを話してしまうことによって、ある種の救いを得ることができたような気がするのです。ささやかな救いではありますが、そのようなほんのささやかな救いでさえ、私にとりましては宝物のように貴重なものなのです。そしてそれがやはり本田さんによって導かれたものであったことに、私は運命の糸の存在を感じないわけにはいきません。岡田様がこの先幸せな人生をお送りになることを、陰ながら念じております」

僕はその手紙を最初からもう一度ゆっくり読みなおし、封筒に戻した。

間宮中尉のその手紙は不思議に僕の心を打ったが、にもかかわらず、それが僕にもたらすのは遠いおぼろげな映像でしかなかった。僕には間宮中尉という人間を信じ、受け入れることができた。そして彼が事実であると断言するものごとを、事実として受け入れることもできた。しかし事実とか真実とかいう言葉そのものが、今の僕にはそれほど強い説得力を持ってはいなかった。彼の手紙の中でいちばん強く心を引かれたのは、その手紙の文章の中に含まれていたもどかしさだった。彼が描写しようとしてかなわず、説明しようとしてかなわない、そのもどかしさだった。

僕は台所に行って水を飲み、それからしばらく家の中をあちこちと歩き回った。寝室に行って、ベッドに腰かけてクローゼットの中に並んだクミコの服を眺《なが》めた。そしてこれまでの自分の人生はいったい何だったんだろうと思った。僕には綿谷ノボルの言ったことがよく理解できた。言われたときには腹が立ったけれど、考えてみればたしかに彼の言うとおりだった。

「君たちが結婚してから六年経った。そのあいだに、君はいったい何をした？　君がこの六年のあいだにやったことといえば、勤めていた会社を辞めたことと、クミコの人生を余計に面倒なものにしたことだけだ。今の君には仕事もなく、これから何をしたいというような計画もない。はっきり言ってしまえば、君の頭の中にあるのは、ほとんどゴミや石ころみたいなものなんだよ」、綿谷ノボルはそう言った。そして僕は彼の言いぶんが正しいことを認めないわけにはいかなかった。客観的に見てみれば、僕はたしかにこの六年の間に意味のあることなんてほとんど何ひとつしなかったし、頭の中にあるのはゴミや石ころみたいな代物《しろもの》だ。僕はゼロだ。彼の言うとおりだ。

でも僕は本当にクミコの人生を余計に面倒なものにしてしまったのだろうか？

僕は長いあいだクローゼットの中の彼女のワンピースやブラウスやスカートを見ていた。それらは彼女があとに残していった影だった。その影は主を失ったまま、力なくそこにぶらさがっていた。それから僕は洗面所に行って、引き出しから誰かがクミコにプレゼントしたクリスチャン・ディオールのオーデコロンの瓶《びん》を取り出し、蓋《ふた》を開けた。匂《にお》いをかいでみると、クミコが出ていった朝に僕が彼女の耳の後ろでかいだのと同じ匂いがした。僕はその中身をゆっくりと全部洗面台に開けた。その液体は排水口の中に流れ込み、強い花の香り（その花の名前を僕はどうしても思いだすことができなかった）が僕の記憶を凶暴にかき立てるように洗面所の中に漂った。その強烈な匂いの中で顔を洗い、歯を磨《みが》いた。それから僕は笠原メイのところに行くことにした。

いつものように路地の宮脇さんの家の裏に立って笠原メイが姿を見せるのを待っていたのだが、どれだけ待っても彼女は出てこなかった。僕は垣根《かきね》にもたれ、レモンドロップを舐め、鳥の彫像を眺め、間宮中尉の手紙のことを考えていた。でもそのうちにあたりはだんだん暗くなってきた。僕は三十分近く待ってからあきらめた。たぶん笠原メイはどこかに出ていったのだろう。

僕はもう一度路地を抜けて自分の家の裏に戻り、塀《へい》を乗り越えた。家の中は、夏の夕暮れのひっそりとした青い闇に覆われていた。そしてそこには加納クレタがいた。僕は自分が夢を見ているような錯覚に襲われた。でもそれは現実の続きだった。家の中には僕がこぼしたオーデコロンの匂いがまだ微かに漂っていた。加納クレタはソファーに座って、膝《ひざ》の上に両手を置いていた。僕が近づいても、まるで彼女の中で時間が停止してしまったかのように、身動きひとつしなかった。僕は部屋の電灯をつけてから、向かいの椅子《いす》に腰を下ろした。

「鍵《かぎ》がかかっていなかったんです」と加納クレタはやっと口を開いた。「それでそのまま上がらせていただいたんです」

「かまわないよ、そんなことは。たいてい鍵をかけないで出ていっちゃうんだ」

加納クレタはレースのついた白いブラウスに、ふわっと膨らんだ藤色《ふじいろ》のスカートをはき、耳には大きなイヤリングをつけていた。そして左の腕には大きな二本のブレスレットをはめていた。そのブレスレットは僕をどきっとさせた。それは僕が夢の中で見たのとほとんど同じようなかたちのブレスレットだったからだ。そして彼女はいつもと同じ髪形と化粧をしていた。髪は例によって美容院からまっすぐにここに来たみたいにヘア・スプレイで綺麗《きれい》にセットされていた。

「あまり時間がないのです」と加納クレタは言った。「すぐに帰らなくてはなりません。でもどうしても岡田様とお話がしたかったのです。今日、姉と綿谷ノボル様にお会いになったのでしょう」

「あまり楽しい話し合いとは言えなかったけれどね」と僕は言った。

「それで岡田様は私に何かお尋ねになりたいことがあるのではないのですか？」

次々にいろんな人間が出てきて、いろんなことを僕に質問する。

「綿谷ノボルという人間についてもっと知りたい。知らなくてはいけないような気がするんだ」

彼女はうなずいた。「私も綿谷様についてもっと知りたいと思っています。姉が既に申し上げたかとも思いますが、あの方はずっと以前に私を汚《けが》しました。それについて今ここで説明することはできません。いつかお話しします。でもそれは私の意思に反して行われたことでした。私はもともとあの方と交わることになっていました。ですからそれは通常の意味でのレイプではありません。でもあの方は私を汚したのです。そしてそれは私という人間をいろんな意味で大きく変えてしまいました。私はなんとかそこから立ち直ることはできました。いいえ、逆に私はそれを経験することによって、これはもちろん加納マルタの手を借りてですが、自分を一段高いところに持っていくことができました。でもたとえ結果がどうであれ、私がそのときに自分の意思に反して綿谷ノボル様に犯され、汚されたという事実は変わりません。それは間違ったことだし、とても危険なことだったのです。私が永遠に失われてしまう可能性だってそこにはあったのです。おわかりになりますか？」

もちろん僕にはわからなかった。

「私は岡田様ともちろん交わりました。でもそれは正しい目的のために正しい方法でなされたことです。そのような交わりのなかでは、私は汚されることはありません」

僕は色むらのある壁を眺めるみたいに、加納クレタの顔をしばらく見ていた。「僕と交わった？」

「そうです」と加納クレタは言った。「私は最初のときには口だけを使い、それから二度目には交わりました。どちらも同じ部屋の中でした。覚えていらっしゃいますでしょう？　最初の時にはあまり時間がありませんでした。だから急がなくてはなりませんでした。でも二度目はもう少し余裕がありました」

僕はうまく答えられなかった。

「二度目のとき、私は奥様のワンピースを身につけておりました。ブルーのワンピースです。そして左の手首にこれと同じブレスレットをつけておりました。そのとおりではありませんか？」、彼女は二本一組のブレスレットをつけた左の手首を僕の前に差し出した。

僕はうなずいた。

加納クレタは言った。「もちろん私たちは現実に交わっているわけではありません。岡田様が射精なさるとき、それは私の体内にではなく、岡田様自身の意識の中に射精なさるわけです。おわかりですか？　それは作り上げられた意識なのです。しかし、それでもやはり、私たちは交わったという意識を共有しています」

「何のためにそんなことをするんだろう？」

「知るためです」と彼女は言った。「より多くを、より深く知るためです」

僕はため息をついた。誰が何と言おうとそれは突拍子もない話だった。しかし彼女は僕の夢の中に出てきた情景を全部正確に言い当てていた。僕は口もとを指で撫《な》でながら彼女の左の腕にはめられた二本のブレスレットをしばらく眺めた。

「僕の頭が悪いせいだろうけど、君の言うことがすっかり理解できたとは言えないと思う」、僕は乾いた声でそう言った。

「二度目に岡田様の夢に現れたときに、私は岡田様と交わっている途中で知らない女性と交代いたしました。そうですね？　その女性が誰であったのか、私にはわかりません。でもその出来事は岡田様に何かを示唆《しさ》しているはずです。私はそのことを岡田様にお伝えしたかったのです」

僕は黙っていた。

「私と交わることで罪悪感をお感じになる必要はありません」と加納クレタは言った。「いいですか、岡田様、私は娼婦《しょうふ》なのです。かつては肉体の娼婦であり、今では意識の娼婦なのです。私は通過されるものなのです」

それから加納クレタは席を立って、僕の隣に膝をついた。そして僕の手を両手で握った。柔らかく、温かい、小さな手だった。「ねえ岡田様、ここで私を抱いてください」と加納クレタは言った。

僕は彼女を抱いた。正直なところ、どうしたらいいのか僕にはさっぱりわからなかった。でも今ここで加納クレタを抱くことは、決して間違った行為ではないように思えた。説明はできないけれど、そういう気がしたのだ。僕はダンスでも始めるような感じで、加納クレタのほっそりとした体に腕をまわした。彼女は僕よりずっと背が低かったので、彼女の頭は僕の顎《あご》の少し上にあった。乳房が僕の胃のあたりに押しつけられた。彼女は頰《ほお》を僕の胸にじっとあてていた。加納クレタは声を出さずに泣いていた。僕のTシャツは彼女の涙で温かく湿った。僕は彼女のきちんとセットされた髪が微《かす》かに揺れているのを見ていた。よくできた夢を見ているような気がした。でもそれは夢ではなかった。

ずいぶん長いあいだじっと身動きもせずにそういう姿勢を取っていたあとで、彼女は突然何かを思いだしたように体を離した。そしてそのまま後ずさりして、少し離れたところから僕を見た。

「どうもありがとうございました、岡田様。今日はこれで帰らせていただきます」と加納クレタは言った。けっこう激しく泣いたはずなのに、化粧はほとんど乱れていなかった。奇妙なくらい現実感が失われている。

「ねえ、君はまたいつか僕の夢の中に出てくるのかな？」と僕は訊《き》いた。

「それは私にはわかりません」そして静かに首を振った。「私にもわからないのです。でもどうか私を信用してください。何があっても私のことを恐れたり警戒したりしないでください。よろしいですね、岡田様？」

僕はうなずいた。

そして加納クレタは帰っていった。

夜の闇《やみ》は前よりも濃さを増していた。僕のTシャツの胸はぐっしょりと湿っていた。僕はそのまま明け方まで眠ることができなかった。眠くなかったし、眠ってしまうのが怖かった。眠ると自分が流砂のような流れに巻き込まれて、そのままどこか別の世界に連れ去られてしまうような気がした。そしてもう二度とこの世界に戻ってくることができないのだ。僕はソファーの上で朝が来るまでブランディーを飲みながら加納クレタの話について考えていた。

夜が明けても、家の中には加納クレタの気配とクリスチャン・ディオールのオーデコロンの匂いが、まるで囚《とら》われた影のように残っていた。

5

遠くの町の風景、永遠の半月、固定された梯子

眠りについたのとほとんど同時に、電話のベルが鳴り始めた。僕は最初のうち電話なんか無視してそのまま寝てしまおうと試みたのだが、電話はそんな僕の気持ちを見透かすように十回も二十回も、際限なく執拗《しつよう》に鳴りつづけた。僕はそろそろと片目を開けて枕元《まくらもと》の時計を見た。時刻は朝の六時過ぎだった。窓の外はもうすっかり明るくなっていた。あるいはそれはクミコからの電話かもしれない。僕はベッドを出て、居間に行き、受話器を取った。

「もしもし」と僕は言った。しかし相手は何も言わなかった。誰かがそこにいることは気配でわかった。でも相手は自分の方からは口を開こうとはしなかった。僕も何も言わずにいた。受話器にじっと耳を当ててると、相手の微かな息づかいが聞こえた。

「どなたですか?」

しかし相変わらず相手は黙っていた。

「いつもうちに電話をかけてくる人だとしたら、もう少しあとにしてくれないかな」と僕は

言った。「朝飯を食べる前にはセックスについての話なんかしたくないんだ」

「いつもうちに電話をかけてくる人って誰?」と相手は突然声を出した。それは笠原メイだった。「ねえ、誰とセックスの話をするのよ?」

「誰でもないよ」と僕は言った。

「昨日の夜にあなたが縁側で抱いていた女の人? あの人と電話でセックスの話をするの?」

「いや、彼女は違う」

「ねじまき鳥さん、あなたのまわりにはいったい何人女の人がいるのかしら。奥さんは別にして」

「説明するととても長い話になる」と僕は言った。「なにしろ朝の六時だし、昨日の夜はうまく眠れなかったんだ。でもとにかく、君は昨日の夜僕のところに来たんだね」

「そしてあなたとその女の人が抱き合っているところを見たのよ」

「あれは本当に何でもないんだ。なんて言えばいいのかな、ちょっとした儀式のようなものなんだ」

「私に言い訳なんかしなくたっていいのよ、ねじまき鳥さん」、笠原メイは素っ気なく言った。「私はあなたの奥さんじゃないんだから。でもこう言っちゃなんだけど、あなたには何か問題あるわよ」

「そうかもしれない」と僕は言った。

「あなたが今どんなひどい目にあっているにせよ――きっとひどい目にあっているはずだと思うけど――それはたぶんあなた自身が招いたものだという気がするな。あなたには何か根本的な問題があって、それが磁石みたいにいろんな面倒を引き寄せるのよ。だから少しでも気のきいた女の人なら、あなたのところからさっさと逃げだしていくと思うわ」

「そのとおりかもしれない」

笠原メイはしばらく電話の向こうで黙っていた。それからひとつ咳払《せきばら》いをした。「あなた、昨日の夕方、路地に来たでしょう。うちの裏にずっと立っていたでしょう。要領の悪いこそ泥《どろ》みたいに。私、ちゃんと見てたんだから」

「でも出てこなかったんだね？」

「女の子には出ていきたくない時だってあるのよ、ねじまき鳥さん」と笠原メイは言った。「そういう風に意地悪い気持ちになるときがあるの。待っているのなら、ずっと待たせてやればいいという風に思っちゃうことが」

「うん」

「でもやっぱり悪いと思ったから、そのあとであなたの家までわざわざ行ったのよ。馬鹿《ばか》みたいに」

「そうしたら僕が女の人と抱き合っていた」

「あのさ、あの人ちょっとおかしいんじゃない？」と笠原メイは言った。「いまどきあんな恰好《かっこう》して、あんなお化粧している人ってちょっといないわよ。タイム・スリップとかそういうんじゃないとしたら、一度お医者に行って頭の具合を調べてもらった方がいいんじゃないのかな？」

「そのことは気にしなくていい。べつに頭がおかしいわけじゃない。人にはそれぞれに趣味というものがあるんだ」

「趣味を持つのはそれは人の勝手よ。でも普通の人間は、いくら趣味だってあそこまで徹底はしないと思うな。あの人、頭のてっぺんから足の爪先《つまさき》まで、なんていうか——大昔の雑誌のグラビアからそのまま抜け出してきたみたいじゃない」

僕はそれについては黙っていた。

「ねえ、ねじまき鳥さんはあの人と寝たの？」

「寝てない」と僕はちょっと迷ってから言った。

「ホントに？」

「本当だよ。そういう肉体的な関係はない」

「じゃあどうして抱いたりするのよ？」

「女の人にはただ抱かれたいと思うときがあるんだよ」

「そうかもしれないけれど、そういうのはいささか危険な発想だと思うな」と笠原メイは言った。

「たしかにそのとおりだね」と僕も認めた。

「あの人はなんていう名前なの？」

「加納クレタ」

笠原メイは電話の向こうでまたしばらく黙った。「それ、冗談じゃなくて？」

「冗談じゃなくて」と僕は言った。「彼女のお姉さんは加納マルタって言うんだ」

「それまさか本名じゃないわよね」

「本名じゃない。職業上の名前なんだ」

「その人たち、漫才のコンビか何かかしら？　それとも何か地中海と関係ある人たちかしら？」

「地中海とはいささか関係がある」

「お姉さんの方はまともな恰好してるの？」

「だいたいまともだと思う。少なくとも妹よりはずっとまともな恰好をしている。ただしいつも同じ赤いビニールの帽子を被《かぶ》っているんだけどね」

「そっちもあまりまともとは言えないような気がするわね。どうしてあなたはわざわざそういうピントの外れた人たちとつきあわなくちゃいけないのよ？」

「それには長い長い事情があるんだ」と僕は言った。「いつかいろんなことがもっと落ちついたら、君に説明してあげられるかもしれない。でも今はとても駄目《だめ》だ。僕の頭も混乱しすぎているし、状況はもっともっと混乱している」

「ふうん」と笠原メイは疑わしそうな声で言った。「とにかく奥さんはまだ帰ってこないのね？」

「うん、まだ帰ってこない」と僕は言った。

「ねえねじまき鳥さん、あなたもう大人なんだから、少しは頭というものを使ってものを考えたら？ もしあなたの奥さんが昨日の夜、思いなおして家に帰ってきて、その時にあなたとその女の人がしっかりと抱き合っているところを見たりしたら、どうなっていたと思う？」

「もちろんそういう可能性もあったな」

「もし今電話をかけてきたのが私じゃなくて奥さんだったとして、あなたが電話セックスの話なんかしたら、奥さんはいったいどう思うかしら？」

「たしかに君の言うとおりだ」

「やっぱりあなたには相当問題あるわよ」と笠原メイは言って、ため息をついた。

「問題はあると思う」と僕は認めた。

「そんなに何もかも簡単に認めないでよ。自分の過ちを素直に認めて謝ればそれで何もかもがすっきりと解決するっていうものじゃないのよ。認めようが認めまいが、過ちというものは最後まで過ちなのよ」

「そのとおりだ」と僕は言った。まったくそのとおりなのだ。

「まったくもう」と笠原メイはあきれたように言った。「それで、昨日の夜は私にどんな用事があったの？ あなたは何かを求めてうちまで来たんでしょう？」

「それはもういいんだ」と僕は言った。

「もういい？」

「うん。つまりそのことは——もういいんだ」

「あの女の人を抱いたから、もう私には用がなくなったってことなの？」

「いや、そうじゃないんだ。僕はただその時に思ったんだけれど——」

笠原メイは何も言わずに電話を切った。やれやれ、と僕は思った。笠原メイ、加納マルタ、加納クレタ、電話の女、そしてクミコ。たしかに笠原メイが言ったように、最近の僕のまわりにはいささか女の数が多すぎるような気がする。そしてみんながそれぞれにわけのわからない問題を抱え込んでいる。

でもそれ以上ものを考えるにはあまりにも眠すぎた。とりあえず今は眠らなくてはならない。そして今度目が覚めたら、僕にはやらなくてはならないことがあるのだ。

僕はベッドに戻って眠った。

目が覚めると、僕は押入れからナップザックを取り出した。それは緊急避難用のナップザックで、中には水筒とクラッカーと懐中電灯とライターが入っていた。ここに越してきたときに、大地震を怖がっているクミコがどこかでそのセットを買ってきたのだ。でも水筒は空っぽだったし、クラッカーは湿って柔らかくなっていたし、懐中電灯の電池は切れていた。僕は水筒に水を入れ、クラッカーを捨て、懐中電灯には新しい電池を入れた。それから近所の雑貨屋に行って火災時避難用の縄梯子《なわばしご》を買ってきた。その他に何か必要なものがあるかどうか考えてみたが、レモンドロップの他には何も思いつかなかった。僕は家の中をぐるりと見てまわって全部の窓を閉め、電灯を消した。玄関の鍵《かぎ》をかけたが、やがて思いなおして鍵をはずした。誰かが僕を訪ねてくるかもしれない。クミコが戻ってくるかもしれない。それにこの家には取られて困るようなものはなにもない。そして僕は台所のテーブルに書き置きを残した。

「しばらく留守にします。戻ってきます。T」と僕は書いた。

僕はクミコが帰ってきて書き置きを目にするところを想像した。彼女はこれを読んで果してどんな風に感じるだろう。僕はそのメモを握りつぶして、新しく書き直した。

「大事な用事があって、しばらく外出します。そのうちに戻ってきます。待っていてください。T」

僕はコットン・パンツと半袖《はんそで》のポロシャツという恰好でナップザックを背負い、縁側から庭に下りた。まわりを見回すと、まぎれもない夏がそこにあった。留保も条件も何もぶらさげていない、正真正銘の夏だった。太陽の輝きも、風の匂いも、空の色も、雲のかたちも、蟬《せみ》の声も、何もかもが見事な本物の夏の到来を告げていた。そして僕はナップザックを背負って、裏庭の塀《へい》を乗り越え、路地に下りようとしていた。

一度子供の頃《ころ》、ちょうどこんなよく晴れた夏の朝に、家出をしたことがあった。どうして家出をしようと思いついたのか、その経緯は思いだせない。おそらく両親に対して何か腹に据《す》えかねたことでもあったのだろう。でもとにかく僕はこんな風にリュックを背負い、貯金をポケットに入れて家を出た。母親には何人かの友達と一緒にハイキングに行くと嘘《うそ》をついて弁当を作ってもらった。家の近くにハイキングに適した山がいくつかあって、そこに子供たちだけで登りに行くのは別に珍しいことではなかった。僕は家を出ると、前もって決めていたバスに乗って、終点まで行った。それは僕にとっては〈知らない遠くの町〉だった。それからまた別のバスに乗り継いで、別の〈知らない遠くの（もっと遠くの）町〉まで行った。僕はその名も知らぬ町で下りると、そこをあてもなくうろうろと歩きまわった。これといって特徴のない町だった。僕が住んでいた町よりは、いくぶん賑《にぎ》やかで、いくぶん汚かった。商店街があり、電車の駅があり、小さな工場があった。川が流れていて、その川の前に映画館があった。映画館の看板には西部劇の看板がかかっていた。昼になると、公園のベンチに座って弁当を食べた。夕方まで僕はその町にいたのだが、日暮れが近づくにつれてだんだん心細くなってきた。これが引き返すことのできる最後の機会なんだ、と僕は思った。暗くなってしまったら、もうここから戻れなくなってしまうかもしれないぞ、と。そして僕はまた行きと同じバスを乗り継いで家に帰ってきた。家に帰りついたのは七時前だったが、僕が家出をしていたことには誰も気づかなかった。両親は僕が友達と一緒に山登りをしていたのだと思っていた。

僕はそんな出来事はもうすっかり忘れてしまっていた。でもナップザックを背負って塀を乗り越えようとした瞬間に、そのときの気持ちがふと蘇《よみがえ》ってきた。見慣れぬ通りと、見慣れぬ人々と、見慣れぬ家々のあいだに、ひとりきりで立ち、午後の太陽がだんだん光を失っていくのを見ている、あのたとえようもない寂寥感《せきりょうかん》を。そして僕はクミコのことを思いだした。ショルダーバッグと、クリーニング屋から戻ってきたブラウスとスカートだけを持って、どこかに消えてしまったクミコのことを。彼女は引き返すことのできる最後の機会を通り越してしまったのだ。そして彼女はおそらく、この今も、知らない遠くの町にひとりで立っているのだ。そう思うと、僕はなんだか居たたまれない気持ちになった。

それから、いや彼女はひとりとは限らないな、と僕は思った。たぶん男と一緒なんだろう。そう考えた方がずっと筋はとおっている。

そして僕はクミコについて考えるのをやめた。

僕は路地を抜けた。

足元の草は梅雨どきに見受けられたあの瑞々《みずみず》しいまでの緑の息吹《いぶき》を失い、今ではもう夏草に特有のふてぶてしい鈍さのようなものを身にまとっていた。歩いていくと、そんな草のあいだからときどき青いバッタがいきおいよく飛びだした。蛙《かえる》が飛びだしてくることもあった。今では路地はそのような小さきものたちの世界であり、僕は彼らの秩序を乱す侵入者だった。

宮脇さんの空き家まで来ると、木戸を開けてそのまま庭の中に入った。庭の草をかき分けるようにして庭の奥に進み、相変わらずじっと空を見つめているうす汚れた鳥の彫像の横を抜け、家の横手にまわった。ここに入って来るところを笠原メイに見られていなければいいのだがな、と僕は思った。

井戸の前に来ると、蓋《ふた》の上の石を取り除き、ふたつに分れた半円形の板の蓋のひとつを外した。そしてそこにまだ水がないことを確認するために、もう一度中に小石を放《ほう》り込んでみた。小石は前と同じようにこそっという乾いた音を立てた。水はない。僕はナップザックを背中から下ろし、中から縄梯子を取り出して、その端を近くの木の幹に結びつけた。そしてそれを何度も思い切り引っ張って、外れないことを確認した。いくら慎重にしてもしすぎることはない。もし何かの拍子にほどけたり外れたりしたら、もう二度と地上には戻ってこれないだろう。

僕は縄梯子のかたまりを両腕に抱え、ゆっくりと井戸の中に垂らしていった。長い梯子をすっかり全部井戸の中に送り込んだが、底まで届いたという手応《てごた》えはなかった。相当に長い縄梯子だったから、長さが足りないということはないはずだ。でも井戸は深く、真下に向けて懐中電灯の光を当てても、梯子が底まで届いたのかどうかは見えなかった。光線は息切れするみたいに闇《やみ》の真ん中あたりに吸いこまれて消えた。

僕は井戸の縁に腰を下ろして耳を澄ませた。何匹かの蟬が、まるで声の大きさや肺活量を競い合うように、木々のあいだで激しく鳴いていた。でも鳥の声は聞こえなかった。僕はねじまき鳥のことを懐《なつ》かしく思いだした。ねじまき鳥はあるいは蟬たちと声を競いあうのが嫌《いや》で、どこかに移っていってしまったのかもしれない。

それから両方の手のひらを上に向けて、太陽の光を受けてみた。手のひらはすぐに温かくなった。皺《しわ》や指紋のひとつひとつに光がしみ込んでいくようだった。そこはまぎれもない光の領分だった。まわりにある何もかもがたっぷりと光を受け、夏の色に輝いていた。時間や記憶といったような形を持たぬものたちさえもが、夏の光の恩恵を受けていた。僕は口の中にレモンドロップを入れ、それがすっかり溶けてしまうまでそこに座っていた。そしてもう一度念を入れて梯子を思い切り引っ張り、しっかりと固定されていることを確かめた。

柔らかい縄梯子をつたって井戸を下りるのは、想像していた以上に骨の折れる作業だった。梯子は綿糸とナイロンの混紡で、丈夫さに関しては問題はなかったが、足元はひどく不安定で、テニスシューズのゴム底はちょっと踏ん張ろうとするとつるつると滑った。だから僕は手のひらが痛くなるくらいしっかりと梯子にしがみついていなくてはならなかった。僕は一段また一段と、注意深く着実に下に下りていった。でもどこまで行っても底がなかった。下降は永遠に続くようだった。僕は小石が井戸の底に当たったときの音を思いだした。大丈夫、ちゃんと底はある。このろくでもない梯子を下りるのに時間がかかっているだけだ。

でも二十まで数を数えたところで、恐怖が僕を襲った。その恐怖はまるで電気のショックのように唐突にやってきて、僕の体をその場に凍りつかせてしまった。筋肉が石のように固くなった。体じゅうに汗が吹き出し、脚ががくがくと震えた。いくらなんでもこんな深い井戸があるものか。ここは東京の真ん中なんだ。僕の住んでいる家のすぐ裏なんだ。僕は息を止めて耳を澄ませた。でも何も聞こえなかった。蟬の声さえ聞こえない。自分の心臓が大きく鼓動を打つ音が、耳の中で反響しているだけだ。僕は大きく息をついた。その二十段めで、僕は梯子にしがみついたまま、それ以上下に下りることもできず、上に上ることもできなかった。井戸の中の空気は冷え冷えとして、土の匂《にお》いがした。そこは夏の太陽が惜しみなく輝く地上からは隔絶された世界だった。頭上を見上げると、井戸の口が小さく見えた。井戸の円は、半分だけ残った板の蓋によってちょうど真ん中から半分に区切られていた。それは下から見上げると、まるで夜空に浮かんだ半月のように見えた。しばらくのあいだ半月が続くでしょう、と加納マルタは言った。彼女は電話でそう予言したのだ。

やれやれと僕は思った。そう思うと、体の力が少し抜けた。筋肉が緩み、体の中から固まった息が出ていくのが感じられた。

もう一度力を振り絞って梯子を下り始めた。もう少しだけ下りてみようと自分に言い聞かせた。もう少しだけ。心配することはない、ちゃんと底はあるんだ。そして二十三段めにやっと井戸の底に達した。僕の足は井戸の底の土に触れた。

僕はまず暗闇の中で、何かあったらいつでも逃げだせるように梯子の段を手で摑《つか》んだまま、靴《くつ》の先で井戸の地面をそろそろと探ってみた。そしてそこに水がなく、得体のしれない物体もないことを確認してから、井戸の底に降り立った。ナップザックを下ろし、手探りでジッパーを開け、中から懐中電灯を取り出した。懐中電灯の放つ光が、井戸の底の情景を明るく照らしだした。井戸の底の地面はとくに固くもなく、とくに柔らかくもない。ありがたいことに土は乾いていた。人々が投げ込んだらしいいくつかの石が転がっていた。石の他には、古いポテトチップスの袋がひとつ落ちていた。懐中電灯で照らされた井戸の底の様子は、昔テレビで見た月の表面を僕に思いださせた。

壁そのものは何の変哲もないのっぺりとしたコンクリートで、ところどころに苔《こけ》のようなものが生えていた。それが煙突のようにまっすぐ上にのびて、ずっと上の方には半月形の小さな光の穴が見えた。まっすぐに見上げると、あらためて井戸の深さが実感できた。僕は縄梯子をもう一度思い切り引っ張ってみた。確かな手応えがあった。大丈夫、この梯子がある限りいつでも地上に戻れる。それから大きく息を吸い込んでみた。いささか黴臭《かびくさ》くはあったけれど、空気に問題はなさそうだ。井戸について僕がいちばん心配していたのは空気のことだった。涸《か》れた井戸の場合、地中から有毒ガスが出てくることが多いのだ。僕はメタン・ガスのために井戸の底で命を落とした井戸職人の話を昔新聞の記事で読んだことがあった。

ひと息ついて井戸の底に腰をおろし、壁に背中をもたせかけた。そして目を閉じて、からだをその場所に馴染《なじ》ませた。さて、と僕は思った。僕は今このようにして、井戸の底にいる。

6 遺産相続、クラゲについての考察、乖離の感覚のようなもの

僕は闇の中に座っていた。頭上には相変わらず、蓋によってきれいな半月形に切りとられた光が、何かのしるしのようにぽっかりと浮かんでいた。しかし地上の光は井戸の底までは届かなかった。

時間が経《た》つにつれて、目はだんだん暗闇に慣れていった。そのうちに、目を近づけると自分の手のかたちがぼんやりとではあるけれど見分けられるようになった。まわりでいろんなものが、ゆっくりとおぼろげなかたちを取り始めた。まるで臆病《おくびょう》な小動物がほんの少しずつ相手に気を許していくみたいに。でもどれだけ目が慣れてきたところで、闇はあくまで闇だった。何かをきちんと見定めようとすると、それらの事物はあっというまにかたちをくらませて、無明の中に音もなくもぐり込んでいってしまう。あるいはそれを「淡い闇」と呼ぶこともできるかもしれない。でももしそうだとしても、その淡い闇には淡い闇なりの濃密な暗さがあった。それはある場合には完全な暗黒よりもかえって意味の深い闇を含んでいた。そ

こでは何かが見える。でも同時に何も見えない。

そんな奇妙な含みを持った闇の中で、僕の記憶はこれまでにない強い力を身に帯びはじめていた。それらの記憶が折りにふれて僕の中に呼び起こす様々なイメージの断片は、細部にいたるまで不思議なほど鮮やかであり、そのまま手にすくい取れそうなくらいありありとしていた。僕は目を閉じて、八年近く前にはじめてクミコと会った頃のことを思いだしてみた。

クミコと出会ったのは、神田にある大学病院の入院患者家族用待合室だった。僕はそのころ遺産相続の件で、そこに入院している依頼人に毎日のように会いに行かなくてはならなかった。依頼人は六十八歳の男で、千葉県を中心に数多くの山林や土地を所有している資産家だった。新聞の高額納税者番付にも一度名前が載ったことがある。そして困ったことに、遺言状を定期的に書き直すのが彼の趣味のひとつだった。事務所のみんなはこの人物の人柄《ひとがら》や性癖にいささか辟易《へきえき》していたが、なにしろ相手は有数の資産家だし、遺言状の書き換えのたびに決して少ないとは言えない額の手数料が入ってきた。遺言状書き換えの手続き自体はとくに難しいものではなかったから、文句をつける筋合いはなかった。それでまだ新入りだった僕がその直接の担当にまわされた。

もちろん担当といっても弁護士資格を持っているわけではないから、ただの使い走りに多少毛のはえた程度のものである。専門の弁護士が依頼人の希望する遺言状の内容を聞き、それについての法律的見地からの現実的な勧告をおこない（正式な遺言状にはきちんとした書式があり、ルールがあって、それに反するものは遺言状として認められないことがある）、おおよそのアウトラインを決め、それに従って遺言状の下書きをタイピングする。それを僕が依頼人のところに持っていって読み上げる。そして問題がなければ、今度は依頼人が自筆でその遺言状を書きなおし、署名捺印《なついん》する。というのは、この人物が書いていた遺言状は法律的に「自筆証書遺言書」と呼ばれるもので、これはその名のとおり全文を本人が自筆で書かなくてはならないからだ。

無事に書きあがると、封筒に入れて封印をし、それを僕が後生大事に事務所に持って帰る。事務所はそれを金庫に入れて保管する。本来ならそれで一件落着なのだが、この人物の場合にはそう簡単にはいかない。何故《なぜ》かというと、なにしろ彼は病床にあるわけだから、一度に文章をまとめて書くことができない。長い遺言状だから、書きおえるのに一週間くらいはかかる。そのあいだ僕は毎日病院に行って、彼の質問に答えたり（僕もいちおう法律を勉強していた人間だから、常識的な範囲のことは答えられる）、僕に答えられないことはそのたびに事務所に電話して指示を仰いだりすることになる。細かいことにうるさい性格なので、ひとつひとつの言葉づかいまでが気になってしかたないのだ。しかしまあそれでも毎日少しは前進するし、とにかく前進さえしていれば、このうんざりする作業にもいつか終わりはくるのだと期待することもできる。ところが、ようやく最後が見えてきたというころになると、この人物は決まって何か前に言い忘れていたことを突然思いだしたり、あるいは前に決めていたことをがらりと変更してしまったりするのだ。細かい変更なら付記変更を加えることができるのだが、大きなものになると、また新しく最初から書き直さなくてはならない。

とにかくそんなことの果てることのない繰り返しだった。おまけにそのあいだに手術が入ったり、検査やら何やらがあるから、指定された時間に病院に行っても彼にすぐに会って話ができるとは限らなかった。何時に来いと呼びつけておきながら、気分がすぐれないのであとでまた出直して来てくれと言われることもあった。面会できるまで二時間も三時間も待たねばならないことも珍しくなかった。そんなわけで、僕は二週間から三週間のあいだほとんど毎日のように病院の入院患者家族用待合室でじっと椅子《いす》に座って、永遠のようにも思える時間を潰《つぶ》さなくてはならなかった。

病院の待合室は、誰にでも想像がつくことだとは思うけれど、決して心温まる場所ではない。ソファーのビニールは死後硬直的に硬くこわばっていたし、空気は吸いこんでいるだけでそのうちに病気になってしまいそうな代物《しろもの》だった。テレビにはいつもろくでもない番組が映っているし、自動販売機のコーヒーは新聞紙を煮詰めたような味がした。人々はみんな難しい陰気な顔をしていた。それはムンクがカフカの小説のために挿絵《さしえ》を描いたらきっとこんな風になるんじゃないかと思われるような場所だった。でも僕はとにかくそこでクミコに会ったのだ。クミコは十二指腸潰瘍《かいよう》の手術のために入院していた母親の世話をするために、大学の授業の合間を縫って毎日病院に来ていた。彼女はだいたいブルージーンズか、さっぱりとした短めのスカートを履き、セーターを着て、髪はポニーテイルにしていた。季節は十一月の初めで、コートを着ていることもあれば、着ていないこともあった。そしてショルダーバッグをさげ、いつも大学のテキストのように見える何冊かの本とスケッチブックのようなものを抱えていた。

僕が最初に病院に行ったその午後から、クミコは既にそこにいた。彼女はソファーに座り、黒いローヒール・シューズを履いた脚を組んで熱心に本を読んでいた。僕はその向かいに座って五分置きに時計を見ながら、依頼人の面会時間が来るのを待っていた。クミコはほとんど本から目を上げなかった。綺麗《きれい》な脚だと思ったことを僕は覚えている。彼女の姿を見ていると、ほんの少し明るい気持ちになることができた。若くて、感じの良い顔だちで（少なくとも彼女はとても聡明《そうめい》そうな顔をしていた）、素敵な二本の脚を持っているというのはいったいどんな気持ちのするものなんだろうなと僕はちょっと考えてみた。

何度かそこで顔を合わせるうちに、僕とクミコは軽い世間話のようなものをするようになった。読み終えた雑誌を交換したり、余った見舞いの果物を分けて食べたりした。結局のところ二人ともおそろしく退屈し、うんざりして、まともな同年代の話し相手を必要としていたのだ。

僕とクミコとのあいだには、最初から何かしら気持ちが通じ合うところがあったように思う。それは出会いがしらにびりびりと何かを感じるというような衝動的な、強いものではなくて、もっとずっと穏やかな優しい種類のものだった。たとえば二つの小さな明かりが茫漠《ぼうばく》とした暗い空間を並行して進んでいるうちに、どちらからともなくだんだん近く寄り添っていくというような感じのものだった。クミコと顔を合わせる回数が増えるにつれて、知らず知らずのうちに、病院に通うのがそれほど苦痛ではなくなってきた。僕はそのことに気づいて、自分でもちょっと不思議な気持ちになった。それは新しい誰かに出会ったというよりは、むしろ懐《なつ》かしい誰かにふとめぐり合ったような気持ちに近いものだったからだ。

病院の界隈《かいわい》で何かの合間に細切れな話ばかりしているのではなく、もっと別のところで二人でゆっくりとまとまった話ができればいいのにと僕はいつも考えていた。僕はある日、思い切ってクミコをデートに誘ってみた。

「僕らには気分転換みたいなのが必要なんじゃないかな」と僕は言った。「二人でここを抜け出して、どこでもいいからとにかく病人と依頼人のいないところに行こう」

クミコは少し考えてから言った。「水族館は?」

それが僕とクミコの最初のデートだった。日曜日の朝にクミコは病院に母親の着替えを届け、それから待合室で僕と落ち合った。よく晴れた温かい日で、クミコは比較的シンプルな白いワンピースの上に、淡いブルーのカーディガンを羽織っていた。彼女の着こなしにはそのころから、何かしらはっとさせられるものがあった。たとえそれが地味な服であったとしても、ちょっとしたアクセントや工夫、あるいは袖《そで》の折り方や襟《えり》の立て方ひとつで、彼女はそれをさっと華やかなものに変えてしまうことができた。それに加えて、クミコは自分の洋服をとても大事に、愛情をこめて扱っているようだった。僕はクミコに会うたびに、並んで歩きながら、よく彼女の着ている服を感心して眺《なが》めたものだった。ブラウスには皺《しわ》ひとつなく、プリーツはあくまで折り目ただしく、白いものはいつもおろしたてのように真っ白く、靴《くつ》にはしみひとつ曇りひとつなかった。彼女の着ている服を見ていると僕は、簞笥《たんす》の引き出しの中にきちんと角を揃えて折り畳まれたブラウスやセーター、ビニールの袋に包まれてクローゼットの中に吊《つ》るされたスカートやワンピースの姿を思い浮かべることができた（そして実際にそのような光景を結婚後に僕は目にすることになる）。

その日僕らは上野動物園の水族館で午後を一緒に過ごした。せっかく天気がいいのだから、動物園をのんびり散歩した方が楽しそうに思えたし、上野に向かう電車の中で僕はクミコに向かってそのことをちょっと匂《にお》わせてもみたのだが、彼女は最初から水族館に行くと決めているようだった。もちろん彼女が水族館に行きたいというのであれば、僕の方にはべつに異論はなかった。ちょうど水族館ではクラゲの特別展示がおこなわれていて、僕らは世界じゅうから集められた珍しいクラゲを順番に見物していくことになった。指先ほどの大きさのふわふわした綿毛のようなものから、傘《かさ》の直径一メートル以上の怪物のようなものまで、実に様々なクラゲが水槽《すいそう》の中に浮かび、揺れていた。日曜日だというのに、水族館はそれほど込んではいなかった。がらがらといってもいいくらいだった。誰だってこんな天気の良い日には、水族館でクラゲを眺めるより動物園で象やきりんを眺める方を選ぶのだろう。

クミコには言わなかったけれど、実を言うと僕はクラゲが大嫌《だいきら》いだった。子供の頃《ころ》、近くの海で泳いでいて、何度かクラゲにからだを刺されたことがある。ひとりで沖に向けて泳いでいるうちに、クラゲの群れの真ん中に入りこんでしまったこともある。気がつくと、まわりじゅうがクラゲだった。僕はそのときのクラゲたちのぬるりとした冷たい感触を今でもはっきりと思いだすことができる。僕はクラゲたちの渦《うず》の真ん中で、まるで深い闇《やみ》の中にひきずりこまれてしまったような激しい恐怖を感じた。どういうわけかそのときは体は刺されなかったのだが、パニックのせいでずいぶん水を飲んでしまった。だから僕はできることならクラゲの特別展示なんて飛ばして、マグロだとかヒラメだとかそういう普通の魚を見たかった。

でもクミコはクラゲにすっかり魅入られてしまったようだった。ひとつひとつの水槽の前で立ち止まり、身を乗り出し、時間がたつのも忘れたようにいつまでもそこから動かなかった。「ねえ、これを見て」と彼女は僕に言った。「世の中にはこんなに鮮やかなピンクのクラゲがいるのね。それになんて綺麗に泳ぐんでしょう。このヒトたちはこんな風に一生かけて世界中の海をふらふらとさすらっているのね。どう、そういうのって素敵だと思わない？」「そうだね」と僕は言った。でも彼女につきあって心ならずもクラゲをひとつひとつじっくりと眺めているうちに、僕はだんだん胸苦しくなってきた。知らず知らず無口になり、そわそわしてポケットの中の小銭を何度も数えたり、ハンカチで何度も口もとを拭《ふ》いたりした。早くクラゲの水槽が終わってくれればいいのにと祈った。でもクラゲは次から次へと果てしなく出てきた。世界の海には実に多くの種類のクラゲがいるのだ。三十分ほど我慢していたのだが、緊張のためにだんだん頭がぼんやりとしてきた。そして最後には手すりにもたれて立っているのも苦しくなって、近くにあったベンチにひとりで座り込んでしまった。クミコが僕のそばにやってきて、気持ちでも悪いのかと心配そうに尋ねた。悪いけど、クラゲを見ているうちに頭がふらふらしてきたんだよと僕は正直に言った。

クミコはしばらく僕の目をじっと真剣に覗《のぞ》き込んでいた。「本当だ。目が虚《うつ》ろになっているわね。信じられないわ。ただクラゲを見るくらいで人がこんなになるなんて」とクミコはあきれたように言った。でもとにかく彼女は僕の腕を取るようにして、湿っぽく薄暗い水族館から陽光の下に連れだしてくれた。

十分ばかり近くの公園に座って、ゆっくりと大きく呼吸をしているうちに、少しずつ僕の意識は正常に戻ってきた。秋の太陽の光は心地よく眩《まぶ》しく、乾ききった銀杏《いちょう》の葉が小さな音を立てながら時折の風に吹かれて移動していった。しばらくあとでクミコは「ねえ、大丈夫?」と僕に尋ねた。

「変な人ね。そんなにクラゲが嫌《いや》だったら、気持ち悪くなるまで我慢なんかせずに、初めからそう言えばいいのに」、クミコは笑った。

空は高く、風は心地よく、まわりを行く日曜日の人々はみんな楽しそうな表情を顔に浮かべていた。ほっそりとした綺麗な女の子が毛の長い大型犬を散歩させ、ソフト帽をかぶった老人がブランコに乗った孫娘を見守っていた。何組かのカップルが僕らと同じようにベンチに腰かけていた。遠くの方で誰かがサキソフォンの音階練習をしていた。

「どうしてそんなにクラゲが好きなの?」と僕は質問してみた。

「そうね、ただ可愛《かわい》いからじゃないかしら」と彼女は言った。「でもね、さっきじっとクラゲを見ているうちに、私はふとこう思ったの。私たちがこうして目にしている光景というのは、世界のほんの一部にすぎないんだってね。私たちは習慣的にこれが世界だと思っているわけだけれど、本当はそうじゃないの。本当の世界はもっと暗くて、深いところにあるし、その大半がクラゲみたいなもので占められているのよ。私たちはそれを忘れてしまっているだけなのよ。そう思わない？ 地球の表面の三分の二は海だし、私たちが肉眼で見ることのできるのは海面というただの皮膚にすぎないのよ。その皮膚の下に本当にどんなものがあるのか、私たちはほとんど何も知らない」

それから僕らは長い散歩をした。五時になるとクミコは病院にまた行かなくちゃと言ったので、僕は彼女を病院まで送った。「今日はどうもありがとう」と彼女は別れるときに僕に言った。彼女の微笑みの中には、それまでになかった穏やかな光のようなものが見受けられた。それを見て、僕は今日いちにちで自分が彼女に少しだけ近づけたことを知った。たぶんクラゲのおかげだなと僕は思った。

僕とクミコはそれから何度かデートをした。彼女の母親が何事もなく退院し、僕の依頼人の遺言状騒ぎが一段落して、もう病院に通う必要がなくなったあとも、僕らは週に一度は会って、映画に行ったり、音楽を聴きに行ったり、ただ散歩をしたりした。顔を合わせるたびに、僕らはお互いの存在に馴《な》れていった。彼女と一緒にいると楽しかったし、何かで体が触れ合うと胸が震えた。週末が近づくと仕事がうまく手につかないこともあった。彼女が僕に好意を抱いているのも確かだった。もしそうでなければ、毎週僕と会ったりはしないだろう。でも僕はクミコとの関係を急いで深めようとは思わなかった。彼女にはどことなく、何かについて迷っているような様子が見受けられたからだ。具体的に何かがどうというわけでもないのだが、クミコの言葉や動作に、その迷いのようなものがふと顔をのぞかせることがあった。僕が何かを質問すると、彼女の返事が一呼吸遅れることがあった。そこにわずかな間が空く。その一瞬の間の空き方の中に、僕はいつも何かの「影」のようなものを感じないわけにはいかなかった。

冬がやってきて、新しい年になった。僕らはそのあいだ毎週のように会った。僕はその「何か」についてはひとことも尋ねなかったし、クミコも何も言わなかった。僕らは会って、何処《どこ》かに行って、食事をして、差し障りのない話をした。

「ねえ、君には恋人かボーイフレンドがいるんじゃないの」と僕はある日思い切って尋ねてみた。

クミコはしばらくのあいだ僕の顔を見ていた。「どうしてそう思うの？」

「なんとなくそういう気がするからさ」と僕は言った。僕らはそのとき、人けのない冬の新宿御苑《ぎょえん》を散歩していた。

「どんな風に？」

「君には何か言いたいことがあるみたいだ。もし話せることなら、僕に話せばいいよ」

クミコの顔の上で、表情が微《かす》かに揺れるのがわかった。でもその揺れはほとんど目につかないくらい微かなものだった。彼女は少しは迷ったかもしれない。でも結論は初めからはっきりとしていた。「ありがとう。でもとくにあらためて話すほどのことはないのよ」とクミコは言った。

「君はまだ最初の質問に答えてないな」

「私にボーイフレンドとか恋人とかがいるかっていうこと？」

「そう」

クミコは立ち止まって手袋を取り、それをコートのポケットに入れた。そして手袋をはめていない僕の手を握った。彼女の手は温かく柔らかかった。僕がその手を軽くにぎりかえすと、彼女の吐く息がもっと小さく、もっと白くなったように思えた。

「これからあなたのアパートに行っていい？」

「もちろんいいよ」、僕はちょっとびっくりして言った。「来るのはかまわないよ。あまり自慢できるようなところじゃないけどね」

僕はそのころ阿佐ヶ谷に住んでいた。小さな台所と便所と、公衆電話ボックスくらいのサイズのシャワーがついた一間のアパートだった。部屋は南に面した二階にあって、窓の外は建築会社の資材置場になっていた。だから日当たりだけはよかった。いかにもぱっとしない部屋だったが、日当たりの良さが唯一《ゆいいつ》の取柄だった。僕とクミコは長いあいだその日溜《ひだ》まりの中に並んで座り、壁にもたれていた。

僕はその日に初めてクミコを抱いたわけだけれど、今でも僕はこう思っている。あの日彼女は僕に抱かれることをもとめていたのだと。ある意味では彼女が僕を誘ったのだと。具体的に何かを言ったりしたりして僕を誘ったというわけではない。でもクミコのからだに手をまわしたとき、最初から抱かれるつもりでいたのだということが僕にはわかった。そのからだは柔らかく、抵抗感というものがまったく感じられなかった。

クミコにとってはそれが最初の性体験だった。交わりが終わったあと長いあいだ、クミコはひとことも口をきかなかった。何度か話しかけてみたのだけれど、彼女は答えなかった。彼女はシャワーに入って、服を着て、また日溜まりの中に座った。どう言えばいいのかわからなかったので、僕もその隣に座ったままなんとなくずっと黙っていた。太陽が移動すると、僕らもそれにあわせてちょっとずつ移動した。夕方になってクミコがそろそろ家に帰ると言ったので、僕は家まで送っていった。

「本当に何か話したいことがあるんじゃないの？」と僕は電車の中でもう一度尋ねてみた。

クミコは首を振った。「いいのよ。そのことは」と彼女は小さな声で言った。

それっきり僕はもうその話を持ち出さなかった。クミコは結局のところ、こうして僕に抱かれることを選んだわけだし、もし彼女の中に何か僕に対してうまく口に出せないことがあるにせよ、それは時間の経過とともに自然に解決されていくはずだ。

そのあとも僕らは週に一度はデートをした。彼女はだいたいいつも僕のアパートに寄って、そこでセックスをした。抱き合い、肌《はだ》を触れあわせているうちに、彼女は少しずつ自分について語るようになっていった。自分自身について、自分がこれまで経験してきた様々な事物について、そしてそれらの事物について自分がどのように感じ考えるかについて。そして少しずつ、僕は彼女の目が捉《とら》えている世界の姿を理解することができるようになっていった。そして僕は彼女に、僕の目が捉えている世界の姿を少しずつ語ることができるようになった。僕はクミコのことを深く愛するようになったし、彼女も僕から離れたくないと言った。彼女が大学を卒業するのを待って、僕らは結婚した。

結婚したあと、僕らは幸福に暮していたし、問題というようなものは何もなかった。でもそれにもかかわらず、クミコの中に僕の入ることができない彼女だけの領域が存在していることを、僕はときおり感じないわけにはいかなかった。たとえばそれまではずっと普通に、あるいは熱心に会話をしていたのに、何かの拍子にクミコがふと沈黙の中に沈んでしまうことがあった。とくに理由もなく（少なくとも僕には何かそうなるような理由は思いあたらなかった）、会話の途中で急にぱったりと黙り込んでしまうのだ。まるで道を歩いていてすとんと落とし穴にはまりこんでしまうみたいに。沈黙そのものはそれほど長く続かなかったが、そのあとしばらく彼女は「心ここにあらず」という風になった。そしてある程度の時間が経過するまではもとに戻らなかった。話を聞いているあいだ、「うん、そうね」「たしかに」「まあね」というような当たり障りのない返事を彼女は返した。でも頭は何かべつのことを考えているようだった。結婚してまだ間がないころ、彼女がそうなるたびに僕は、「ねえどうかしたの？」と尋ねた。僕はそのことでひどく戸惑ったし、何か僕の言ったことが彼女を傷つけたのかと心配になったからだ。でもクミコはいつもにっこり笑って「べつに何でもないわよ」と言うだけだった。そしてしかるべき時間がたつと、彼女はもとどおりになった。最初にクミコの中に入ったとき、それに似た奇妙な戸惑いを感じたことを覚えている。クミコは最初のときにはおそらく苦痛しか感じなかったはずだ。彼女は痛がったし、ずっと体をこわばらせていた。でも僕がその戸惑いのようなものを感じた理由はそれだけではなかった。そこには何か、奇妙に覚めたものがあった。うまく表現できないのだけれど、そこには一種の乖離《かいり》の感覚があった。自分が抱いているこの体は、さっきまで隣に並んで親しく話していた女の体とはべつのものなんじゃないか、自分の気づかないうちにどこかでべつの誰かの肉体と入れ代わってしまったんじゃないかという不思議な思いに僕は捉われた。僕は彼女を抱きながら、手のひらでその背中をずっと撫《な》でつづけていた。小さな滑らかな背中で、その感触は僕を夢中にさせた。でもそれと同時にその背中は僕からものすごく離れた場所にあるみたいに思えた。クミコはこうして僕に抱かれながら、ずっと離れた場所で、何かべつのことを考えているみたいだった。そして今僕が抱いているのは、一時的にここにあるかりその肉体であるようにさえ思えた。あるいはそのせいかもしれないけれど、性的に興奮していたにもかかわらず、射精をするまでにけっこう時間がかかった。

でもそういう感覚を抱いたのは、最初の性交のときだけだった。二度目からは、彼女の存在はより身近に感じられるようになった。肉体的にももっと敏感に反応するようになった。たぶんあのときに僕がそういう乖離の感覚のようなものを抱いたのは、それが彼女にとっての最初の性体験だったからだろう。

記憶をたどりながら、僕はときどき壁に手を伸ばして縄梯子《なわばしご》を摑《つか》み、ぎゅっと引っ張って、それが外れていないことを確かめた。梯子が何かの拍子に外れてしまうかもしれないという恐怖はずっと僕の中にあった。外れてしまったときのことを考えるたびに、暗闇の中で僕はひどく落ちつかない気持ちになった。心臓の鼓動が自分の耳に聞こえるくらい高まったりもした。でも何度か——たぶん二十度か三十度くらい——それを引っ張って確認しているうちに、僕はだんだん落ちつきを取り戻してきた。梯子はしっかりと木に結びつけてある。簡単に外れたりはしない。

僕は時計を見た。夜光塗料のついた針は三時少し前を指していた。午後の三時だ。頭上にはまだ半月のかたちをした光の板が浮かんでいた。地上には眩しい夏の光が溢《あふ》れているのだろう。僕はきらきらと光る小川の流れや、風に揺れる青葉を思いだすことができた。そんな圧倒的とも言える光のすぐ足もとには、このような種類の闇が存在するのだ。縄の梯子をつたってほんの少し地下に下りるだけでいい。そこにはこんなに深い闇がある。

僕はもう一度縄梯子を引っ張ってそれが固定されていることを確かめた。そして頭を壁にもたせかけたまま目を閉じた。やがてゆっくりと潮が満ちるように眠りがやってきた。

7 妊娠についての回想と対話、苦痛についての実験的考察

目を覚ましたとき、半月形の井戸の口は夕闇《ゆうやみ》の深い青に変わっていた。時計の針は七時半を指していた。夜の七時半だ。となると、僕は四時間半もここで眠っていたことになる。井戸の底の空気は肌さむかった。ここに下りてきたばかりのときは、おそらく気が昂《たかぶ》っていたせいで、温度のことまでは頭がまわらなかったのだろう。でも今ではあたりの冷気がはっきりと肌身に感じられた。僕はむきだしの両腕を手のひらでこすって温めながら、シャツの上に着られるものをナップザックに入れてくるべきだったなと思った。井戸の底の温度が地上とは違うことを、すっかり忘れていたのだ。

深い闇が僕のまわりを包んでいた。どれだけ目をこらしても、もう何も見えなかった。自分の手がどこにあるかもわからなかった。僕は壁に手を這《は》わせて手探りで梯子を探りあて、それを引っぱってみた。梯子はまだ地上にしっかり固定されていた。暗闇の中で手を動かし

てみると、闇が少しだけ揺れたような気がしたが、それもあるいはただの目の錯覚かもしれなかった。

そこにあるはずの自分の体を自分の目で見ることができないというのは不思議なものだった。暗闇の中でただじっとしていると、自分がそこに存在しているという事実がだんだんうまく呑《の》み込めなくなってくるのだ。だから僕はときどき軽い咳払《せきばら》いをしたり、手のひらで自分の顔を撫でてみたりした。そうすることで僕の耳は僕の声の存在を確かめ、僕の手は僕の顔の存在を確かめ、僕の顔は僕の手の存在を確かめることができた。

でもいくら努力しても、僕の肉体は、水の流れにさらわれていく砂のように、少しずつその密度と重さをなくしていった。まるで僕の中で無言の熾烈《しれつ》な綱引きのようなことが行われていて、僕の意識が少しずつ僕の肉体を自分の領域に引きずり込みつつあるようだった。この暗闇が本来のバランスを大きく乱しているのだ。肉体などというものは結局のところ、意識を中に収めるために用意された、ただのかりそめの殻《から》に過ぎないのではないか、と僕はふと思った。その肉体を合成している染色体の記号が並べかえられてしまえば、僕は今度は前とはまったく違った肉体に入ることになるのだろう。「意識の娼婦《しょうふ》」と加納クレタは言った。僕は今ではその言葉をすんなりと受け入れられるようになっていた。僕らは意識で交わり、現実の中に射精することだってできる。本当に深い暗闇の中ではいろんな奇妙なことが可能になる。

それから僕は首を振った。そして努力して、自分の意識をもう一度自分の肉体の中に戻した。

僕は暗闇の中で両手の十本の指先をきちんと合わせた。親指は親指に、人さし指は人さし指に。僕の右手の指は左手の指の存在を確認し、僕の左手の指は右手の指の存在を確認した。それからゆっくりと深呼吸をした。意識について考えるのはもうやめよう。もっと現実的なことを考えよう。肉体が属している現実の世界について考えよう。そのために僕はここにやってきた。現実について考えるために。現実について考えるには、現実からなるべく遠く離れた方がいいように僕には思えたのだ。たとえば深い井戸の底のような場所に。「下に下りたいときには、いちばん深い井戸の底に下りればいい」と本田さんは言った。壁にもたれかかったまま、僕は黴臭《かびくさ》い空気をゆっくりと吸い込んだ。

僕らは結婚式をあげなかった。僕らには式をあげるような経済的な余裕はなかったし、かといって親の世話にもなりたくなかった。形式的なことよりは、自分たちにできる範囲で二人だけの生活を始めるのが先決だった。日曜日の朝に区役所の日曜窓口に行って、ベルを押してまだ眠っていた当直の職員を起こし、婚姻届けを出しただけだった。それから僕らは、普段はちょっと入れないような高級なフランス料理店に行って、ワインを一本注文し、フル・コースのディナーを二人で食べた。それが結婚式のかわりだった。

結婚したとき、僕らにはほとんど蓄えはなく(僕には死んだ母親が残してくれた金が少しあったが、いざというときのためにそれには手をつけないことに決めていた)、家具らしい家具もなかった。将来の展望だってあまり明るいものとは言えなかった。弁護士の資格のない人間が法律事務所で働いていても、将来の見込みなんてまずない。彼女の勤めている会社も名もない小さな出版社だった。大学を出たとき、クミコはそうしようと思えば父親のコネでもっと立派な就職先をみつけることもできた。しかし彼女はそうするのを嫌《きら》って、自分の力でその仕事をみつけてきたのだ。でも僕らには不満はなかった。二人だけで生きていけるというだけで十分だった。

でも他人と二人でゼロから何かをつくりあげていくのは簡単な作業ではなかった。僕は一人っ子にありがちな孤独癖を持っていた。真剣に何かをやるときには、自分一人でそれにあたることを好んだ。誰かにいちいち説明して理解させせなくてはならないのなら、時間や手間がかかっても一人で黙ってやった方が楽だった。クミコもまたお姉さんを亡くしてからは家族に対して心を閉ざし、ほとんど一人きりで生きてきたようなものだった。何があっても彼女は家族の誰にも相談なんかしなかった。そういう意味では僕らは似たもの同士だった。

それでも僕とクミコは少しずつ、自分の体や心を「我々の家庭」という新しい単位のために同化させていった。二人で一緒にものを考え、ものを感じる訓練をかさねた。自分たちの身に起こる様々なものごとを「自分たちのもの」として受け止め、共有しようと努めた。もちろんうまく行くこともあれば、行かないこともあった。しかし僕らはそんな試行錯誤をむしろ新鮮なものとして、楽しんでいたと思う。それにもし激しい衝突があっても、僕らは抱き合って忘れてしまうことができた。

結婚して三年目にクミコは妊娠した。ずっと注意深く避妊していたから、それは僕らにとっては——少なくとも僕にとっては——文字通り寝耳に水だった。たぶんどこかで手違いがあったのだろう。思い当たるふしはなかったけれど、それ以外に考えようがない。でも何はともあれ、僕らには子供を産んで育てるほどの経済的余裕はなかった。クミコは出版社の仕事にやっと慣れてきたところだったし、できたら長く続けたいと思っていた。しかし小さな会社だから、産休などという立派なものはなかった。もし誰かが子供を産もうと思ったら、そこを辞めるしかなかった。そうなると、当分のあいだは僕ひとりの給料でやっていかなくてはならないし、それは現実的にほとんど不可能だった。

「まあ、今回はパスするしかないでしょうね」、病院に行って検査の結果を聞いてきたあとで、クミコは表情のない声で僕にそう言った。

そうする以外にたぶん方法はないだろうと僕も思った。どのような観点から見ても、それがいちばんまともな結論だった。僕らはまだ若かったし、子供を作って育てるような準備はまったくできていなかった。僕にもクミコにも、まだ自分たちのための時間が必要だった。まず自分たちの生活を打ち立てること、それが先決問題なのだ。これから先子供を作るチャンスはいくらでもある。

正直にいうと、僕はクミコに堕胎手術を受けてほしくなかった。僕は大学二年生のときに一度、女の子を妊娠させたことがあった。相手はアルバイト先で知り合ったひとつ年下の女の子だった。気のいい子で、話も合った。僕らはもちろんお互いに好意を抱いていたわけだけれど、恋人どうしというわけではなかったし、この先そうなるという可能性もなかった。二人とも淋《さび》しかったし、なんとなく抱き合える相手を必要としていたのだ。

その子が妊娠した理由ははっきりしていた。彼女と寝るときに僕はいつもコンドームを使っていたのだが、その日はたまたまうっかりして用意しておくのを忘れていた。切らしていたわけだ。僕がそう言うと、女の子は二、三秒迷ってから、「うん、そうね、まあ今日は大丈夫だと思うけど」と言った。でも彼女はしっかりと妊娠してしまった。

自分が誰かを「妊娠させた」という実感がうまく抱けなかったが、しかしどう考えても、堕胎以外に方法はなかった。手術の費用は僕が工面し、病院まで一緒についていった。僕らは電車に乗って、彼女の知りあいが紹介してくれた千葉県の小さな町にある病院まで行った。名前を聞いたこともないその駅に下りると、なだらかな丘陵に沿って、見渡す限りどこまでも小さな建売住宅がひしめきあって広がっていた。それは東京都内に家を買うことのできない比較的若い年代のサラリーマンのために、この何年かのあいだに新しく開発された、大がかりな新興住宅地群だった。駅そのものも真新しく、駅前にはまだ田んぼが残っていた。改札口を出ると、目の前に見たこともないような大きな水たまりがあり、通りでは不動産屋の広告ばかりが目についた。

病院の待合室は大きなお腹《なか》を抱えた若い妊婦で文字どおり溢れていた。その大半は、結婚後四年か五年、ローンを組んでやっと郊外の小さな家を手に入れ、そこに落ちついて子供を作ることにきめたという人々だった。平日の昼間にそんなところをうろうろしている若い男なんて僕くらいのものだったし、ましてや産婦人科病院の待合室だ。妊婦たちは、みんないかにも興味深そうに僕をちらっと見た。そしてそれは好意的な視線とはいえなかった。僕は誰がどう見ても大学二年生より上には見えなかったし、間違えてガールフレンドを妊娠させて、その堕胎手術に付き添って来ているということは歴然としていたからだ。

手術が終わると、僕はその女の子と一緒に電車に乗って東京に戻ってきた。夕方前の東京行きの電車はがらがらにすいていた。電車の中で僕は彼女に謝った。僕の不注意のせいでこういう目にあわせて申し訳なかったと言った。

「いいのよ、そんなに気にしなくても」と彼女は言った。「少なくともあなたはこうして病院まで一緒についてきてくれたし、お金だって出してくれたし」

僕と彼女とは、そのうちにどちらからともなく会うのをやめてしまった。だからそのあと彼女がどうなったのか、どこにいて何をしているのか、僕にはわからない。でもその手術のあとずいぶん長いあいだ、彼女と会わなくなってからもずっと、僕は落ちつきの悪い気持ちを抱きつづけることになった。そのときのことを思いだすたびにいつも、僕の頭には、病院の待合室に溢れていたいかにも確信にあふれた若い妊婦たちの姿が浮かんだ。そしてそのたびに、僕は彼女を妊娠させたりするべきではなかったのだと思った。

彼女は電車の中で僕を慰めるために――僕を慰めるためにだ――それがたいした手術ではないのだということをいちいち説明してくれた。「岡田君が考えているようなたいした手術じゃないのよ。時間もかからないし、べつに苦痛があるわけでもないんだから。ただ服を脱いで、そこにじっとしていればいいのよ。まあ恥ずかしいといえばそりゃ恥ずかしいんだけど、でもお医者さんもいい人だったし、看護婦さんもみんな親切だった。これからはもっときちんと避妊をするようにって叱《しか》られたけれどね。そんなに気にすることないのよ。私にだって責任はあるんだから。私が大丈夫って言ったんじゃない。そうでしょう？　だからさ、元気をだしなさいよ」

でも電車に乗ってその千葉県の小さな町に行って、そしてまた電車に乗って帰ってくるあいだに、僕はある意味では別の人間に変わってしまっていた。彼女を家まで送りとどけ、部屋に帰って一人で床に寝ころんで天井を眺《なが》めていると、その変化がはっきりとわかった。ここにいる僕は〈新しい僕〉であって、もう二度ともとの場所に戻ることはないのだ。そこにあるものは、自分がもう無垢《むく》ではないという認識だった。

クミコが妊娠したことがわかったとき、まず僕の頭に浮かんだのは、産婦人科病院の待合室に溢れた若い妊婦たちの姿だった。そこに漂っていた、一種独特の匂《にお》いのことだった。それがいったい何の匂いなのか僕にはわからなかった。あるいはそれは具体的な何かの匂いではなく、ただの匂いのようなものだったのかもしれない。その女の子は、看護婦に名前を呼ばれると固いビニール張りの椅子《いす》からゆっくりと立ち上がって、まっすぐドアの方に行った。彼女は立ち上がる前に僕の顔を一度ちらっと見たのだが、その口もとには、作りかけて途中で思いなおしてやめたような、浅い微笑《ほほえ》みが浮かんでいた。

子供を作ることが非現実的な道であることはもちろんよくわかっているけれど、それでもなんとか手術をさける方法はないものだろうか、と僕はクミコに言った。

「これはもうさんざん話し合ったことだけれど、今ここで子供を作ったら、私の仕事も終わってしまうし、あなたは私や子供を養うためにどこか別のところで、もっと給料のいい仕事をみつけなくてはならなくなるのよ。生活の余裕なんてものはまったくなくなってしまうし、やりたいことがあっても何もできなくなってしまうわよ。私たちがこれから何をするにせよ、その可能性は現実的にずいぶん狭められてしまうことになるわよ。あなたはそれでもいいの？」

「僕はそれでもいいような気がする」と僕は言った。

「本当に？」

「その気になれば仕事はまあみつけられると思う。たとえば叔父さんだって人手を欲しがっているんだ。新しい店を出したいけど、任せることのできる人がみつからないからまだ出せずにいるんだ。あそこなら今の給料よりはずっと良い給料がとれると思う。法律の仕事とは関係がなくなるけれど、はっきり言って今だってとくにやりたくてやっているわけじゃないからね」

「あなたがレストランを経営するわけ？」

「やってできなくはないだろう。それにいざとなれば、母親の残してくれたお金も少しはある。飢え死にすることはないさ」

クミコは長いあいだ黙って、目尻《めじり》に小さなしわを寄せながら、それについて考えていた。僕はそういう彼女のちょっとした表情が好きだった。「あなたは子供がほしいのかしら？」

「わからない」と僕は言った。「僕らには今のような二人きりの生活がもっと必要なんじゃないかと思うこともあるし、それと同時に子供を作ることによって僕らの世界がもっと大きなひろがりを持つんじゃないかと思うこともある。何が正しいのかは、僕にはわからない。僕はただ単純に、君に堕胎手術を受けてほしくないという気がするだけなんだ。だから僕には何も保証できない。確信のようなものもないし、あっと驚く解決策もない。ただ、そういう気持ちがあるというだけだよ」

クミコはしばらく考えていた。そしてときどき手のひらで自分のお腹をさすった。「ねえ、どうして妊娠なんかしちゃったんだと思う？　あなたには何か心当たりはある？」

僕は首を振った。「避妊に関してはいつも注意していた。失敗してあれこれ思い悩みたくなかったからね。だからどうしてそんなことになったのか、見当もつかないんだ」

「私が誰か別の人と浮気したとは思わない？　そういう可能性は考えない？」

「考えないね」

「どうして考えないの？」

「僕はあまり勘のいい人間とは言えないけれど、でもそれくらいのことはわかる」

クミコと僕はそのとき、台所のテーブルに座ってワインを飲んでいた。もう夜も遅く、あたりには物音ひとつしなかった。クミコは目を細めてグラスの中に残った一口ぶんくらいの赤ワインを眺めていた。クミコは普段はほとんど酒を飲まなかったが、寝つけないときにいつも一杯だけワインを飲んだ。一杯ワインを飲むだけで確実に眠ることができるのだ。僕もそれにつきあっていた。ワイン・グラスというような気のきいたものはなくて、近所の酒屋でもらった小さなビール・グラスをそのかわりにしていた。

「他の誰かと浮気したの？」と僕はふと気になって、ためしに尋ねてみた。

クミコは笑って首を何度か横に振った。「まさか。そんなことするわけがないでしょう。ただ純粋に可能性の問題として持ち出してみただけよ」、それから彼女は真顔になって、テーブルの上に肘《ひじ》をついた。「でもね、正直に言うと、私にはときどきいろんなことがわからなくなってくるのよ。何が本当で、何が本当じゃないのか。何が実際に起こったことで、何が実際に起こったことじゃないのか。……ときどきね」

「それで今がそのときどきなの？」

「まあね……。あなたにはそういうことってない？」

僕は少し考えてみた。「ちょっと具体的には思いだせないな」と僕は言った。

「なんと言えばいいのかしら、私が現実だと思っていることと、本当の現実とのあいだに、少しズレがあるのね。私の中のどこかに、何かちょっとしたものが潜んでいるような気がすることがあるの。ちょうど空き巣が家の中に入ってきて、そのまま押入れに隠れているみたいにね。そしてそれがときどき外に出てきて、私自身のいろんな順序やら論理やらを乱すの。磁気が機械を狂わせるように」

僕はしばらくクミコの顔を見ていた。「それで君は、自分が今回妊娠したことと、そのちょっとした何かとのあいだに相関関係があると思うの？」

クミコは首を振った。「関係があるとかないとかじゃなく、私にはときどきものごとの順序がはっきりとはわからなくなってくるということ。私が言いたいのはそれだけ」

クミコの言葉の中には少しずつ苛立《いらだ》ちが混じりはじめていた。時計はもう一時を回っていた。話を切り上げる潮時だなと僕は思った。僕は手をのばして、狭いテーブル越しに彼女の手を握った。

「ねえ、このことは私に決めさせてくれないかしら？」とクミコは僕に言った。「もちろんこれは二人のあいだの大事な問題だし、それはよくわかっているんだけれど、これまでずっと二人で話をしていて、あなたの気持ちのだいたいのところはわかったから、あとは私に考えさせて。たぶんあと一ヵ月くらい。だからもうしばらくはこの話をするのはやめましょう」

クミコが堕胎手術を受けたとき僕は北海道にいた。僕のような下っぱが出張の仕事を命じられることなんてまずないのだが、そのときはどうしても人がいなくて、僕が行かされることになった。僕は鞄《かばん》に書類を詰めて運び、その簡単な説明をし、相手の書類をもらって帰ってくることになっていた。それはとても大事な書類だったから、郵便で送ったり、他人の手に預けたりするわけにはいかなかったのだ。札幌・東京の飛行機便はひどく込み合っていて、僕は札幌のビジネス・ホテルに一泊することになった。そのあいだに、クミコは一人で病院に行って、堕胎手術を受けてきた。そして夜の十時過ぎに僕のホテルに電話をかけてきて、「今日の午後に手術を済ませたの」と言った。

「こういう風に事後通告をすることになって、それは悪いと思うんだけど、わりに急なセッティングだったし、それにあなたがいないときに私一人で決めて済ませてしまった方がお互いに楽なんじゃないかと思ったのよ」

「それは気にしなくていい」と僕は言った。「君がそうするのがいいと思えば、そうするのが良かったんだと思う」

「もっと話したいことがあるんだけど、まだ話せないの。たぶんそれはあなたに話さなくてはならないことだと思うんだけれど」

「東京に帰ったらゆっくり話そう」

電話を切ると僕はコートを着てホテルの部屋を出て、札幌の街をあてもなく歩いた。三月の初めのことで、道路の両側には雪が高く積み上げられていた。空気は痛いほど冷えきっていて、道を行く人々の息が白く浮かんでは消えた。人々は厚いコートを着て、手袋をはめ、口のところまでマフラーを巻き、注意深い足取りで凍った歩道を歩いていた。スパイク・タイヤをつけたタクシーがかりかりという音を立てながら通りを行き来していた。体が我慢できないくらい冷えてくると、僕は目についたスナック・バーに入ってウィスキーをストレートで何杯か飲んだ。そしてまた街を歩き続けた。

ずいぶん長い時間僕は街を歩いていた。ときおり雪が舞ったけれど、まるで薄れかけた遠い記憶のように細かく儚《はかな》い雪だった。二軒めに入った店は地下にあった。入口から受ける印象よりは店内はずっと広かった。バーの脇《わき》には小さなステージがあって、眼鏡をかけた痩《や》せた男がそこでギターを弾きながら歌を歌っていた。歌手はスチール製の椅子に脚を組んで座り、その足元にはギターケースが置いてあった。

僕はバーに座って酒を飲みながら、その歌を聴くともなく聴いた。曲の合間に彼は、それらの曲は自分でぜんぶ作詞作曲したのだと説明した。年齢は二十代後半くらい、これという特徴のない顔で、茶色のプラスチックの縁の眼鏡をかけていた。ブルージーンズに編み上げのブーツを履き、格子《こうし》柄《がら》フランネルのワークシャツの裾《すそ》を外に出していた。どんな歌かと言われてもうまく説明できない。単調なコード、単純なメロディー、あたりさわりのない歌詞。

ふだんなら僕はそんな歌は聴かずに、一杯だけ酒を飲み、勘定を払ってさっさと店を出ただろうと思う。でもその夜、僕のからだは芯《しん》まですっかり冷えきっていて、もう一度しっかり温まるまでは、たとえ何があろうと外に出ていく気にはなれなかった。僕はウィスキーのストレートを一杯飲み、すぐにおかわりを注文した。僕はしばらくコートを脱がなかったし、マフラーも取らなかった。バーテンが何かつまみはいらないかと訊《き》いたので、チーズを注文し、ひときれだけ食べた。僕は何かを考えようとしたのだが、うまく頭を働かせることができなかった。いったい何を考えればいいのかもわからなかった。僕は自分ががらんどうの部屋になってしまったような気がした。その中に音楽が、ひからびたこだまのようにうつろに響いていた。

男が何曲かを歌い終わると、客はぱらぱらと拍手をした。とくに熱心な拍手でもなかったが、お愛想だけの拍手でもなかった。店はそれほど込んではいなかった。客の数は全部で十人か十五人くらいだったと思う。彼は椅子から立ち上がってお辞儀をした。何か冗談のようなことを言って、何人かの客が笑った。僕はバーテンを呼んで三杯めのウィスキーを注文した。そしてやっとマフラーを取り、コートを脱いだ。

「これで今夜の私の歌は終わります」と歌手は言った。そして間を置いて店内をぐるりと見回した。「でも、お前の歌はつまらなかったという方も中にはいらっしゃるでしょうから、そういうお客さまのために、これからちょっとした余興のようなものをやります。普段はやらないのですが、今日はとくべつにお目にかけます。だから今日ここにお見えになった皆さんは実にラッキーだったというわけですね」

歌手は足もとにそっとギターを置き、ギターケースの中から蠟燭《ろうそく》を一本出してきた。白くて太い蠟燭だった。彼はそれにマッチで火をつけ、皿の上に蠟を落として蠟燭を立てた。そしてまるでギリシャの哲学者のような恰好《かっこう》でその皿を掲げた。「照明を暗くしてもらえませんか」と男は言った。一人の従業員が店内の照明を少し落とした。「もう少し暗い方がいいな」と彼は言った。店内はずっと暗くなり、彼の捧《ささ》げ持つ蠟燭の炎がはっきりと見えるようになった。僕はウィスキーのグラスを手のひらに包んで温めながら、男の姿と、彼が手にしている蠟燭を眺めていた。

「よくご存じのように、人生の過程において私たちは様々な種類の苦痛を体験します」とその男は静かな、よく通る声で言った。「肉の痛みがあり、心の痛みがあります。私もこれまでにいろんなかたちの苦痛を経験してきましたし、皆さんも同じだと思います。しかしその苦痛の実態を誰かに対してことばで説明するのは、多くの場合とてもむずかしいことです。自分の痛みは自分にしかわからない、と人は言います。しかし本当にそうでしょうか？　私はそうは思いません。たとえば誰かが本当に苦しんでいる光景を目の前にすれば、私たちもまたその苦しみや痛みを自分自身のものとして感じることがあります。それが共感する力です。おわかりですか」

彼は言葉を切って、もう一度ぐるりと店内を見回した。

「人が歌を歌うのも共感する力を持ちたいと思っているからです。自分という狭い殻《から》を離れ、多くの人々と痛みや喜びを共有したいと思うからです。でもそれはもちろん簡単なことではありません。だからみなさんにここで、いわばひとつの実験として、もっと簡単な物理的共感を体験していただきたいのです」

いったいこれから何が起こるのだろうと、みんなは息をひそめてステージを見守っていた。沈黙の中で男は間を置くように、あるいは精神を統一するかのように、じっと虚空《こくう》を見つめていた。それから彼は、蠟燭の火の上に黙って左の手のひらをかざした。そして少しずつ、少しずつ、その手のひらを炎の先に近づけていった。客の一人がうなりともため息ともつかない声をだした。やがてその炎の先が彼の手のひらを焼くのが見えた。じりじりという音さえ聞こえてきそうだった。女の客が小さな硬い悲鳴をあげた。それ以外の客は凍りついたようにその光景を見ていた。男は激しく顔を歪《ゆが》めながら、その苦痛に耐えていた。いったいこれは何なんだ、と僕は思った。どうしてこんな馬鹿《ばか》な無意味なことをやらなくちゃいけないんだ。口の中がからからに渇いていくのが感じられた。五秒か六秒それを続けたあとで、彼は火からゆっくりと手を離し、蠟燭を載せた皿を床に置いた。そして右の手のひらと左の手のひらをぴったり合わせるようにして組んだ。

「ごらんになったように、苦痛は文字どおり人の肉体を焼きます」と男は言った。彼の声はさっきまでの声とまったく同じだった。静かで張りのあるクールな声だ。顔からは苦悶《くもん》のあとはすっかり消えていた。そこには微《かす》かな微笑みさえ浮かんでいた。「そしてみなさんはそこにあるはずの痛みを、まるで我がことのように感じ取ることができます。それが共感する力です」

彼は組んでいた両手をゆっくりと離した。そしてその中から赤い薄手のスカーフを一枚取り出し、広げて見せた。それから両手を大きく開いて客席に向けた。手のひらには火傷《やけど》のあとはまったくなかった。一瞬の沈黙があって、それから人々はほっとしたように熱心に拍手をした。照明が明るくなり、人々は緊張から解き放たれてがやがやと話を始めた。男は何事もなかったようにギターをギターケースに仕舞い、舞台を下りてそのままどこかに消えていった。

勘定を払うときに、僕は店の女の子に質問してみた。あの歌手はいつもここで歌っているのか、そして歌う他にこういう手品をよくやるのかと。

「よく知らないんです」と彼女は言った。「あの人がこの店で歌うのは、私が知っているかぎり今日が初めてだし、名前を聞いたのも初めてです。歌の他に奇術をやるなんてぜんぜん聞いていませんでした。でも凄《すご》かったですね。いったいどういう仕掛けがあるんでしょうね。あれならテレビに出てもやっていけるんじゃないかしら」

「そうだね、本当に焼いているみたいだった」と僕は言った。

ホテルまで歩いて戻り、ベッドに横になると、まるでそれを待ち受けていたようにすぐに眠りが訪れた。眠ろうとする瞬間にクミコのことを考えた。でもクミコはものすごく遠くにいるように感じられたし、僕にはもう何も考えることができなかった。僕は手のひらを焼いている男の顔をふと思い浮かべた。あれは本当に焼いているみたいだったな、と僕は思った。そして眠りの中に入っていった。

8 欲望の根、208号室の中、壁を通り抜ける

夜明け前に井戸の底で夢を見た。でもそれは夢ではなかった。たまたま夢というかたちを取っている何かだった。

僕は一人でそこを歩いていた。広いロビーの中央に据《す》えられた大型テレビの画面には綿谷ノボルの顔が映し出されていた。彼の演説は今始まったばかりだった。ツイードのスーツ、ストライプのシャツに紺のネクタイをしめ、テーブルの上で両手を組んで、綿谷ノボルはカメラのレンズに向かって何かを喋《しゃべ》りかけていた。その背後の壁には大きな世界地図がかかっていた。ロビーには百人を越えると思われる数の人々がいたが、ひとり残らず動きを止めて、真剣な顔つきで彼の話に耳を傾けていた。まるでこれから何か、人々の運命を左右する重大な発表がおこなわれるみたいだった。

僕も立ち止まって、テレビの画面を見た。綿谷ノボルは、彼の目には映らない何百万という数の人々に向かって手慣れた、しかし非常に真摯《しんし》な口調で語りかけていた。彼と直接顔を

合わせているときに感じるあのたまらなく不快な何かは、ずっと奥の方の目につかないところに隠されていた。彼の喋り方には独特の説得力があった。ちょっとした間の取り方や、声の響きや、表情の変化によって、そこには不思議なリアリティーのようなものが生じていた。見たところ綿谷ノボルは弁舌家として日いちにちと成長をとげているようだった。僕はそんなことを認めたくはなかったけれど、認めないわけにはいかなかった。

「よろしいですか、すべてのものごとは複雑であると同時にとても簡単なのです。それがこの世界を支配する基本的なルールです」と彼は言った。「そのことを忘れてはなりません。複雑に見えるものごとも──もちろんそれは実際に複雑であるわけなのですが──その動機においてはきわめて単純なのです。それが何を求めているか、それだけのことです。動機というものはいうなれば欲望の根です。大事なのは、その根をたどることです。現実という複雑さの地面を掘るのです。それをどこまでも掘っていくのです。その根のいちばん先のところまでどこまでもどこまでも掘っていくのです。そうすれば」と言って、彼は背後の地図を指で示した。「すべてはやがて明らかになります。それが世界のありようです。愚かな人々は、永遠にその見かけの複雑さから抜け出すことができません。そしてこの世界のありようを何ひとつ理解できないまま、暗闇《くらやみ》の中でうろうろと出口を探し求めながら死んでいきます。彼らはちょうど深い森の奥や、深い井戸の底で途方に暮れているようなものです。彼らが途方に暮れているのは、ものごとの原則というものを理解しないからです。彼らの頭の中にあるのはただのがらくたか石ころのようなものです。彼らには何もわかりません。どちらが前でどちらが後ろか、どちらが上でどちらが下か、どちらが北でどちらが南か、それさえもわからないのです。だから彼らはその暗闇の中から抜け出すことができないのです」

綿谷ノボルはそこで間を置き、聴衆の意識に自分の言葉をゆっくりとしみ込ませ、それからまた口を開いた。

「そのような人々のことは忘れましょう。途方に暮れたい人には、途方に暮れさせておけばいいのです。私たちにはまずやらなくてはならないことがあります」

彼の話を聞いているうちに、僕の中にだんだん怒りが湧《わ》き上がってきた。それは息苦しいほどの怒りだった。彼は世界に向かって語りかけている風を装って、実は僕ひとりに向かって語りかけているのだ。そこには間違いなく、何かひどくねじくれて歪んだ動機のようなものがあった。でもそんなことは他の誰にもわからない。だからこそ綿谷ノボルはテレビという巨大なシステムを使って、僕ひとりに暗号のようなメッセージを送りつけることができるのだ。僕はポケットの中で拳《こぶし》を強く握りしめた。でも僕はその怒りをどこに持っていくこともできなかった。そしてまた自分の感じているこの怒りを、ここにいる誰とも共有できないという事実が、僕に深い孤立感のようなものをもたらした。

綿谷ノボルの言葉をひとことも聞き漏らすまいと耳を澄ましている人々で溢《あふ》れたロビーを横切って、客室に通じる廊下に僕はまっすぐに進んだ。そこにはいつもの顔のない男が立っていた。僕が近づくと彼はその顔のない顔で僕を見た。そして音もなく、僕の前にたちはだかった。

「今はまちがった時間です。あなたは今ここにいてはいけないのです」

しかし綿谷ノボルによってもたらされた深い切り傷のような痛みが僕を追いたてた。僕は手をのばして彼を押し退《の》けた。男は影のようにぐらりと揺れて、脇にどいた。

「あなたのためです」と顔のない男は僕の背後から言った。彼の発するひとつひとつの言葉が、尖《とが》った破片のように僕の背中に突きささった。「そこから先に進むと、もうあとに戻ることはできません。それでもいいのですか？」

でも僕はかまわずに早足で前に進んだ。僕は知らなくてはならない。いつまでも途方に暮れているわけにはいかないのだ。

僕は見覚えのある廊下を歩いていった。顔のない男が僕を止めるためにあとを追ってくるのではないかと思ったのだが、しばらく歩いてから後ろを振り返ってもそこには誰もいなかった。ところどころで折れ曲がった長い廊下には同じようなドアが並んでいた。ドアのひとつひとつには部屋番号が振ってあったけれど、僕はこの前自分が案内された部屋の番号を思いだすことができなかった。そのときはちゃんと覚えていたはずなのに、それがどうしても思いだせないのだ。まさかひとつひとつドアを開けてまわるわけにもいかない。

僕はしばらくあてもなくその廊下を行ったり来たりしていたが、やがてルームサービスのトレイを持った客室係のボーイとすれちがった。トレイの上にはカティーサークの新しい瓶《びん》と、アイスペールと、グラスがふたつ載っていた。僕は彼をやり過ごしてから、そっと後をついていった。そのしみひとつない銀色のトレイは、天井の電灯の光を受けてときおりきらっと光った。ボーイは一度も後ろを振り返らなかった。顎《あご》をぎゅっと引いて、規則正しい歩調でどこかに向けてまっすぐに歩いていった。ときどき彼は口笛を吹いた。『泥棒《どろぼう》かささぎ』の序曲だった。太鼓連打の入る出だしのところだ。なかなか上手な口笛だった。

長い廊下だったが、あとをつけていくあいだ他の誰とも出会わなかった。やがてボーイはある部屋の前で立ち止まり、ドアを静かに三度ノックした。何秒か間があって、誰かが中からドアを開け、ボーイはトレイを持って部屋に入っていった。僕はそこに置いてあった大きな中国風の花瓶の陰に身を隠すようにして壁にもたれ、ボーイが部屋から出てくるのを待った。部屋の番号は208だった。そうだ208だ、と僕は思った。どうして今までそれが思いだせなかったんだろう。

ボーイはずいぶん長いあいだ部屋から出てこなかった。僕は腕時計の文字盤に目をやった。でも知らないあいだに時計の針は止まってしまっていた。僕は花瓶の中の花の一本一本を眺《なが》め、その匂《にお》いを嗅《か》いでみた。花はまるでついさっきどこかの庭から切って持ってきたみたいに、どれも見事に新鮮で、その色と薫《かお》りを失ってはいなかった。彼らはおそらく、自分たちが根から切り離されてしまったことにまだ気づいてはいないのだ。ぼってりとした厚い花弁を持った赤いバラの中には小さな羽虫が入り込んでいた。

五分かそこらしてから、やっとボーイが部屋から出てきた。手ぶらで部屋から出てくると前と同じように顎をぎゅっと引いて、もと来た道を帰っていった。彼が廊下の角を曲がって消えてしまうと、僕はそのドアの前に立った。中で何か音がしないかと、息をひそめてじっと耳を澄ませた。でも何の音もしなかったし、何の気配もなかった。それから僕は思い切ってノックをしてみた。ボーイがやったのと同じように、静かに三回。返事はなかった。少し時間を置いてから、今度は最初より少し強く、三回ノックしてみた。やはり返事はなかった。

僕はそっとノブを回してみた。ノブはまわり、ドアは音もなく内側に開いた。中は真っ暗だったが、分厚いカーテンの隙間《すきま》からはわずかな光が漏れて、目をこらすと窓やテーブルやソファーのかたちはぼんやりと認められた。そしてそれは間違いなく、僕が以前加納クレタと交わった部屋だ。スイート・ルームで、手前のリビング・ルームと奥のベッド・ルームに分かれている。リビング・ルームのテーブルの上にカティーサークの瓶とグラスとアイスペールがあるのがぼんやりとではあるけれど、見てとれた。ドアを開けたときに銀色のステンレス・スチールのアイスペールが廊下の光を受けて、鋭いナイフのようにきらりと光るのが見えた。僕はその暗闇の中に入り、後ろ手にそっとドアを閉めた。室内の空気は温かく、そして濃厚な花の匂いがした。僕は息を殺してあたりの気配をうかがった。僕の左手はいつでもドアを開けられるように、ずっとノブの上にかけられていた。この部屋のどこかに誰かがいるはずなのだ。その誰かがルームサービスでウィスキーと氷とグラスとを注文し、ドアを開けてボーイを中に入れたのだ。

「明かりはつけないでおいて」と女の声が僕に告げた。声はベッドのある奥の部屋から聞こえてきた。それが誰の声なのかはすぐにわかった。僕に何度かあの奇妙な電話をかけてきた謎《なぞ》の女の声だった。僕はドアのノブから手を離し、暗闇の中をその声のする方に手探りでゆっくりと進んだ。奥の部屋は、手前の部屋よりもっと闇が濃かった。僕は部屋と部屋の仕切りのところに立って、その暗闇の中にじっと目をこらした。

シーツのすれるかさかさという音が聞こえ、闇の中で黒い影が揺れるのがかすかに見えた。

「暗いままにしておいてね」とその女の声は言った。

「大丈夫だよ。明かりはつけない」と僕は言った。

僕はじっとその仕切りを手で摑《つか》んでいた。

「あなた一人でここに来たの？」と彼女はどことなく疲れた声で言った。

「そうだよ」と僕は言った。「ここに来ればたぶん君に会えるだろうと思った。あるいは君じゃなければ加納クレタにね。僕はクミコの行方を知らなくちゃならないんだ。いいかい、すべては君の電話から始まったんだよ。君が僕に不思議な電話をかけてきて、それからまるでびっくり箱を開けたみたいに、妙なことが次から次へと起こり始めたんだ。そしてとうとうクミコが姿を消してしまった。だからひとりでここまで来たんだよ。君がいったい誰なのか僕にはわからないけれど、でも君は何か鍵《かぎ》のようなものを握っている。そうだろう？」

「加納クレタ？」と彼女は用心深そうな声で言った。「その名前は聞いたことがないわ。でもその人もここにいるの？」

「彼女がどこにいるのか僕にはわからない。でも何度かここで会ったことはある」

息を吸い込むと、相変わらず強い花の匂いがした。空気は重く、澱《よど》んで濁っていた。たぶんこの部屋のどこかに花瓶があるのだろう。暗闇の中のどこかでそれらの花は呼吸をし、身をくねらせているのだ。その激しい匂いのする闇の中で、僕は自分の肉体を失いかけていた。僕は自分が小さな虫になったような気がした。僕は虫で、今巨大な花弁の中に入ろうとしていた。そこではねっとりとした蜜《みつ》と、花粉と、柔らかな毛が僕を待っていた。彼らは僕の侵入と介在を必要としているのだ。

僕は言った、「ねえ、まず手始めに僕は君が誰なのかを知りたいんだ。僕は君のことを知っていると君は言う。でもどれだけ考えても、僕には君が誰なのかを思いだすことができない。いったい君は誰なんだ？」

「いったい私は誰なのかしら？」と女はおうむ返しに言った。でもその口調には揶揄《やゆ》の響きはなかった。「お酒が飲みたいわ。オンザロックをふたつ作ってもらえないかしら。あなたも飲むでしょう？」

僕はリビング・ルームに戻ってウィスキーの新しい瓶の蓋《ふた》を開け、グラスの中に氷を入れ、オンザロックをふたつ作った。暗いせいでそれだけのことをするのにけっこう時間がかかった。僕はそのグラスを持ってベッド・ルームに戻った。枕元《まくらもと》のテーブルにそれを置いて、と女は言った。そしてあなたはベッドの足元の近くにある椅子《いす》に座って。

言われたとおりにした。グラスをひとつベッドサイドのテーブルの上に置き、自分のグラスを持って少し離れたところにある肘《ひじ》かけつきの布張りの椅子に座った。前より少しは目が暗闇に慣れてきたようだった。闇の中で影が静かに動くのが見えた。彼女はベッドの上でからだを起こしたらしい。からからという氷の音がして、彼女がそれを飲むのがわかった。僕も自分のウィスキーを一口飲んだ。

女は長いあいだ何も言わなかった。沈黙が続くと、花の匂いが一層強くなったように感じられた。

女は言った。「私が誰なのか、あなたは本当にそれを知りたい？」

「そのために僕はここに来てるんだ」。でも僕の声は暗闇の中で何かしら居心地の悪い響き方をした。

「私の名前を知るためにあなたはここに来たのね？」

返事をするかわりに僕は咳払《せきばら》いをした。咳払いもやはり奇妙な響き方をした。

女はグラスの中の氷を何度か揺らせた。「あなたは私の名前を知りたいと思う。でも残念ながら私にはそれを教えてあげることができない。私はあなたのことをとてもよく知っている。あなたも私のことをとてもよく知っている。でも私は私のことを知らない」

僕は暗闇の中で首を振った。「君の言うことは僕にはうまく理解できない。謎かけにはもううんざりしたよ。僕に必要なのは具体的な手がかりなんだよ。手に取れる事実、それをかなてこがわりにして扉《とびら》をこじ開けることのできる事実、僕はそれが欲しいんだ」

女は体の芯《しん》から絞り出したような深い息を吐いた。「オカダトオルさん、私の名前をみつけてちょうだい。いいえ、わざわざみつける必要もないのよ。あなたは私の名前を既にちゃんと知っているの。あなたはそれを思いだすだけでいいのよ。あなたが私の名前をみつけることさえできれば、私はここを出ていくことができる。そうすれば、私はあなたの奥さんをみつける手伝いをしてあげられると思う。オカダクミコさんのことをね。もし奥さんをみつけたいのなら、なんとか私の名前をみつけてちょうだい。それがあなたのかなてこなの。あなたには途方に暮れているような暇はないのよ。あなたがそれをみつけるのが一日遅れるたびに、オカダクミコさんは少しずつあなたから遠ざかっていくのよ」

僕はウィスキーのグラスを床に置いた。「ねえ、だいたいここはどこなんだ。いつから君はここにいるんだ。そして君はここで何をしているんだ?」

「あなたはもうここを出て行った方がいいわ」と女はふと我に返ったように言った。「もしいいあの男があなたをみつけたら、きっと面倒なことになると思う。あの男はあなたが考えているよりも遥《はる》かに危険なのよ。あなたを本当に殺してしまうかもしれない。そうしても不思議はないような男なの」

「あの男っていったい誰なんだ」

女は答えなかった。僕もそれ以上何を言えばいいのかわからなかった。方向をすっかり見失ってしまったような気がした。部屋の中には物音ひとつなく、沈黙はどこまでも深く、そしてもったりとして息苦しかった。僕の頭には熱が籠《こ》もっていた。あるいはそれは花粉のせいかもしれない。空気に混じった微小な花粉が、僕の頭の中に入り込んで、僕の神経を狂わせているのだ。

「ねえ、オカダトオルさん」と女が言った。彼女の声は前とは違う響きを持っていた。何かの加減であっというまに声の質が変わってしまうのだ。その声は今では、ねっとりとした部屋の空気と一体化していた。「ねえ、いつかまた私のことを抱きたいと思う？　私の中に入りたいと思う？　私のからだじゅうを舐《な》めたいと思う？　ねえ、私に何をやってもいいのよ。何だってやってあげるわよ。あなたの奥さんが、オカダクミコさんが、やってくれないようなことだって、何だってやってあげるわよ。忘れられないくらいいい気持ちにさせてあげる。もしあなたが……」

何の前触れもなく唐突に、ドアをノックする音が聞こえた。そこには何か固いものにまっすぐ釘《くぎ》を打ち込んでいるような、確かな響きがあった。その音は暗闇の中に不吉に響いた。暗闇の中から女が手をのばして、僕の腕を取った。「こちらにいらっしゃい、早く」と女が小さな声で言った。彼女の声は今では正気に戻っていた。もう一度ノックの音が聞こえた。正確に同じ強さで二回。そういえばドアには鍵をかけてこなかったな、と僕は思いだした。「さあ早く。あなたはここを出ていかなくてはならないし、あなたがここから出ていく方法はこれしかないのよ」と彼女は言った。

僕は彼女に引かれるままに暗闇の中を進んだ。ゆっくりとドアノブが回る音が聞こえた。その音はわけもなく僕の背筋をぞっとさせた。部屋の暗闇の中に廊下の光がさっと差し込むのとほとんど同時に、僕らは壁の中に滑り込んだ。壁はまるで巨大なゼリーのようにどろりとしていた。僕はそれが口の中に入ってこないように、じっと口をつぐんでいなくてはならなかった。僕は壁を通り抜けているんだ。僕はどこかからどこかに移るために、壁を通り抜けている。でも壁を通り抜けている僕には、壁を通り抜けることがものすごく自然な行為に思えた。

女の舌が僕の口の中に入ってくるのが感じられた。温かく柔らかな舌だった。それは僕の口の中をなめまわし、舌にからみついた。重苦しい花弁の匂いが僕の肺の壁を撫《な》でた。腰の奥に射精のだるい欲望を感じた。でも僕はしっかりと目を閉じてそれに耐えた。少しあとで、右の頰《ほお》の上に激しい熱のようなものを感じた。それは奇妙な感触だった。苦痛はない。ただ熱がそこにあるという感覚があるだけだ。その熱が外部からのものなのか、あるいは僕自身の内部から湧きあがってきたものなのか、それさえも僕にはわからなかった。でもやがて、すべては去っていった。舌も、花弁の匂いも、射精の欲望も、頰の上の熱も。そして僕は壁を抜けた。目を開けたとき、僕は壁のこちら側にいた——深い井戸の底に。

9 井戸と星、梯子はどのようにして消滅したか

朝の五時過ぎには空はもう明るくなっていたが、それでも消え残った星がいくつも頭上に見えた。間宮中尉《ちゅうい》の言ったとおりだ。井戸の底からは昼間でも星が見える。きちんと半月のかたちに区切られた空の断片の中に、うっすらと光る星がまるで珍しい鉱物の標本みたいに綺麗《きれい》に詰めこまれていた。

小学校の五年生か六年生の頃《ころ》、友達と何人かで山に登ってキャンプをしたときに、空を覆《おお》い尽くすほどの数の星を目にしたことがある。まるで空がその重みに耐えかねて、今にも割れて落ちてくるんじゃないかという気がしたくらいだった。そんなに見事な星空を見たことはそれまでなかったし、その後もない。みんなが寝てしまったあと、うまく寝つけないままテントの外に出て、仰向けになってじっとその美しい星空を眺めていた。ときどき流星が明るい線を描くのが見えた。でもそのうちに僕はだんだん怖くなってきた。星の数はあまりに多すぎたし、夜の空はあまりにも広く、深かった。それは圧倒的な異物として僕を取り囲み、

包みこみ、不安定な気持ちにさせた。僕はそれまで、自分が立っているこの地面は、いつまでも永遠に続く強固なものだと思っていた。いや、そんなことをあらためて考えもしなかった。考えるまでもないことだった。でも実際には、地球なんてこの宇宙の一角に浮かぶただの石くれのようなものでしかない。宇宙ぜんたいから見れば束《つか》の間《ま》のはかない足場に過ぎないのだ。ちょっとした力の変化で、一瞬の光のきらめきで、そんなものは僕らを含んだまま明日にもあっけなく吹き飛ばされてしまうのだ。息を呑《の》むような見事な星空の下で、僕は自分というものの存在の小ささとあやふやさに、今にも気が遠くなってしまいそうだった。

井戸の底から明け方の星を見上げるのは、山の頂上で満天の星を見上げるのとはまた違った種類の特別な体験だった。僕はその限定された窓を通して、自分という意識の存在があたかもそれらの星と特別な絆《きずな》でしっかりと結びつけられているように感じた。僕はそれらの星に対して強い親密感のようなものを感じた。これらの星はおそらく真っ暗な井戸の底にいる僕の目にしか映らないものなのだ。僕は彼らをとくべつなものとして受け入れ、彼らはそのかわりに僕に力や温かみのようなものを与えてくれるのだ。

時間が経過し、空がもっと明るい夏の朝の光に支配されていくにつれて、それらの星はひとつまたひとつと僕の視野から姿を消していった。とても静かに星たちは姿を消していった。僕はその消滅の過程をじっと見まもっていた。しかし夏の光がすべての星を空から消してしまったわけではなかった。いくつかの光の強い星がまだそこに残っていた。それらの星はどれだけ太陽が高く登っても、我慢強くじっと踏みとどまっていた。僕はそのことを嬉《うれ》しく思った。ときどき通り過ぎていく雲を別にすれば、星だけがここから僕が見ることのできる唯《ゆい》一《いつ》のものだった。

眠っているあいだに汗をかいていて、その汗が少しずつ冷えはじめていた。僕は何度も身震いをした。その汗は僕にあの真っ暗なホテルの部屋と、そこにいた電話の女のことを思いださせた。彼女の口にした一言ひとことが、そしてノックの音が、まだ耳もとに鳴り響いていた。重苦しく隠微な花の匂《にお》いが鼻腔《びこう》に残っていた。綿谷ノボルはテレビの画面の向こうから語りかけていた。それらの感覚の記憶は時間がたっても、ちっとも薄らいではいかなかった。なぜならあれは夢ではなかったからだ、とその記憶は僕に語りかけていた。

目が覚めてからも、右の頰の上に僕は熱いほてりを感じつづけていた。ほてりの中には今では軽い痛みが混じっていた。粗い紙やすりでこすられたあとのような痛みだった。僕はその部分をのびた髭《ひげ》の上から手のひらで押さえていたのだが、熱と痛みはなかなか引かなかった。でも鏡も何もない真っ暗な井戸の底では、頰に何が起こっているのかたしかめる手だてもなかった。

僕は手をのばして井戸の壁に触ってみた。指先で壁の表面をなぞり、それから手のひらをじっとあててみた。しかしそれはただのコンクリートの壁でしかなかった。僕はそれをこぶしで軽く叩《たた》いてみた。壁は無表情に固く、そして僅《わず》かに湿っていた。僕はそこを通過したときのあのぬるりとした奇妙な感触をよく覚えていた。それはほんとうにゼリーをくぐり抜けているような感じだったのだ。

手探りでナップザックから水筒を出して水をひとくち飲んだ。もうほとんど丸一日何も口にしていない。そう思うと急にひどく腹が減ってきた。しかしまた少し時間がたつと、空腹感はだんだん薄らいで、中間地帯のような無感覚の中に呑み込まれていった。もう一度顔に手をあて、髭の伸び具合を測ってみた。顎《あご》には一日ぶんの髭が伸びていた。ちゃんと一日が経《た》っているのだ。でも僕の一日の不在は、おそらく誰にも影響を及ぼしてはいないだろう。僕がいなくなったことに気がついた人間はたぶん一人もいないだろう。僕が消えてしまったところで、世界は何の痛痒《つうよう》もなく動きつづけていることだろう。たしかに状況はひどく入り組んでいる。でもはっきりしていることがひとつだけある。それは「僕はもう誰にも求められてはいない」ということだ。

もう一度頭上を見上げ、星を眺《なが》めた。星の姿を見ていると、心臓の鼓動は少しずつ安らかなものになっていった。それから僕はふと思いだして、暗闇《くらやみ》の中に手を伸ばして井戸の壁にかかっているはずの梯子を捜した。でも手は梯子には触れなかった。注意深く丹念に、広い範囲にわたって壁の上に手を這《は》わせた。しかし梯子はなかった。それがあるべきはずの場所に梯子はもう存在していなかった。僕は大きく深呼吸をし、ちょっと間をおいて、ナップザックから懐中電灯を取り出して点《つ》けた。梯子の姿はなかった。立ち上がって懐中電灯で地面を照らし、頭上の壁を照らしてみた。照らせるかぎりの場所を照らしてみた。でもどこにも梯子はなかった。冷たい汗がまるで生き物のようにわきの下から脇腹にかけてゆっくりと降りていった。懐中電灯がすっと手を離れて地面に落ち、そのショックで光が消えた。それが何かの合図だった。意識はあっというまにはじけて細かい砂のようなものになり、まわりの暗黒の中に同化し、吸い込まれていった。からだは電源を切られたみたいにすべての機能を停止した。完璧《かんぺき》な無が僕を覆った。

でもそれはおそらく数秒のことだった。僕はやがて自分を回復した。肉体の機能が少しずつ戻ってきた。身をかがめて足もとの懐中電灯を拾い上げ、何度か叩いてからスイッチを入れなおした。光は無事に戻った。落ちついて頭の中を整理しようと思った。慌《あわ》てても怯《おび》えても何かが解決するわけではないのだ。最後に梯子の存在を確認したのはいつか？ 昨日の真夜中すぎ、眠りに就く少し前のことだ。それを確認したあとで眠ったのだ。間違いない。その眠りのあいだに梯子は消えてしまった。梯子は取り上げられ、奪いさられたのだ。

懐中電灯のスイッチを切り、壁にもたれた。そして目を閉じた。まず感じたのは空腹感だった。それは波のように遠くから押し寄せて、僕のからだを音もなく洗い、また静かに去っていった。その波が去っていったあとでは、僕のからだはまるで剝製《はくせい》にされた動物のように、空っぽで虚《うつ》ろになっていた。でも最初の圧倒的なパニックが過ぎ去ってしまうと、もうそれ以上の恐怖も感じなかったし、絶望感もなかった。ほんとうに不思議なことなのだけれど、僕がそこで感じていたのはあきらめのようなものだった。

札幌から戻ってくると僕は、クミコを抱いて慰めた。彼女は混乱し戸惑っていた。会社も休んでいた。昨日は一睡もできなかったのよとクミコは言った。「ちょうどたまたまその日に病院の都合と私のスケジュールとがうまくかみあったものだから、一人で決めて済ませてしまったの」と彼女は言った。そして少し泣いた。

「もう終わったことだよ」と僕は言った。「このことについては僕らは二人でずいぶん話しあったし、その結果こうなったんだ。これ以上あれこれ考えても仕方ないだろう。もし何か僕に話したいことがあるのなら、今ここで話せばいい。そしてこんなことはさっぱり忘れちゃおう。何か僕に話すことがあるんだろう、電話で言ってたように」

クミコは首を振った。「いいのよ、それはもう。あなたの言うとおりよ。忘れましょう」

僕らはそれからしばらく、クミコが堕胎手術を受けたことに関連する一切の話題を避けて暮らした。でもそれは簡単なことではなかった。何か違った話をしているうちに、ふとしたきっかけで二人とも急に黙りこんでしまうことがあった。休日になると、僕らはよく二人で映画を見にいった。僕らは暗闇の中で映画に意識を集中したり、あるいはぜんぜん映画とは関係のないことを考えたり、あるいはまったく何も考えずにただ頭を休めたりしていた。ときどき隣の席でクミコが何か他のことを考えているのがわかった。気配が伝わってくるのだ。

映画が終わると、僕らはどこかでビールを飲んだり、軽い食事をしたりした。でもときどき、何を話せばいいのかわからないということがあった。そういう生活が六週間ばかり続いた。それは本当に長い六週間だった。六週間めにクミコは僕に言った。「ねえ二人で明日から休暇を取って旅行に出かけない。今日は木曜日だから、日曜日までまとめて休んでしまえばいいでしょう。たまにはそういうことが必要なんじゃないかしら」

「必要なことはよくわかるけど、休暇なんていう立派な言葉が果たしてうちの事務所にあるかどうか、僕には自信がないな」と僕は笑って言った。

「じゃあ病気休みにすればいいじゃない。悪性のインフルエンザか何か。私も同じことをするから」

僕らは電車に乗って軽井沢に行った。クミコはどこか静かな山の中で、好きなだけ散歩できるところがいいと言った。それで軽井沢に行くことに決めた。四月の軽井沢はもちろんまだシーズン・オフで、ホテルも閑散としていたし店もほとんど閉まっていたが、僕らにはそれくらい静かな方がありがたかった。そこで毎日ただただ散歩をした。朝から夕方までほとんど散歩をしていたようなものだった。

クミコが自分の気持ちを解放するまでに、まる一日半かかった。それから彼女はホテルの部屋の椅子《いす》の上で二時間近く泣いた。僕はそのあいだ何も言わずに彼女のからだをただじっと抱いていた。

それからクミコは少しずつ、思いだすように話を始めた。手術について。そのときに自分が感じたことについて。激しい喪失感のようなものについて。僕が北海道に行っているあいだどれほど自分が孤独であったかということについて。でもそういう孤独の中でしかそれを実行することができなかったのだということについて。

「後悔しているというわけじゃないのよ」とクミコは最後に言った。「それ以外には方法はなかったのよ。それははっきりしているの。でも私の気持ちを、私の感じていることを、あなたに向かって何から何まで正確に口にできないことがいちばん辛《つら》いのよ」

クミコは髪を上にあげ、小さな耳を見せた。それからちょっと首を振った。

「私はそれをあなたに隠しているわけではないのよ。私はそれをいつかあなたにちゃんと言おうと思っているの。それはたぶんあなたにしか言えないことなの。でも今はまだ言えない。まだ言葉にすることができないの」

「それは何か過去のことなの？」

「そういうことじゃないのよ」

「もしそういう気持ちになるまでに時間がかかるのなら、納得のいくまで時間をかければいい。まだ時間はたっぷりあるし、僕はこれからもずっと君のそばにいるんだから、何も慌てることはないよ」と僕は言った。「ただこれだけは覚えておいてほしいんだけれど、僕は君のものであれば、それがたとえどんなものであれ、自分のものとしてちゃんと受け入れていこうと思っている。だからなんというか、余計な心配だけはしないでほしいんだ」

「ありがとう」とクミコは言った。「あなたと結婚できてよかったと思う」

でもそのときに僕が考えていたほど時間はたっぷりとあったわけではなかった。クミコが正確に口にできなかったことというのはいったい何だったのだろう。それは今回の彼女の失《しっ》踪《そう》に何か関係のあることだったのだろうか。あるいはそのときに無理にでもクミコの口からその何かを聞き出しておけば、僕はこんな風にクミコを失わなくてすんだのかもしれない。でもしばらくあれこれと考えてみたあとで、そんなことをしても結局は無駄《むだ》だっただろうと僕は思いなおした。クミコはまだそれをうまく言葉にすることができないと言った。それが何であれ、それは彼女の力を越えたことだったのだ。

「ねえ、ねじまき鳥さん」と笠原メイが大きな声で僕を呼んだ。僕はそのとき浅い眠りの中にいたので、その声を聞いても自分は夢を見ているのだと思った。でもそれは夢ではなかった。頭上を見上げると、そこに笠原メイの顔が小さく見えた。「ねえ、ねじまき鳥さん、そこにいるんでしょう？　いることはわかってるのよ。だからいたら返事してよ」

「いるよ」と僕は言った。

「いったいそんなところで何をしているの？」

「考えごとをしているんだよ」と僕は言った。

「もうひとつよくわからないんだけれど、どうしてわざわざ井戸の底に下りて考えごとをしなくちゃいけないのかしら。そういうのってけっこう手間だってかかるだろうし、面倒じゃないの？」

「この方が考えごとに集中できるからだよ。暗いし、涼しいし、静かだし」

「そういうのって、よくやるの？」

「いや、よくやるというわけじゃない。これが生まれて初めてだよ。井戸の底なんかに入ったのはね」と僕は言った。

「考えごとはうまくいってる？　そこにいるとうまくものが考えられる？」

「まだよくわからないな。今試しているところだから」

彼女は咳払《せきばら》いをした。咳払いは井戸の底にまで大きく響いた。

「ねえねじまき鳥さん、梯子がなくなったことに気がついたかしら？」

「うん、さっき気がついたよ」

「それで、梯子を引き上げたのが私だってわかった？」

「いや、わからなかった」

「じゃあいったい誰がやったと思ったの？」

「わからないな」と僕は正直に言った。「うまく言えないけれど、そんな風には考えなかったんだよ。誰かが持っていったという風にはさ。ただ消えたと思ったんだ。正直なところ」

笠原メイはしばらく黙っていた。「ただ消えた」と彼女は用心深い声で言った。僕の言った言葉に何か複雑な罠《わな》のようなものが仕掛けられているんじゃないかというように。「それはどういうことかしら。そのただ消えたというのは。それはふっと自然に消えちゃったっていうことかしら？」

「そうかもしれない」

「ねえ、ねじまき鳥さん。今更あらためてこんなことを言うのもなんだけど、あなたってかなり変わってるわよね。あなたくらい変わった人ってそんなに沢山はいないわよ。そのこと知ってた？」

「自分ではとくに変わっているとも思わないけれど」

「でもどうして梯子《はしご》が勝手に消えたりするのよ？」

僕は両手で顔を撫《な》でた。そして神経を笠原メイとの会話に集中しようとした。「君がひっぱりあげたんだね？」

「そうよ、もちろん」と笠原メイは言った。「頭を働かせればそれくらいのことはわかるでしょう。私がやったのよ。こっそりと夜のあいだにひっぱりあげたの」

「どうしてそんなことをしたんだ？」

「昨日何度もあなたの家に行ったの。また一緒にアルバイトやりに行かないかって、誘いに行ったの。でもあなたはいなかった。台所には書き置きがしてあった。だから私はずいぶん待ったのよ。でもあなたはいつまでたっても帰ってこなかった。それでひょっとしたらと思って、この空き家に来てみたの。そうしたら井戸の蓋《ふた》が半分開いていて、縄梯子《なわばしご》がかかっていたの。でもそのときはまさかあなたがこの底にいるかもしれないなんて思わなかったわ。ただ工事か何かの人が来て、梯子をかけていったんだろうと思ったの。だってそうでしょう、わざわざ井戸の底に入ってじっとそこに座って考えごとする人なんて、世間にはまずいないわよ」

「まあね」と僕は認めた。

「でもそれからまた真夜中にこっそり家を抜け出してお宅に行ってみたの。でもあなたはまだ帰ってきていなかった。それでひょっとしてと思ったの。ひょっとして井戸の底にあなたがいるんじゃないかって。井戸の底で何をしているのか見当もつかないけれど、でもほら、あなたってちょっと変だから。そしてまたこの井戸のところに来て、それから梯子をひっぱりあげておいたの。びっくりしたでしょう」

「そうだね」と僕は言った。

「水とか食糧は持ってきているの？」

「水は少しある。食糧は持ってきてない。レモンドロップがあと三個あるけれど」

「いつからそこにいるの？」

「昨日の昼前からだよ」

「おなかがすいたでしょう？」

「そうだね」

「おしっことかそういうのはどうしてるのよ？」

「適当にすませているよ。ろくに飲み食いしてないから、それほどの問題でもないんだ」

「ねえ、ねじまき鳥さん、知ってる？　あなたは私の気持ちひとつでそのまま死んじゃうかもしれないのよ。あなたがそこにいることは私しか知らないし、私が縄梯子を隠しているのよ。そのことを知ってる？　私がこのままどっかに行っちゃったら、あなたはそこで死んじゃうことになるのよ。叫んだって誰にも聞こえないし、あなたが井戸の底にいるなんて誰も思いつかないし。それにあなたがいなくなったって、誰も気がつかないんじゃないかしら。会社にも勤めてないし、奥さんだって逃げちゃったし。まあそのうちに誰かがあなたのいなくなったことに気づいて警察にでも届けるだろうけど、その頃《ころ》にはもうあなたは死んじゃっているし、きっと死体だってみつからないわよ」

「たしかにそのとおりだね。君の気持ちひとつで僕はここで死んでしまう」

「そういうのってどういう気持ちがする？」

「怖いよ」と僕は言った。

「怖そうに聞こえないわね」

僕はまだ両手で頬《ほお》を撫でていた。これが僕の手で、これが僕の頬なのだ、と僕は思った。真っ暗で見えないけれど、僕の体はまだそこに存在しているのだ。「それはまだ自分でも実感が湧《わ》かないからだと思うな」

「私の方は実感が湧いているわよ」と笠原メイは言った。「たぶん人を殺すのって思っているより簡単なことだと思うな」

「殺し方にもよるだろうね」

「簡単よ。だってこのまま放《ほう》っておけばいいだけだもの。何もしなくていいんだもの。ねえ想像してみなさいよ、ねじまき鳥さん。暗闇の中で飢えて渇いて、じわじわと死んでいくのってものすごく辛いわよ。そんなにアッサリとは死ねないわよ」

「そうだろうね」と僕は言った。

「ねえ、ねじまき鳥さん、あなた本当には信じていないでしょう。私にそんな残酷なことなんて実際にできるわけないと思っているでしょう」

「僕にはわからないよ。君にそういうことができると信じているわけでもないし、できないと信じているわけでもない。どんなことだって起こる可能性はある。そう思うよ」

「私は可能性の話なんかしてるわけじゃないのよ」と彼女はものすごく冷たい声で言った。

「あのね、今ちょっと思いついたんだけど、いい考えがあるわ。せっかくそこに考えごとをしに入ったんだから、あなたがもっとその考えごとに集中できるようにしてあげましょうか」

「どんな風に?」と僕は質問してみた。

「こんな風に」と彼女は言った。そして半分だけ開けてあった井戸の蓋をぴったりと閉めた。

そのようにして完全な、完璧な暗黒がやってきた。

10 人間の死と進化についての笠原メイの考察、よそで作られたもの

僕はその完璧《かんぺき》な暗黒の底にしゃがみこんでいた。目にすることのできるのは無だけだった。僕はその無の一部になっていた。僕は目を閉じて自分の心臓の音を聞き、血液が体内を循環する音を聞き、肺がふいごのように収縮する音を聞き、ぬめぬめとした内臓が食べ物を要求して身をくねらせる音を聞いた。深い暗闇《くらやみ》の中ではすべての動きが、すべての振動が不自然に誇張されていた。これが僕の肉体なのだ。でも闇の中ではそれはあまりにも生々しく、あまりにも肉体でありすぎた。

そしてまた少しずつ、僕の意識はその肉体を抜け出していった。

僕は自分がねじまき鳥になって、夏の空を飛び、どこかの大きな樹《き》の枝にとまって世界のねじを巻くところを想像した。ねじまき鳥がもし本当にいなくなってしまったのだとしたら、誰かがねじまき鳥の役目を引き受けなくてはならないはずだ。誰かがかわりに世界のねじを

巻かなくてはならない。そうしないことには、世界のねじはだんだん緩んでいって、その精妙なシステムもやがては完全に動きを停《と》めてしまうことになる。でもねじまき鳥が消えてしまったことに気がついている人間は、僕の他には誰もいないようだった。

僕はねじまき鳥の鳴き声に似た音を、なんとか喉《のど》の奥の方で出してみようと試みた。でもうまくいかなかった。僕に出せるのは、無意味でみっともない物体をこすりあわせるような、無意味でみっともない音だけだった。たぶんねじまき鳥の声は、本物のねじまき鳥にしか出せないのだろう。世界のねじをうまくきちんと巻けるのは、ねじまき鳥だけなのだ。

でも僕はねじを巻くことのできない無音のねじまき鳥として、しばらく夏の空を飛んでみることにした。空を飛ぶのは実際にはそれほどむずかしいことではなかった。一度上にあがってしまえば、あとは適当な角度にひらひらと翼を動かして、方向や高度を調整するだけでよかった。僕のからだはいつのまにか空を飛ぶ技術を呑《の》み込んで、苦労もなく自由自在に空に浮かんでいた。僕はねじまき鳥の視点から世界を眺《なが》めた。ときどき飛ぶのに飽きると、どこかの樹の枝にとまり、緑の葉のあいだから家々の屋根や路地を眺めた。人々が地表を動きまわり、生活を営んでいる姿を眺めた。でも残念なことに僕は自分のからだを自分の目で見ることができなかった。ねじまき鳥という生き物を一度も見たことがなかったし、それがどんな姿をしているのか知らなかったからだ。

長いあいだ――どれくらいの時間だろう――僕はねじまき鳥でありつづけた。でもねじまき鳥であることは、僕をどこにも連れてはいかなかった。もちろんねじまき鳥となって空を飛ぶことは楽しかった。でもいつまでもそれを楽しんでいるわけにはいかない。僕にはこの真っ暗な井戸の底でやらなくてはならないことがあるのだ。それから僕はねじまき鳥であることをやめ、また自分自身に戻った。

笠原メイが二度めにやってきたのは三時過ぎだった。午後の三時過ぎだ。彼女が井戸の蓋を半分開けると、頭上にさっと光が浮かんだ。いかにも眩《まぶ》しげな夏の午後の日差しだった。僕は暗闇に馴《な》れた目を傷《いた》めないために、しばらくのあいだ目を閉じてじっと下を向いていた。そこに光が存在しているのだと考えただけで、目にうっすらと涙がにじんでくるのが感じられた。

「ねえ、ねじまき鳥さん」と笠原メイは言った。「あなたはまだ生きてるのかしら、ねじまき鳥さん？　生きていたら返事をしてくれる」

「生きてるよ」と僕は言った。

「お腹《なか》が減ったでしょう？」

「減ったと思うな」

「まだ減ったと思うくらいなのね。まあ餓死するにはまだまだ時間がかかるわよね。どれだけお腹が減っても、水さえあればなかなか人って死なないものなのよ」

「たぶんそうだろうね」と僕は言った。井戸に響く僕の声はひどくあやふやに聞こえた。たぶん声の中に含まれたものが反響によって大きく増幅されるのだろう。

「今日の朝、図書館に行って調べてみたの」と笠原メイは言った。「空腹とか渇きとか、そういうことについて書かれたいろんな本を読んだの。ねえ知ってるかな、ネジマキドリさん、水以外にはまったく何も口にせずに二十一日間生きてた人だっているのよ。これはロシア革命の頃の話なんだけれど」

「へえ」と僕は言った。

「そういうのってきっと苦しいでしょうね」

「苦しいだろうね、それは」

「その人は助かることは助かったんだけれど、歯も髪も一本残らずなくなっちゃったのよ。全部抜け落ちたの。そういうのも、もし助かったとしてもけっこう辛《つら》いんじゃないかしら」

「それはたしかに辛いだろうな」と僕は言った。「歯と髪がなくなっても、ちゃんとしたかつらと入れ歯があれば、まあ普通に生きてはいけるだろうけれど」

「うん、かつらと入れ歯の技術はロシア革命のころに比べたら格段に進歩しただろうからね。そのぶん少しは楽かもしれないな」

「ねえ、ねじまき鳥さん」と笠原メイは言って咳払いした。

「なんだい？」

「もし人間というのが永遠に死なない存在だとしたら、いつまでたっても消滅しないで、歳《とし》を取るということもなくて、この世界でずうっと永遠に元気で生きていけるものだとしたら、人間はそれでもやはり、私たちが今こうやっているみたいに、一生懸命あれこれものを考えたりするのかしら？　つまりさ、私たちは多かれ少なかれいっぱいいろんなものごとについて考えるでしょう。哲学とか、心理学とか、論理学とか。あるいは宗教、文学。そういう種類のややこしい思考とか観念とかいうものは、もし死というものが存在しなかったなら、あるいはこの地球の上には生じてこなかったんじゃないかしら？　つまり――」

笠原メイはそこでふっと言葉を切って、しばらく沈黙していた。そのあいだ、〈つまり〉という言葉だけが、力まかせに引きちぎられた思考の断片みたいに、じっと井戸の暗闇の中に垂れ下がっていた。彼女はそれ以上話をつづける気をなくしてしまったのかもしれなかった。あるいはその続きを考えるための時間を必要としているのかもしれなかった。でもとにかく僕は彼女が話し始めるのを黙って待っていた。僕は相変わらず顔をずっと伏せていた。もし笠原メイが今すぐ僕を殺そうと思ったら、それはきっと簡単だろうなという考えがふと頭に浮かんだ。彼女はどこかから大きな石を持ってきて、ただ上から落とせばいい。いくつか落とせばひとつくらいは頭に当たるだろう。

「つまり――私は思うんだけれど、自分がいつかは死んでしまうんだとわかっているからこそ、人は自分がここにこうして生きていることの意味について真剣に考えないわけにはいかないんじゃないのかな。だってそうじゃない。いつまでもいつまでも同じようにずるずると生きていけるのなら、誰が生きることについて真剣に考えたりするかしら。そんな必要がどこにあるかしら。もしたとえ仮に真剣に考える必要がそこにあったとしてもよ、『時間はまだまだたっぷりあるんだ。またいつかそのうちに考えればいいや』ってことになるんじゃないかな。でも実際にはそうじゃない。私たちは今、ここでこの瞬間に考えなくちゃいけないのよ。明日の午後私はトラックにはねられて死ぬかもしれない。三日後の朝にねじまき鳥さんは井戸の底で飢え死にしているかもしれない。そうでしょう？　何が起こるかは誰にもわかんないのよ。だから私たちが進化するためには、死というものがどうしても必要なのよ。私はそう思うな。死というものの存在が鮮やかで巨大であればあるほど、私たちは死にもの狂いでものを考えるわけ」

笠原メイはそこでちょっと間を置いた。

「ねえ、ねじまき鳥さん？」

「なんだい？」

「あなたはそこで、その真っ暗な中で、自分が死ぬことについていろいろと考えてみた？　自分がそこでどんな風に死んでいくかということについて」

僕は少しそれについて考えてみた。「いや」と僕は言った。「そういうことについてはとくに考えなかったと思うな」

「どうして？」と笠原メイはあきれたように言った。まるで出来の悪い動物に話しかけるみたいに。「ねえ、どうして考えなかったの？　だって、あなたは今そこで、文字通り死と向かい合っているのよ。これは冗談抜きの真剣な話なのよ。さっき話したでしょう。あなたが死ぬも生きるも私の胸ひとつなんだって」

「石を落とすこともできる」と僕は言った。

「石？　石って何のこと？」

「どこかから大きな石を持ってきて、上から落とせばいい」

「そういう方法もまああるわね」と笠原メイは言った。でも彼女はそのアイデアをあまり気に入らなかったようだった。「でもそれはそれとして、ねじまき鳥さん、お腹だって減っているんでしょう。これからもっとどんどん減ってくるわよ。水だってなくなるわよ。なのにどうしてあなたは、死について考えないでいられるのかしら？　そんなのどう考えても変じゃない」

「たしかに変かもしれない」と僕は言った。「でも僕は他のことについてずっと考えていたんだ。たぶんもっとお腹が減ったら、自分が死ぬことについても考えるようになると思う。だって死ぬまでにはまだ三週間あるんだろう？」

「もし水があればの話よ」と笠原メイは言った。「そのロシア人は水が飲めたのよ。その人は大地主か何かで、革命のときに革命軍によって廃坑の深い竪穴《たてあな》に放りこまれたんだけど、壁から水がしみだしていたから、それを舐《な》めてなんとか命を繋《つな》ぐことができたのよ。その人もあなたと同じように真っ暗な闇の中にいたの。でもあなたはそんなに沢山は水を持ってはいないんでしょう？」

「あと少ししか残ってないな」と僕は正直に言った。

「じゃあ大事にちょっとずつ飲んだほうがいいわよ」と笠原メイは言った。「ちびちびとね。

そしてゆっくりと考えなさい。死について、自分が死んでいくことについて。時間はまだまだたっぷりとあるんだから」

「君はどうしてそんなに僕に死ぬことについて考えさせたいんだろう？　よくわからないけれど、僕が死について真剣に考えることが何か君の助けになるのかな」

「まさか」と笠原メイは本当にあきれたように言った。「そんなもの私の助けになんかならないわよ。どうしてあなたが自分の死について考えることが私の助けになるなんて思うのよ。だってそれはあなたの命なのよ。私とは関係のないことじゃない。私にはただ興味があるだけなのよ」

「好奇心？」と僕は言った。

「そうね。好奇心ね。人がどんな風に死んでいくのか。死んでいくっていうのはどんな気持ちなのか。好奇心」

笠原メイは黙り込んだ。話が途切れると、深い静寂が待ちかねていたように僕のまわりを埋めた。僕は顔を上げて頭上を見たかった。そこに笠原メイの姿が見えるのかどうか、確かめてみたかった。でもその光はあまりにも強すぎた。その光はきっと僕の目を焼いてしまうことだろう。

「ねえ、君に話したいことがあるんだ」と僕は言った。

「話してみて」

「僕の奥さんには他に恋人がいたんだ」と僕は言った。「たぶんそうだと思う。僕はまったく気がつかなかったんだけれど、この何ヵ月かのあいだ彼女は、僕と一緒に暮らしながら、ずっと他の男と会って寝ていたんだ。最初のうちはうまく呑み込めなかったけれど、考えれば考えるほどそれに間違いないと思うようになった。今になって思い返してみると、いろんな細かいことがそれで理解できるんだよ。家に帰ってくる時間が少しずつ不規則になってきたとか、僕が手を触れるとよくびくっとしたとかさ。でも僕はそういう信号を読み取ることができなかった。何故《なぜ》なら僕はクミコのことを信用していたからなんだよ。クミコが浮気なんてするわけはないと思っていたんだ。そんなこと思いつきもしなかったんだ」

「ふうん」と笠原メイは言った。

「そして僕の奥さんはある日突然家を出ていってしまった。その朝、僕らは一緒に朝ご飯を食べた。それから彼女は会社に出勤するときのいつもの恰好《かっこう》で、ハンドバッグひとつと、クリーニング屋でピックアップしたブラウスとスカートを持っただけで、そのまま何処《どこ》かに行っちゃったんだ。さよならも何も言わず、書き置きも残さずにいなくなってしまったんだ。洋服も何もかもみんなあとに置いていった。そしておそらくクミコはもう二度とここには、僕のところには戻ってこないだろう。少なくとも自分の方からはね。僕にはそれがわかるんだ」

「クミコさんはその男の人と一緒なのかしら？」

「わからない」と僕は言った。そしてゆっくりと首を振った。首を振ると、あたりの空気はまるで感触のない重い水みたいに感じられた。「でもたぶんそうじゃないかな」

「そしてねじまき鳥さんはがっかりして井戸の底に入っちゃったのね？」

「がっかりはしたよ、もちろん。でもだからここに入ったわけじゃない。べつに現実から逃げだして隠れているんじゃないんだ。前にも言ったように、一人になって静かに集中してものを考えることのできる場所が必要だったんだ。僕とクミコの関係がいったいどこで損なわれてしまったのか、どのようにして間違った道筋に入ってしまったのか、それがわからないんだ。もちろんそれまでだって何もかもみんなすんなりうまくいっていたというわけじゃない。べつべつの人格を持った男と女が二十歳を過ぎてから偶然どこかで知り合って、二人一緒に暮らしてるんだ。まったく問題のない夫婦なんてどこにもいないさ。でも僕らは基本的にはうまくいっているとずっと僕は思っていた。いろんな細かい問題はあるにしても、そういうのは時間がたてば自然に解決されていくものだと思っていた。でも実際にはそうじゃなかった。僕は何か大きなことを見逃していたんだと思う。そこには何か根本的な間違いがあったはずなんだ。僕はそのことについて考えたかったんだよ」

笠原メイは何も言わなかった。僕は唾《つば》を呑み込んだ。

「ねえわかるかな、六年前に結婚したとき、僕らは二人でまったく新しい世界を作ろうとしていたんだ。ちょうど何もない空き地に新しい家を建てるみたいにね。僕らには自分たちが何を求めているかというはっきりとしたイメージがあった。べつに立派な家じゃなくてもいい。雨風がしのげて、二人きりになれればそれでよかった。余計なものなんてかえってない方がよかった。だから僕らにはものごとはすごく簡単で単純に思えた。ねえ、君はそんな風に思ったことはないかな、どこか別の場所に行って、今の自分とはまったく違った自分になりたいと？」

「もちろんあるわよ」と笠原メイは言った。「いつもそう思ってるわ」

「結婚したとき、僕らがやろうとしていたのはそれだったんだ。僕はそれまでに存在した僕自身というものから抜け出したかった。クミコにとってもそれは同じだった。僕らはその新しい世界で、本来の自分に相応《ふさわ》しい自分自身というものを手に入れようとしたんだ。僕らはそこでもっとうまく、もっと自分自身にぴったりとした生き方ができると思っていたんだ」

笠原メイは光の中で少し体の重心を移動させたようだった。気配でそれがわかった。彼女は僕の話の続きを待っているようだった。でも僕には今のところそれ以上話すべきことはなかった。僕はもう何も思いつかなかった。井戸のコンクリートの筒の中に響く自分の声は、僕を疲れさせた。

「僕の言うことはわかるかな」と僕は質問してみた。

「わかるわよ」

「それについて君はどう思う？」

「私はまだ子供だし、結婚がどういうものかなんて知らない」と笠原メイは言った。「だからあなたの奥さんがどういう気持ちで他の男の人とつきあって、あなたを捨てて家を出ていったかなんてもちろんわからない。でも今の話を聞いた限りではね、あなたはそもそもの最初からちょっと間違った考えかたをしていたような気がするの。ねえ、ねじまき鳥さん、あなたが今言ったようなことは誰にもできないんじゃないかな。『さあこれから新しい世界を作ろう』とか『さあこれから新しい自分を作ろう』とかいうようなことはね。私はそう思うな。自分ではうまくやれた、別の自分になれたと思っていても、そのうわべの下にはもとのあなたがちゃんといるし、何かあればそれが『こんにちは』って顔を出すのよ。あなたにはそれがわかっていないんじゃない。あなたはよそで作られたものなのよ。そして自分を作り替えようとするあなたのつもりだって、それもやはりどこかよそで作られたものなの。ねえ、ねじまき鳥さん、そんなことは私にだってわかるのよ。どうして大人のあなたにそれがわからないのかしら？　それがわからないというのは、たしかに大きな問題だと思うな。だからきっとあなたは今、そのことで仕返しされているのよ。いろんなものから。たとえばあなたが捨てちゃおうとした世界から、たとえばあなたが捨てちゃおうと思ったあなた自身から。私の言ってることわかる？」

　僕は黙って、僕の足もとのあたりを包んでいる暗闇《くらやみ》を見ていた。僕には何を言えばいいのかよくわからなかった。

「ねえ、ねじまき鳥さん」と彼女は静かな声で言った。「考えなさい。考えなさい。考えなさい」。そして再び井戸の口は蓋《ふた》でぴったりと塞《ふさ》がれた。

　ナップザックから水筒を取り出して振ってみた。ぴちゃぴちゃという軽い音が闇の中に響いた。たぶん残りはあと四分の一というところだろう。僕は頭を壁にもたせかけて目を閉じた。たぶん笠原メイが正しいんだろう、と僕は思った。僕という人間は結局のところ、どこかよそで作られたものなのでしかないのだ。そしてすべてはよそから来て、またよそに去っていくのだ。僕はぼくという人間のただの通り道にすぎないのだ。

ねえねじまき鳥さん、そんなことは私にだってわかるのよ。どうしてあなたにわからないのよ？

11 痛みとしての空腹感、クミコの長い手紙、予言する鳥

何度か眠りに落ち、同じ回数だけ目覚めた。飛行機の座席の上での眠りのように、それは不安定で落ちつかない短い眠りだった。深い眠りが訪れるべきところでふと身を引いて目覚めることになり、鮮やかな覚醒《かくせい》が訪れるべきところで、また知らず知らず眠りに落ちることになった。その果てしのない繰り返しだった。光の変化を欠いているせいで、時間は車軸を緩ませた乗り物のように不安定になり、窮屈で不自然な姿勢は少しずつ、僕のからだから落ちつきを奪っていった。目覚めるたびに僕は腕時計に目をやって、時刻を確認した。時間の歩みは重く、不均一だった。

やることがなくなると、懐中電灯を手に取ってあちこちに光をあててみた。地面を照らし、壁を照らし、井戸の蓋を照らした。でもそこにはいつもと同じ地面があり、壁があり、蓋があるだけだった。懐中電灯の光を移動させていくと、それらが描きだす陰影は、身をよじらせるように伸びたり縮んだり、膨らんだり収縮したりした。それにも飽きると、時間をかけ

て隅々《すみずみ》まで丹念に自分の顔を撫《な》でまわしてみた。そして自分がいったいどんな顔かたちをしているのか、あらためて調べてみた。それまで僕は、自分の耳のかたちを真剣に気にしたことなんて一度もなかった。自分の耳のかたちをだいたいでいいから絵に描いてみろと言われても、たぶん途方に暮れてしまっただろう。でも今では、自分の耳をかたち作っているあらゆる縁やくぼみや曲線を、細密に正確に再現することができた。そして奇妙なことに、細部をひとつひとつ辿《たど》ってみると、右の耳と左の耳はかなり異なったかたちをしていた。どうしてそんなことになったのか、そしてその非対称性がどのような結果をもたらすのか（たぶん何らかの結果はもたらされるはずだろう）、僕にはわからなかった。

時計の針は七時二十八分を指していた。ここに下りてきてからもう二千回くらいは時計を見たことになるだろうな、と僕は思った。とにかく夜の七時二十八分だ。ナイターの試合なら三回の裏か四回の表という時刻だ。子供のころ、野球場の外野席の上の方に座って、夏の日が暮れなずんでいく様を眺《なが》めるのが好きだった。太陽は既に西の地平に姿を消していたが、あとにはまだ鮮やかな美しい残照が残されている。照明灯の影が、何かを暗示するようにグラウンドの上に長く伸びている。試合が始まってしばらくすると、ひとつまたひとつと用心深く照明が点灯されていく。しかしあたりはまだ新聞が読めるくらいに明るい。長い火照《ほて》りの記憶が、夏の夜の到来を戸口で押し止《とど》めている。

しかしその人工の光は、我慢強く物静かに、しかし確実に太陽の明かりを凌駕《りようが》していく。それにつれてあたりには祝祭的な色彩が満ち溢《あふ》れてくる。芝生の鮮やかな緑、黒々とした見事な土、そこに引かれた真新しいまっすぐな白線、打順を待つバッターが手にしたバットの上できらりと光るニス、光線の中を漂う煙草《たばこ》の煙（風のない日には、それは引受け手を求めてさまよっている魂の群れのように見える）――そういったものがありありとした姿を見せはじめる。ビール売りの少年たちは指のあいだにはさんだ札を光にかざし、人々は高い打球の行方を見るために腰を浮かせ、そのボールの軌跡にあわせて声を上げ、あるいはため息をつく。ねぐらに帰る鳥たちが、小さな群れを作って海の方に向かって飛んでいくのが見える。それが午後七時半の球場だ。

これまでに見たいろんな野球の試合のことを頭に思い浮かべてみた。まだほんの小さな子供のころに、セントルイス・カージナルスが親善試合に来日した。僕は父親と二人で内野席でその試合を見ていた。試合に先立ってカージナルスの選手たちがグラウンドを一周し、籠《かご》に入ったサイン入りのテニスボールを運動会の球入れ競争みたいにスタンドにどんどん投げ込んでいった。人々は必死になってそれを取り合っていた。僕はただじっとそこに座っていたのだが、気がついたとき、そのボールのひとつが僕の膝《ひざ》の上にあった。それは魔法のように唐突で奇妙な出来事だった。

僕はまた時計に目をやった。七時三十六分。この前に時計を見てから、八分が経過していた。八分しか経過していなかった。時計を外して耳にあててみたが、時計は動いていた。暗闇の中で僕は首をすくめた。時間の感覚がだんだんおかしくなってきているのだ。これからしばらくは時計を見るのをやめようと僕は決心した。いくら他にやることがないといっても、こんなにしょっちゅう時計を見るのは健全なことではない。しかし腕時計に目をやらないためには、かなりの努力を払わねばならなかった。煙草をやめたときに味わった苦痛に似ていた。時間についての思考を放逐してしまおうと決めたときからずっと、僕の頭はほとんど時間のことしか考えていなかった。それは一種の矛盾であり、分裂だった。時間のことを忘れようとすればするほど、時間について考えないわけにはいかない。無意識のうちに僕の目は左手の手首にはまっている腕時計の方を向こうとした。そのたびに顔をそらせ、目を閉じて、それを見るまいと努めた。そして最後には時計を腕からはずしてナップザックの中に放《ほう》り込んだ。しかしそれでも、僕の意識はナップザックの中で時を刻みつづける腕時計の存在をまさぐっていた。

　そのようにして時計の針の進行を抜きにした時間が闇の中を流れていった。それは分割されることのない、計測されることのない時間だった。一度目盛りを失ってしまうと、時間は継続する一本の線というよりは、むしろ思いつくままに膨らんだり縮んだりする不定型な流体のようになった。そんな時間の中で僕は眠り、目覚め、また眠り、また目覚めた。そして少しずつ、時計を見ないという状況に慣れていった。自分が時間というものをもう必要としないのだということを、僕は体に覚え込ませていった。でもそのうちにたまらなく不安になってきた。たしかに五分置きに時計を見るという神経質な行為からは解放された。しかし時間という座標軸が完全に消えてしまうと、なんだか進行中の船のデッキから夜の海に振り落とされてしまったような気分になった。大声で叫んでも誰ひとりそれに気づいてくれず、船は僕を残してそのまま前進を続け、どんどん遠ざかってやがて視野から消えていこうとしている。

あきらめてナップザックから腕時計を取り出し、もう一度左腕にはめた。針は六時十五分を指していた。たぶん朝の六時十五分だ。最後に時計を見たとき、それは七時すぎを指していた。夜の七時半だ。それから十一時間経過したと考えるのが妥当だった。二十三時間も経過しているはずはない。でも確信は持てなかった。十一時間と二十三時間のあいだにいったいどのような本質的な違いがあるのだろう。いずれにせよ――それが十一時間であるにせよ二十三時間であるにせよ――空腹感はますます激しくなっていた。そしてそれは、僕が激しい空腹感というのはこういうものだろうと漠然《ばくぜん》と想像していたのとはずいぶん違ったものだった。空腹というものは本質的には欠落感の一種なのだろうと僕は思っていた。しかしそれは実際には純粋な肉体の痛みに近いものだった。錐《きり》で刺されたり、縄《なわ》で締め上げられたりするのと同じような、きわめて物理的かつ直截《ちょくせつ》的な痛みだった。それは一貫性を欠いた不均一な痛みだった。その痛みはときおり潮が満ちるように高まり、気が遠くなりそうなほどのピークを迎え、そしてまた徐々に去っていった。

そんな空腹感の苦痛を紛らわすために、集中して何かを思考しようとした。でも何かを真剣に考えるのはもう不可能だった。断片のようなものがときおり頭に浮かんだが、それはすぐにどこかに消えてしまった。その思考の切れ端を摑《つか》もうとすると、それはぬるぬるとした手応《てごた》えのない動物のように指のあいだをすり抜けてどこかに去っていった。

立ち上がって体を伸ばし、深呼吸をした。からだの端々が痛んだ。長い時間不自然な姿勢を取っていたせいで、あらゆる筋肉と関節が不満を訴えていた。ゆっくりとからだを上に伸ばし、それから屈伸運動をやってみた。しかし十度ばかりそれを繰り返したところで、急に眩暈《めまい》を感じた。井戸の底に座り込み、僕は目を閉じた。耳鳴りがし、顔の上を汗が流れた。何かにつかまりたかったが、つかまることができるようなものはそこには何もなかった。吐き気がしたが、からだの中には吐きだせそうなものは何ひとつなかった。僕は何度も深呼吸をした。体の中の空気を入れ換え、血液を活発に循環させ、意識を新鮮に保とうとした。しかし意識はいつまでもどんよりと曇っていた。ずいぶん体が弱っているような気がするな、と僕は思った。思っただけではなく、実際にそう口に出してみた。「ずいぶん体が弱っているみたいだ」と。でも口はうまく動かなかった。せめて星が見えればいいんだがなと僕は思った。でも星は見えなかった。笠原メイが井戸の蓋をぴったりと閉めてしまったせいだ。

昼までには笠原メイがまたやってくるだろうと思っていたのだが、彼女は姿を見せなかった。僕は井戸の壁にもたれて、笠原メイがやってくるのをただじっと待っていた。朝に感じた気持ちの悪さは、まだずっと体内に残っていたし、一時的であるにせよ集中してものを考える力は失われてしまっていた。空腹感は相変わらずやってきては、去っていった。僕を囲んでいる暗闇もまた、濃密になったり、淡くなったりした。そしてそれらは、人けのない家屋から家具を収奪していく盗賊のように、僕の集中力をひとかけらまたひとかけらと奪い去っていった。

　昼が過ぎても、笠原メイは姿を見せなかった。僕は目を閉じて眠ろうとした。夢の中に加納クレタが現れるかもしれないと思ったからだ。でも眠りはあまりにも浅く、夢の片鱗《へんりん》もなかった。集中して何かものを考えようとする努力を放棄してからしばらくすると、様々な種類の断片的な記憶が、僕を訪ねてくるようになった。それらの記憶は水が静かに空洞《くうどう》を満たすようにひっそりとやってきた。これまでに行った場所や、会った人々や、受けた肉体的な傷や、交わした会話や、買ったものや、なくしたもののことをありありと思いだすことができた。どうしてこんなことまで記憶していたんだろうと自分でも驚くような細部まで、はっきりと思いだせた。これまでに住んだいくつかの家といくつかの部屋を思いだした。そこにあった窓や押入れや家具や電灯を思いだした。小学校から大学まで、自分がついた教師たちのうちの何人かのことを思いだした。それらの記憶は多くの場合脈絡を欠いていた。時間的な配列もばらばらだったし、ほとんどは些細《ささい》な、意味のないものだった。そして回想はときおり押し寄せてくる激しい空腹によって妨げられた。しかし記憶のひとつひとつは奇妙なほど鮮明であり、それらはどこかから吹き込んでくる強いつむじ風のように僕の体を揺さぶった。

　そのような記憶を辿るともなく辿っているうちに、三年か四年前に仕事場で起こったある出来事が頭によみがえってきた。意味のないつまらない事件だった。でも暇潰《ひまつぶ》しにその一部始終を頭の中に再現しているうちに、だんだん不快な気持ちが募ってきた。そしてやがて、その不快感は明らかな怒りに変わった。疲労も空腹感も不安も何もかもかすんでしまうくらいの怒りが僕を捉《とら》えた。それは僕の体を震わせ、息を荒くさせた。心臓が音を立て、怒りが血液にアドレナリンを供給した。それは些細な誤解から生じた口論で、相手は僕に向かっていくつかの不快な言葉を投げかけ、僕もはっきり言い分を言った。でも結局ちょっとした誤解から出たものだったから、後日お互いに詫《わ》びを言ったし、それがあとに尾を引くようなこともなかった。嫌《いや》な感情も残らなかった。忙しくて疲れているとつい言葉が荒くなってしまうことはあるのだ。だからこそそんなことはすっかり忘れてしまっていた。しかし現実から隔絶された真っ暗な井戸の底で、その記憶はあまりにも鮮やかによみがえり、意識をじりじりと焼いた。僕はその熱を肌《はだ》に感じ、それが肉を焼く音を耳にすることができた。唇《くちびる》を嚙《か》みしめながら、どうしてあんな勝手なことを言われて、あの程度のことしか言い返さなかったんだろうと思った。そのときに自分が相手に向かって口にするべきだった言葉を、僕は頭の中でひとつまたひとつと思い浮かべ、それを磨《みが》き上げより先鋭なものにした。そしてそれがより先鋭になればなるほど、僕の怒りはより高まっていった。

でもそれからまるでつきものがふっと落ちたみたいに、突然何もかもがもうどうでもよくなった。どうして今更そんなことをわざわざ蒸し返さなくてはならないのだ。相手だってもうそんな口論のことは忘れてしまっているに違いない。僕だって実際、今の今までずっと思いだすこともなくいたんだから。深呼吸をし、肩から力を抜き、暗闇の中に体を馴染《なじ》ませた。そして何か別の記憶をたぐろうとした。でもその理不尽なほどの激しい怒りが過ぎ去ってしまったあとでは、記憶はすべて品切れになっていた。僕の頭は、胃と同じくらい空っぽになってしまっていた。

知らずしらずのうちに独り言を口にしていた。自分でも気がつかないままに、きれぎれになった思考の断片を口に出して呟《つぶや》いていた。僕にはそれを抑制することができなかった。自分が何かの言葉を口にしているのを耳にした。でも自分がいったい何を言っているのか、ほとんど理解できなかった。僕の口は僕の意識とは関係なく勝手に、自動的に動いて、意味のつかめない言葉を闇の中にずるずると紡《つむ》ぎだしていた。言葉は闇の中から現れ出てきて、あっというまもなくべつの闇の中に吸い込まれていった。自分の体がまるで空っぽのトンネルになってしまったみたいだった。僕はそれらの言葉をただあっちからこっちに通過させているだけなのだ。それはたしかに思考の断片だった。でもその思考は僕の意識の外で行われている思考だった。

いったい何が起ころうとしているんだろう。神経のたがのようなものが少しずつ外れはじめているのだろうか。時計に目をやった。時計の針は三時四十二分を指していた。たぶん午後の三時四十二分だ。夏の午後の三時四十二分の光を僕は頭に思い浮かべた。自分がその光の中にいるところを想像した。耳を澄ませた。しかし物音らしいものは何ひとつ聞こえなかった。蟬《せみ》の声も鳥の声も子供たちの声も耳には届かなかった。あるいはねじまき鳥がねじを巻かなかったせいで、僕がこの井戸の底に閉じこもっているうちに世界はその動きを停止してしまったのかもしれない。だんだんねじが緩んでいって、そしてある時点ですべての動きが——川の流れや、葉のそよぎや、空を飛ぶ鳥たちや、そんなものがみんな——ぴたりと停止してしまったのだ。

笠原メイはいったいどうしたんだろう。何故《なぜ》ここにやってこないのだろう。もうずいぶん長い時間、姿を見せていない。彼女の身に何か突発的なことが起こったのかもしれないという考えがふと頭に浮かんだ。たとえばどこかで交通事故にあったのかもしれなかった。もしそうだとしたら、僕がここにいることを知っている人間はもうこの世界のどこにもいないことになる。そして僕は本当にこの井戸の底でゆっくりと死んでいくのだ。

それから僕は思いなおした。笠原メイはそれほど不注意で軽率な人間ではない。簡単に車にひかれたりはしない。今頃《いまごろ》は自分の部屋にいて、ときどき双眼鏡でこの庭を観察しながら、井戸の底にいる僕の姿を思い浮かべているにちがいない。彼女は意図的に時間を置いて、僕を不安にさせようとしている。見捨てられたような気分にさせようとしているのだ。それが僕の推測だった。そしてもし本当に笠原メイがそう意図して時間を置いているのだとしたら、その目論見《もくろみ》は見事に成功していた。実際に僕はひどく不安になり、見捨てられてしまったように感じていたからだ。この深い暗黒の中で時間をかけて朽《く》ち果てていくのかもしれないと思うと、ときどき息もできないくらい怖くなった。もっと時間が経《た》てば体はもっと弱り、今感じている空腹感はもっと苛烈《かれつ》で致命的なものになるだろう。そのうちに自分の体を動かすことさえままならなくなってくるかもしれない。縄梯子《なわばしご》が垂らされても、それを登ることもできないかもしれない。髪と歯は一本残らず抜け落ちてしまうかもしれない。

空気はどうだろう、とふと思った。こんな深くて狭い穴のコンクリートの底に何日もいて、おまけに蓋《ふた》までぴったりと閉められてしまったんだ。空気の流通だってほとんどない。そう思うとまわりの空気が突然重苦しく感じられた。それがただの気のせいなのか、あるいは本当に空気の酸素が不足して重くなってきたのか、判断できなかった。それを確かめるために何度か大きく息を吸い込み、吐きだした。でも呼吸をすればするほど、激しい息苦しさを感じた。僕は不安と恐怖のためにじっとり汗をかきはじめていた。空気のことを考えると、死は切実なもの切迫したものとして、僕の頭の中に居すわった。それは真っ黒な水みたいに音もなくやってきて、僕の意識をたっぷりと浸した。それまでにも餓死の可能性について考えていたわけだが、そこに至るまでにはまだ時間の余裕があった。でも酸素が不足してくれば、話はずっと早くなる。

呼吸困難で死ぬというのはどんな感じのものだろうなと僕は思った。死ぬまでにどれくらい時間がかかるのだろう。長く苦悶《くもん》して死ぬのだろうか、それとも意識を徐々に失って眠るように死ぬのか。笠原メイがやってきて、僕が死んでしまっていることを発見するところを想像してみた。彼女は何度も僕に声をかけるのだが返事がないので、小さな石をいくつか落としてみる。眠っているのだろうと思って。でも僕は目を覚まさない。それでもう死んでしまったことを知る。

大声をあげて誰かを呼びたかった。ここに閉じ込められているんだと叫びたかった。腹も減っているし、空気だってだんだん悪くなっているんだと。自分が無力な小さな子供に戻ってしまったような気がした。僕はふとしたことで家出をしたまま二度と家に戻れなくなってしまった。家に戻るための道を忘れてしまったのだ。僕は何度も何度もそういう夢を見たことがあった。それは少年時代の僕の悪夢だった。行き惑うこと、戻る道を見失うこと。もう長いあいだ、そんな夢のことを忘れてしまっていた。でも今、深い井戸の底で、その悪夢がありありと蘇《よみがえ》ってくるのを感じた。暗闇の中で時間が逆行し、それは今あるものとは別の時間性へと吸収されていった。

ナップザックから水筒を取り出して蓋を開け、一滴もこぼさないように注意深く水を口に含み、時間をかけてその湿りけを口の中にしみ込ませてから、それを飲み込んだ。飲み込むときに、喉《のど》の奥で大きな音が聞こえた。何か硬くて重い物体が床に落下したような音だった。でもそれはとにかく僕がその少量の水を飲み下す音だった。

「岡田様」と誰かが僕の名を呼んだ。僕は眠りの中でその声を聞いた。「岡田様、岡田様。起きてください」

それは加納クレタの声だった。なんとか目を開けたが、目を開けたところであたりは相変わらず真っ暗だったし、何も見えなかった。眠りと覚醒《かくせい》の境が定かではなかった。体を起こそうとしたのだが、指先に十分な力が入らなかった。体は、長いあいだ冷蔵庫の奥に忘れられていた胡瓜《きゅうり》みたいに冷えてちぢこまり鈍くなっていた。疲弊と無力感が意識をぴったりと包んでいた。かまわない、君の好きなようにすればいい、僕はまた意識の中で勃起《ぼっき》し、現実の中に射精するさ。それが君の求めることなら、そうすればいい。不明確な意識の中で、僕は彼女の手が僕のズボンのベルトを外すのを待った。でも加納クレタの声は、どこかずっと上の方から聞こえてきた。「岡田様、岡田様」とその声は呼びかけていた。顔を上げると、井戸の蓋が半分だけ開いていて、その上には綺麗《きれい》な星空が見えた。半月のかたちに区切られた空だった。

「ここにいるよ」。僕はなんとか身を起こして立ち上がり、上を向いて、もう一度「ここにいるよ」と叫んだ。

「岡田様」と現実の加納クレタが言った。「そこにいらっしゃるんですか？」

「ああ、ここにいるよ」

「どうしてそんなところに入ったんですか？」

「話せば長いことになるんだ」

「すみません。よく聞こえないんです。もう少し大きな声で言ってもらえませんか」

「長い話なんだ」と僕は怒鳴った。「それについては上に出てからゆっくり話すよ。今はあまり大きな声が出せないんだ」

「ここにある縄梯子は岡田様のものなんですか？」

「そうだよ」

「どうやってそこから巻き上げたんですか？　上に向かってほうりあげたんですか？」

「違うよ」と僕は言った。どうして僕がそんなことをしなくてはならないのだ。どうしてそんな器用なことができると言うのだ。「違うよ。僕がほうりあげたわけじゃない。誰かが僕の知らないうちにひっぱりあげたんだ」

「そんなことしたら、岡田様が出てこられなくなるじゃありませんか」

「そうだよ」と僕は我慢強く言った。「そのとおりなんだ。ここから出られなくなっているんだよ。だからそれをここに垂らしてくれないかな。そうすれば上にあがれるんだけれどね」

「ええ、もちろん。今垂らします」

「ねえ、垂らす前に、そっちのはしっこがちゃんと木の幹に結びつけてあるかどうか、確かめてくれないかな。そうしないと――」

返事はなかった。そこにはもう誰もいないようだった。じっと目を凝らしても、井戸の口に誰かの姿を認めることはできなかった。ナップザックから懐中電灯をだして、光線を上に向けてみたが、その光は誰の姿をも捉えなかった。しかし縄梯子はちゃんとそこにかかっていた。まるでそもそもの最初からずっとそこにあったのだと言わんばかりに。僕は深いため息をついた。ため息をつくと、これまで体の中心にあった硬いこわばりが緩んで溶けていくのが感じられた。

「ねえ、加納クレタさん」と僕は言った。

やはり返事はなかった。時計の針は一時七分を指していた。もちろん夜中の一時七分だ。頭上に星が輝いていることでそれがわかる。ナップザックを肩にかけ、一度だけ大きく深呼吸をしてから梯子を登り始めた。不安定な縄梯子を登るのはなまやさしい作業ではなかった。力を入れると、体のあらゆる筋肉と骨と関節が、軋《きし》み、悲鳴をあげた。でも一歩また一歩と注意深く登っていくうちに、まわりの空気が少しずつ生暖かくなり、そこにはっきりとした草の匂《にお》いが混じってきた。虫の鳴き声が耳に届くようになった。僕は井戸の縁に手をかけ、最後の力を振り絞ってそれを乗り越え、転げ落ちるようにして柔らかい地面に下りた。地上だ。しばらくのあいだ、僕は何も考えずにそこにじっと仰向けになって寝ころんでいた。空を見上げ、空気を肺の奥に大きく何度も吸い込んだ。もったりとした生ぬるい夏の夜の空気だったが、新鮮な生命の匂いが満ちていた。土の匂いを嗅《か》ぐことができた。草の匂いもした。その匂いを嗅ぐだけで土や草の柔らかな感触を手のひらに感じることができた。そんな土や草を手に取って全部食べてしまいたいとさえ思った。

空にはもう星はひとつも見えなかった。それらは井戸の底からしか見ることのできない星だったのだ。空には満月に近いぼってりとした月が浮かんでいるだけだ。どれくらいそこに寝ころんでいたのかわからない。僕は長いあいだただ心臓の鼓動に耳を澄ませていた。いつまでもいつまでも、自分の心臓の鼓動だけを聴いて生きていけそうな気がした。でもやがて僕は身を起こして、ゆっくりとまわりを見回してみた。誰もいなかった。ただ夜の庭が広がり、鳥の彫像がいつものようにじっと空を見上げているだけだ。笠原メイの家の明かりは全部消えて、庭の水銀灯がひとつだけ点《つ》いていた。水銀灯は人けのない路地に無表情な青白い明かりを投げかけていた。加納クレタはいったいどこに消えてしまったのだろう。

でも何はともあれ家に帰ることが先決だった。まず家に帰って何かを飲み、何かを食べ、ゆっくりとシャワーに入って体を洗うのだ。僕の体はきっとひどい臭《にお》いがしているはずだ。まず最初にその臭いを落とさなくてはならない。そして空腹の欠落を埋めなくてはならない。すべてはそのあとだ。

いつもと同じ道筋をたどって僕は家に向かった。でも路地は僕の目には何かしら異質で、見慣れないものに映った。妙に生々しい月の光のせいかもしれないけれど、そこにはいつも以上に深刻な停滞と腐敗の兆候が見えた。腐りかけた動物の死体のような臭いや、まぎれもない糞尿《ふんにょう》の臭いを嗅ぐことができた。真夜中だというのに多くの家の住民はまだ起きて、テレビを見ながら、話をしたりものを食べたりしていた。一軒の家の窓からは油っぽい食べ物の匂いが漂ってきて、それが僕の頭と胃を激しく刺した。エアコンの室外機がうなりを上げ、隣を通り過ぎるときに、なま暖かい空気を浴びせかけた。どこかの家の浴室からはシャワーの音が聞こえ、そのガラス窓には誰かのからだの影がぼんやりと映っていた。

自分の家の塀《へい》をなんとか乗り越え、庭に下りた。庭から見る家は真っ暗で、息をひそめたようにしんとしていた。そこにはどのような暖かみも、どのような親密さも残っていなかった。僕が毎日の生活を送っていた家のはずなのに、今ではそれは人けのないただの空っぽの建物だった。でも僕が帰るべき場所は、その家の他にはなかった。

縁側に上がり、そっと硝子戸《ガラスど》を開けた。長いあいだ閉めきりになっていたせいで空気は重く淀《よど》んでいた。熟《う》れた果物と、防虫剤の匂いが交じっていた。台所のテーブルの上には僕の書いた短いメモが残っていた。水切り台には洗った食器がそのままのかたちに積みかさねてあった。そこからグラスをひとつ取って、水道の水を何杯か続けざまに飲んだ。冷蔵庫の中にはたいしたものはなかった。食事の余り物や、使い残した材料が脈絡もなくつっこんであるだけだ。卵、ハム、ポテト・サラダ、茄子《なす》、レタス、トマト、豆腐、クリーム・チーズ。缶詰《かんづめ》の野菜スープを鍋《なべ》にあけて温め、コーンフレークにミルクをかけて食べた。ひどく空腹だったはずなのに、冷蔵庫の扉《とびら》を開けて実際の食品を目の前にすると食欲がほとんど湧《わ》いてこなかった。逆に軽い吐き気を感じたほどだった。それでも空腹による胃の苦痛を和らげるために、クラッカーを何枚か食べた。

浴室に行って身につけていた服を脱ぎ、洗濯機《せんたくき》に放《ほう》り込んだ。そして熱い湯の下に立って新しい石鹸《せっけん》でからだを隅々《すみずみ》まで洗い、髪を洗った。浴室にはまだクミコの使っていたナイロンのシャワー・キャップがかかっていた。そこには彼女専用のシャンプーがあり、ヘア・コンディショナーがあり、シャンプー用のヘア・ブラシがあった。彼女の歯ブラシがあり、デンタル・フロスがあった。クミコが出ていったあとも、家の中には外見的には何の変化も見受けられなかった。クミコの不在がそこにもたらしているものは、ただクミコの姿がないというひとつの単純な事実だけだった。

鏡の前に立って自分の顔を見てみた。顔は髭《ひげ》で真っ黒に覆《おお》われていた。でもしばらく迷ってから髭は剃《そ》らないことにした。今髭を剃ったらたぶん顔を切ってしまうだろう。明日の朝にしよう。これから誰かに会うわけでもないのだ。歯を磨き、何度もうがいをし、浴室を出た。それからビールの缶を開け、冷蔵庫の中からトマトとレタスを出して簡単なサラダを作った。サラダを食べてしまうと少し食欲が出てきたので、冷蔵庫からポテト・サラダを出して食パンにはさんで食べた。一度だけ時計を見た。そしていったい全部で何時間あの井戸の底にいたんだろうと考えた。しかし時間について考えると頭は鈍く疼《うず》いた。もう時間について考えたくない。それは僕が今もっとも考えたくないもののひとつだった。

便所に行って、目を閉じたまま長い小便をした。自分でも信じられないくらい長い小便だった。小便をしながらそのまま気が遠くなってしまいそうだった。それから居間のソファーに寝ころんで、天井を眺《なが》めた。不思議な気持ちだった。体は疲れている。でも意識は覚醒している。まったく眠くはない。

そのうちにふと気になって、僕はソファーを立って玄関に行き、郵便受けをのぞいてみた。井戸の底に入っている何日かのあいだに、誰かから手紙が届いているかもしれないと思ったのだ。郵便受けの中には封書が一通だけ入っていた。封筒には差出人の名前が書いてなかったが、その宛《あ》て先を書いた筆跡がクミコのものであることは一目でわかった。特徴のある小さな字だ。一字一字デザインをするみたいにきちんと書いてある。書くのに時間がかかる。でもそういう風にしか字を書くことができないのだ。僕は反射的に消印に目をやった。消印はかすれていてはっきりとは読みとれなかったが、「高」という字はなんとか判読できた。「高松」と読めなくもなかった。香川県の高松？　クミコは僕の知っているかぎりでは、高松に知り合いなんか一人もいないはずだった。僕らは結婚してから高松に行ったことはなかったし、クミコがそこに行ったことがあるという話は一度も聞いたことがなかった。高松という地名が僕らの会話に登場したこともなかった。それは高松ではないかもしれない。

でもとにかく僕はその手紙を持って台所に戻り、テーブルの前に座って、鋏《はさみ》を使って封を切った。まちがえて中の便箋《びんせん》を切ってしまわないように、ゆっくりと注意深く、封を切った。でも僕の指は震えていた。僕は気を落ちつかせるために残っていたビールを一口飲んだ。

「私が何も言わずに急にいなくなってしまって、たぶん驚いたり心配したりしたのではないかと思っています」とクミコは書いていた。それは彼女がいつも使っている青いモンブランのインクだった。便箋はどこにでもある薄手の白い便箋だった。

「もっと早くあなたに手紙を書いていろんなことをきちんと説明したかったのですが、どのように書けば自分の気持ちを正確に表現できるのか、どのように説明すれば自分の置かれた状況をあなたにわかってもらえるのかと考えあぐねているうちに、ずるずると時間が経過してしまいました。そのことについては、あなたに対して本当にすまないと思っています。

今ではあなたもうすうす気がついているかもしれませんが、私にはつきあっている男の人がいました。私はこの三ヵ月近く、その男の人と性的な関係を持っていました。相手は仕事の関係で知り合った人で、あなたのまったく知らない人です。それに、相手が誰であったかというのは、それほど重要なことではありません。結論から言うと、もう二度と私がその人と顔を合わせることはありません。少なくとも私にとっては、それは完全に終わってしまったことなのです。それがあなたにとって何かの慰めになるのかどうかは知らないけれど。その人を愛していたのかと訊《き》かれても、答えようがありません。そういう問い自体がすごく不適当なものに思えるからです。ではあなたを愛していたかというと、その問いにはすぐに答えられます。私はあなたのことを愛していました。あなたと結婚してほんとうに良かったとずっと思っていました。今でもそう思っています。じゃあどうして浮気なんかして、その挙げ句家を出ていったりしなくてはならないのかとあなたは尋ねるでしょうね。私も自分に向かって何度も何度もそう問いかけました。どうしてこんなことをしなくちゃならないのだろう、と。

でも私にはそれを説明することができないのです。私はあなたの他に恋人を作りたいとか、浮気をしたいとかいった欲望をまったく持っていませんでした。ですからその人とのつきあいも、最初は何の他意もないものだったのです。最初は仕事の用事で何度か顔をあわせ、まあ話が合うというところもあって、そのあともときどき電話でちょっと仕事以外の話をしたりというくらいのつきあいでした。彼は私よりずっと年上だったし、もう奥さんも子供もいたし、男性としてとくに魅力的というわけでもなかったし、だからその人と深い関係になるかもしれないというようなことは、頭の隅にも浮かばなかったのです。

あなたに仕返しをしたいという気が、私の中にまったくなかったわけではありません。あなたが以前どこかの女の子のところに泊まったことは、私の中でまだわだかまっていました。私はあなたがその女の人と何もしなかったということを信じたわけだけれど、何もしなかったからそれでいいということにはならないのです。それはあくまで気持ちの問題だったのです。でもだからその意趣返しにその人と浮気をしたというのではありません。そういうことを以前口にしたと記憶していますが、それはただの脅しです。私が彼と寝ることになったのは、ただ私が彼と寝たかったからです。私にはそのとき我慢することができなかったのです。自分の性欲を抑制することができなかったのです。

私たちは何かの用事で久しぶりに顔をあわせて、それからどこかに食事に行きました。そして食事のあとでちょっと軽く飲みに行きました。もちろん私はほとんどお酒が飲めないから、付き合いで一滴もアルコールの入っていないオレンジ・ジュースを飲んでいました。だからそれはアルコールのせいでもないのです。私たちはごく普通に会って、ごく普通に話をしていたわけです。でもある瞬間に、何かの拍子にふとからだが触れ合ったときに、私は突然心の底からその人に抱かれたくなったのです。触れ合ったときに、私は彼が私の肉体を求めていることを直観的に感じました。そして彼もまた私が彼の肉体を求めていることを知ったようでした。それは理屈も何もない圧倒的な電流の交感のようなものでした。まるで空が頭の上にどすんと落ちてきたような感じでした。頰《ほお》が急に熱くなり、胸がどきどきして、下腹がもったりと重くなりました。スツールの上にきちんと座っているのが難しいくらいでした。最初、私は自分の中で何が起こっているのかわかりませんでした。でもそのうちに、それが性欲であることに気づきました。息が詰まって苦しくなるくらい激しく、私は彼の体を求めていたのです。私たちはどちらから誘うともなく近くのホテルに入り、そこで貪《むさぼ》るようにセックスをしました。

こういうことを詳細に書くと、あなたは傷つくかもしれません。でも長い目で見ると、やはり正直に細かいところまで書いてしまったほうがいいと思うのです。だから辛《つら》いかもしれませんが、我慢して読んでください。

それは愛とかそういうものとはほとんど無縁の行為でした。私はただ彼に抱かれて、彼のものを私の中に入れたかっただけなのです。それほど息苦しいまでに男の人のからだを求めたのは、生まれて初めてのことでした。私はそれまで『我慢できないほど性欲が高まる』というような表現を本で読んでも、それが具体的にどういうことなのかうまく想像できなかったのです。

どうしてそんなときに出し抜けに私の身にそれが起こったのか、どうしてあなた相手ではなく他の人を相手に起こったのか、私にもわかりません。でもとにかくそのときの私にはどうしても我慢できなかったし、また我慢しようという気にもならなかったのです。そのことをどうか理解してください。自分があなたを裏切っているなんていう考えはまったく頭に浮かびませんでした。そしてそのホテルのベッドの上で、私は気が狂ったみたいにその人と交わりました。本当に正直に言いますけれど、生まれてこのかた、そんなに気持ちの良い思いをしたことはありませんでした。いや、それは気持ちが良いというような簡単なものではありませんでした。私の肉体は熱い泥《どろ》の中を転げ回っていました。私の意識はその快感を吸い上げて、はちきれそうに膨らみ、そしてはちきれました。それは本当に奇跡のようなものでした。それは生まれてこのかた、私の身に起こったいちばん素晴らしいことのひとつでした。

そしてあなたも知ってのとおり、私はそのことをずっと隠しとおしていました。あなたは私が浮気していることには気づかなかったし、私の帰りが遅くなっても疑いもしませんでした。たぶん私のことを頭から信頼してくれていたのでしょう。私があなたを裏切ることなんてありえないと。でもそのようなあなたの信頼を裏切っていることに対して、私は罪の意識を持ちませんでした。私はホテルの部屋からあなたに電話をかけて、仕事の打合せで遅くなると言ったりもしました。そのような嘘《うそ》を重ねても、苦痛ひとつ感じませんでした。それは当たり前のことみたいに思えたのです。私の心はあなたとの生活を求めていました。あなたとの家庭が、私の戻っていくべき場所でした。そこが私の属するべき世界でした。でも私のからだはその人との性的な関係を激しく求めていました。半分の私はこちらにあって、半分の私はあちらにありました。いつか破局が訪れるのはわかりきっていました。でもその時にはそういう生活がうまく永遠に続くように思えたのです。こっち側の私があなたと心穏やかに暮らしていて、あっち側の私が彼と激しく抱き合っているという二重の生活がです。

これだけはわかってほしいのですが、あなたが性的にその人に劣っているとか、あるいは性的アピールに欠けているとか、私があなたとのセックスに飽きたとか、そういうのではありません。私の肉体はそのとき、どうしようもないくらい激しく飢えていたのです。私にはそれに抗《あらが》うことができなかったのです。どういう理由でそんなことが起きるのか、それはわかりません。とにかくそうだったのだ、としか言いようがないのです。私は彼と肉体関係を持っているあいだに、何度かあなたともセックスをしようと思いました。彼と寝ているのにあなたと寝ないというのは、あなたに対してあまりにも不公平なことであるように思えたからです。でも私はあなたに抱かれても、まったく何も感じないようになってしまいました。あなたもおそらくそのことには気づいていたのではないかと思います。ですからこの二ヵ月近く、私はいろいろと理由をつけてあなたと性的な関係を持つことを避けるようにしていたのです。

でも彼はある日、あなたと別れて自分と一緒になってくれと言いました。こんなに自分たちはぴったりとしているのだから、一緒にならない理由がないじゃないかと。自分も家族と別れると彼は言いました。少し時間をかけて考えさせてほしい、と私は言いました。でも彼と別れて家に帰る電車の中で、私は突然気がついたのです。自分が彼に対してもう何も感じなくなっていることに。理由はわかりませんが、一緒になるという話を持ち出されたとたんに、私の中にあった特殊な何かは、まるで強い風に吹き払われるみたいにさっと消え失《う》せてしまったのです。彼に対する欲望のかけらも残ってはいませんでした。

あなたに対して私が罪悪感を感じるようになったのは、そのあとのことでした。前にも書いたように、彼に対して激しい性欲を持っているあいだは、私はそんなものを微塵《みじん》も感じませんでした。あなたが気がつかないでいてくれることを、私はただ都合がいいとしか思いませんでした。あなたが気がつかなければ自分は何をしてもかまわないんだとさえ思っていたのです。彼と私との関係は、あなたと私との関係とは別の世界に属していることなんだと。

でも彼に対する性欲があっさりと消えてしまったあとでは、私には自分が今どこにいるのか、まったく見えなくなってしまったのです。

私はずっと自分のことを正直な人間だと思ってきました。もちろん私にもいろいろと欠点はあります。でも私は何か大事なことで誰かに嘘をついたり、自分を偽ったりしたことはありませんでした。あなたに隠れて何かをしたことなんて一度もありません。それは私にとってはささやかな誇りのようなものだったのです。でも私は何ヵ月にもわたってあなたに対して致命的な嘘をついて、そのことでこれっぽっちも悩まなかったのです。

その事実が私を苦しませました。私には、自分という人間が何の価値も意味も持たない空っぽの人間であるように感じられました。たぶん実際にそのとおりなのでしょう。でもそれとは別に、私にはひとつだけとても気になることがあります。それは『どうして私がそのような異常なくらい激しい性欲を唐突に、それも別に愛してもいない相手に対して抱くことになったか？』ということです。それがどうしても納得できないのです。もしそんな性欲さえなければ、私は今でもあなたと幸せに楽しく暮らしていたはずです。そして私とその人とは今でも気楽な話し友達であったはずだと思うのです。でもそのような理不尽な性欲は、私たちがそれまでに築きあげてきたものを土台から崩し去り、台無しにしてしまいました。そしてそれは私から何もかもをあっさりと取り上げてしまったのです。あなたも、あなたと作り上げた家庭も、そして仕事もです。いったいどうしてそんなことが起こらなくてはならないのでしょうか。

三年前に堕胎手術を受けた時、後であなたに話さなくてはいけないことがあると私は言いました。覚えていますか？　私はそれを打ち明けて話してしまうべきだったのかもしれない。そうすればこういうこともあるいは起こらなかったかもしれません。でもこうなった今でも、私にはまだそれをあなたに向かって話すことはできそうにありません。一度口にしてしまうと、いろんなことがもっと決定的に駄目《だめ》になってしまうような気がするからです。だから私はそれを自分ひとりの中に呑《の》み込んだまま、消えてしまった方が良いのではないかと思ったのです。

私は結婚前も、結婚してからも、悪いとは思うのだけれど、あなたとのあいだに本物の性的な快感を持つことができませんでした。あなたに抱かれることは素敵だったけれど、でも私がそのときに感じるのはすごく漠然《ばくぜん》とした、まるで他人ごとのようにさえ思える遠い感覚だけでした。それはあなたのせいではまったくありません。私がうまく感じることができなかったのは、純粋に私の側の責任です。私の中につっかえのようなものがあって、それが私の性感をいつも入口で押し止《とど》めていたのです。でもその男の人との交わりによって、どういう理由でかはわからないけれど、そのつっかえが突然取れてしまうと、私には自分がいったいこれからどうすればいいのかわからなくなってしまったのです。

私とあなたとのあいだには、そもそもの最初から何かとても親密で微妙なものがありました。でもそれももう今は失われてしまいました。その神話のような機械のかみ合わせは既に損なわれてしまったのです。私がそれを損なってしまったのです。正確に言えば、私にそれを損なわせる何かがそこにあったのです。私はそのことをとても残念に思います。誰もが同じような機会に恵まれるわけではないのですから。そしてこのような結果をもたらしたものの存在を、私は強く憎みます。どれほど私がそのようなものを強く憎んでいるか、あなたにはわからないでしょう。私はそれが正確に何であるのかを知りたいと思います。私はそれをどうしても知らなくてはならないと思うのです。そしてその根のようなものを探って、それを処断し、罰しなくてはならないと思うのです。でも自分にそうするだけの力があるのかどうか、私には自信が持てません。しかしいずれにせよ、それはあくまで私の問題であって、あなたには関係のないことです。

お願いだから、私のことはこれ以上気にかけないでください。私の行方を探したりもしないでください。私のことは忘れて、自分の新しい生活のことを考えてください。私の実家の方には、私からきちんと手紙を書いて、すべては自分の落ち度によるものであり、あなたには何の責任もないということを説明しておきます。あなたに迷惑が及ぶことはないと思います。たぶん近いうちに離婚の手続きを取ることになると思います。それがお互いにとっていちばんいい方法だと思います。だからどうか何も言わずに同意して下さい。私の残していった服やら何やかやは、申し訳ありませんが捨てるか、あるいは適当に処分するかしてください。すべてはもう過去に所属しているものなのです。あなたとの生活で少しでも使用したものを、私はもう使うわけにはいかないのです。

さようなら」

僕はその手紙を時間をかけてもう一度ゆっくりと読みなおしてから封筒に戻した。そして冷蔵庫からもう一本ビールを出して飲んだ。

離婚の手続きをするということは、クミコがすぐに自殺したりすることはないということを意味していた。それは僕を少しほっとさせた。それから僕は自分がもう二ヵ月近く誰とも性交をしていないという事実に思いあたった。クミコは自分でも手紙に書いているように、僕と寝ることをずっと拒否していた。膀胱炎《ぼうこうえん》の軽い兆候があって、しばらくはセックスを控えたほうがいいと医者に言われたのだとクミコは説明した。もちろん僕はそれを信じた。彼女の言い分を信じてはいけない理由はなにもないように思えたからだ。

その二ヵ月のあいだに僕は夢の中で――あるいは僕の語彙《ごい》の範囲内では夢と表現するしかない世界で――何度か女と交わった。そこで加納クレタと交わり、そして電話の女と交わった。しかし現実の世界で現実の女を抱いたのは、考えてみればもう二ヵ月も前のことだった。ソファーの上に横になって、胸の上に置かれた自分の両手をじっと眺《なが》めながら、最後に見たクミコの体を思いだした。クミコのワンピースのジッパーを上げたときに目にした彼女の背中の柔らかな曲線と、耳のうしろのオーデコロンの匂いを思いだした。でもクミコの手紙の中に書かれていることが最終的な事実であるとすれば、僕がクミコと寝ることはもう二度とないのかもしれない。そしてクミコがこれほどはっきりと書いている以上、おそらくそれは最終的な事実であるはずだった。

しかしクミコとの関係がもう過去のものになってしまったのかもしれないという可能性について考えれば考えるほど、僕はかつて自分のものであったクミコの体の優しい温《ぬく》もりを懐《なつ》かしく思いだすことになった。僕は彼女と寝ることが好きだった。結婚する前だってもちろんそれは好きだったけれど、結婚して何年も経《た》ったあとで、最初のスリルのようなものがある程度消えてしまったあとでも、僕は彼女と性交することを好んだ。僕はクミコのほっそりとした背中や、首筋や脚や乳房の感触を、今ここにあるもののようにありありと思いだすことができた。僕は性行為の途中で僕がクミコにしたことや、クミコが僕にしてくれたことをひとつひとつ思いだした。

でもクミコは僕の知らない誰かと、想像もできないくらい激しく交わった。そしてクミコは僕とのセックスでは得たことのない快感をそこに見いだすことができたという。彼女はおそらくその男と交わりながら隣の部屋にまで聞こえそうな大きな声をあげ、ベッドを揺するように身悶《みもだ》えたのだろう。おそらく僕に対してはしないようなこともその男には進んでしたのだろう。僕は席を立って冷蔵庫の扉《とびら》を開け、ビールを出して飲んだ。そしてポテト・サラダを食べた。音楽が聴きたくなったので、FMラジオのクラシック番組を小さくつけた。「ねえ、今日は疲れていて、そういう気になれないのよ。悪いんだけど。ごめんね」とクミコは言った。「いいよ、べつに」と僕は言った。チャイコフスキーの弦楽セレナーデが終わったあとで、シューマンのものらしい小曲がかかった。聞き覚えのある曲だったがどうしても題名が思いだせなかった。演奏が終わったあとで女性のアナウンサーがそれを『森の情景』の第七曲『予言する鳥』だと言った。僕はクミコがその男の体の下で腰をくねらせたり、脚を上げたり、相手の背中に爪《つめ》を立てたり、シーツの上によだれを垂らしたりしているところを想像した。森の中に予言をする不思議な鳥がいて、シューマンはその情景を幻想的に描いているのだとそのアナウンサーは説明した。

僕はクミコについてのいったい何を知っていたのだろうと僕は思った。僕は空になったビールの缶《かん》を静かに握り潰《つぶ》し、それをごみ箱に投げ捨てた。僕が理解していると思っていたクミコは、そして何年にもわたって僕が妻として抱いて交わっていたクミコは、結局のところクミコという人間のほんの僅《わず》かな表層に過ぎなかったのだろうか。ちょうどこの世界の殆《ほとん》どがクラゲたちの領域に属しているのと同じように。だとしたら、僕とクミコが二人で過ごしてきたこの六年という歳月はいったい何だったのだろう。そこには何の意味があったのだろう。

僕がもう一度その手紙を読み返しているときに、すごく唐突に電話のベルが鳴りだした。その音は文字通り僕をソファーから飛び上がらせた。いったい誰が夜中の二時過ぎに電話なんてかけてくるのだろう。クミコだろうか？　いや、ちがう。何があろうと、彼女はここに電話をかけてきたりはしない。たぶん笠原メイだろうと僕は思った。彼女は僕があの空き家から出てくるのを目にして、それで電話をかけてきたのだろう。あるいは加納クレタだ。加納クレタが、自分がいなくなったわけを僕に説明しようとしているのだ。あるいはそれは電話の女かもしれない。彼女は僕に何かのメッセージを伝えようとしているのかもしれない。でもたしかに笠原メイの言うとおりだ。僕のまわりには女がいささか多すぎる。僕は手元にあったタオルで顔の汗を拭《ふ》いてから、ゆっくりと受話器を手に取った。「もしもし」と僕は言った。「もしもし」と相手も言った。でもそれは笠原メイの声ではなかった。加納クレタの声でもなかった。謎《なぞ》の女の声でもなかった。それは加納マルタだった。

「もしもし」と彼女は言った。「岡田様でいらっしゃいますか？　私は加納マルタと申します。私のことは覚えていらっしゃいますでしょうか？」

「もちろんよく覚えています」と僕は胸の動悸《どうき》を静めながら言った。やれやれ、覚えていないわけがないだろう。

「夜分遅くにこのように電話を差し上げてまことに申し訳ございません。しかしなにぶん緊急の用事でありましたものですから、失礼をもかえりみませず、岡田様のご迷惑お腹立ちはじゅうじゅう承知の上で、このようにお電話を差し上げた次第でございます。本当に申し訳ございません」

べつに気にしなくていいのだと僕は言った。どうせ起きていたし、それはぜんぜんかまわないのだ、と。

12 髭を剃っているときに発見したもの、目が覚めたときに発見したこと

「このように夜遅くお電話いたしました理由は、なるべく早い機会に岡田様にご連絡を差し上げたほうがよろしかろうと思ったからなのです」と加納マルタは言った。いつものことだけれど、彼女の話し方を聞いていると、ひとつひとつの言葉が非常に論理的に選択され、整然と配列されているように感じられた。「もしよろしければ、幾つか岡田様に質問させていただきたいのですが、いかがでしょう？」

僕は受話器を持ってソファーに腰を下ろした。「どうぞ。気にしないから、なんでも訊《き》いてください」

「この二日ばかり、岡田様はひょっとしてどこかにお出かけだったのでしょうか？　何度もお電話を差し上げていたのですが、ずっとお宅にいらっしゃらなかったようなので」

「ええ、まあそうですね」と僕は言った。「しばらくのあいだ、家を離れていたんです。ひとりになって、落ちついて考えごとをしたかったものですから。僕には考えなくてはいけな

いことが沢山あるんです」

「もちろん、それはよく存じております。お気持ちはわかります。何かじっくりとものを考えたいときには、場所を変えてみるのはとても良いことです。しかし、こういうのはあるいは無用な詮索《せんさく》かとも存じますが、岡田様はどこかものすごく遠くに行ってらしたんでしょうか？」

「ものすごく遠くというほどでもないんですけど……」と僕は言葉を濁した。そして受話器を左手から右手に持ち替えた。「なんと言えばいいのかな、いささか隔絶された場所ですね。でもその場所について詳しく説明することは、ちょっとできないんです。僕にもいろいろと事情があるし、さっき戻ってきたばかりだから、長い話をするには今は疲れすぎているものですから」

「もちろんです。どなたにもそれぞれの事情というものがあります。今ここで無理に説明していただかなくても結構です。岡田様がずいぶんお疲れになっていらっしゃることは、お声を聞いていればよくわかります。お気になさらないでください。私の方こそそういうときにあれこれと勝手なことを申し上げて、心苦しく思っております。そのお話はまたあらためてということにいたしましょう。ただ私は、ここのところ何日かのあいだ、岡田様の身に何か悪いことが起こったのではないかとご心配申し上げておりましたものですから、失礼をもかえりみませず、ついそのような立ち入ったことをお伺いいたしましたような次第です」

僕は小さな声で相槌《あいづち》を打ったが、それは相槌のようには響かなかった。それは、僕の耳には、呼吸法を間違えた水生動物の喘《あえ》ぎみたいに聞こえた。悪いこと、と僕は思った。いったい僕の身に起こっていることのうちで、どれが悪いことで、どれが悪くないことなのだろう？　どれが正しいことで、どれが正しくないことなのだろう。

「心配していただくのは有り難いと思いますが、今のところ大丈夫なようです」と僕は声を整えてから言った。「良いことが起こったとは思えないけれど、かといってとくに悪いことも起こっていませんね」

「それはけっこうです」

「ただ疲れているだけです」と僕はつけ加えた。

加納マルタは小さく咳払《せきばら》いをした。「ところで岡田様は、この何日かのあいだに、何か大きな身体的な変化のようなものにお気づきではないでしょうか？」

「身体的変化というと、僕のからだにですか？」

「そうです。岡田様御自身のからだにです」

僕は顔を上げて、庭に面するガラス窓に映った自分の姿を見てみた。身体的変化と呼べそうなものはそこには何も見受けられなかった。シャワーに入って隅々《すみずみ》までからだを洗ったときにも、何も気づかなかった。「それはたとえばどんな変化のことですか？」

「どんなものかは私にもわかりませんが、とにかくそれは誰が見てもはっきりとわかるような、明確な身体的変化です」

僕はテーブルの上に左手の手のひらを広げて、しばらくそれを眺めていた。それはいつもの僕の手のひらだった。そこには見たところ何の変化もなかった。金箔《きんぱく》に覆《おお》われてもいないし、水かきもはえていなかった。美しくもないし、醜くもない。「誰が見てもわかる明確な身体的変化というと、例を上げて言えば、背中に羽根がはえるとか、そういったことなんでしょうか？」

「あるいはそういうことかもしれません」と加納マルタは整然とした声で言った。「もちろんそれはひとつの可能性としてということですが」

「もちろん」と僕は言った。

「いかがでしょう、何かお気づきになったことはありませんか？」

「そういう変化はまだないようですね、今のところは。もし背中に羽根がはえたりしたら、たぶんいやでも気がつくでしょうからね」

「それはそうでしょうね」と加納マルタも同意した。「しかし岡田様、どうかお気をつけてください。自らの状態を知るというのは、それほど簡単なことではありません。たとえば、人は自分の顔を自分の目で直接見ることはできません。鏡に映して、その反映を見るしかないのです。そして我々はその鏡の映し出す像が正しいと経験的に信じているだけなのです」

「気をつけますよ」と僕は言った。

「ところでもうひとつだけ岡田様にお尋ねしたいことがあります。実を申しますと、しばらく前からクレタとの連絡が取れなくなってしまったのです。岡田様の場合とまったく同じようにです。偶然の一致かもしれませんが、奇妙なことです。それであるいはひょっとして岡田様が何か事情の一端でもご存じではあるまいかと思ったような次第なのですが、いかがでしょう」

「加納クレタさんが？」と僕はびっくりして言った。

「そうです」と加納マルタは言った。「何かそれについてのお心当たりはございませんでしょうか？」

心当たりというようなものはないと僕は言った。とくに明確な根拠のようなものはなかったけれど、自分がついさっき加納クレタと会って話をしたことは、そしてそのあとすぐに彼女が姿を消してしまったことは、しばらくのあいだ加納マルタには伏せておいた方がいいような気がしたのだ。なんとなく。

「クレタは岡田様との連絡が取れないのを心配して、岡田様のお宅に伺って様子を見てくると言って夕方にこちらを出たのですが、この時間になっても、まだ帰宅しておりません。そしてどうしたことかクレタの気配もうまく感じられないのです」

「わかりました。もし彼女がここに来るようなことがあったら、すぐあなたに連絡を取るように言っておきます」と僕は言った。

加納マルタは電話の向こうで少し黙った。「正直に申し上げまして、私はクレタのことが心配なのです。岡田様もご存じのとおり、クレタと私が携わっております仕事は、世間一般普通の仕事ではありません。しかし妹はまだ私ほどにはその世界のありように精通してはおりません。クレタにその資質がないと申し上げているわけではございません。クレタには資質がありません。しかし妹はまだその自分の資質によく馴染《なじ》んではいないのです」

「わかりました」

加納マルタはそれからもう一度黙り込んだ。今度の沈黙は前より長かった。何かを迷っているような気配があった。

「もしもし」と僕は言ってみた。

「ここにおります、岡田様」と加納マルタは答えた。

「もしクレタさんに会ったら、あなたに連絡するようにちゃんと伝えます」と僕はもう一度繰り返した。

「ありがとうございます」と加納マルタは言った。そして夜遅くに電話をかけた詫《わ》びを言って、電話を切った。受話器を戻してから、僕はもう一度ガラスに映った自分の姿を眺めた。そしてそのときにふと思った。ひょっとして、僕が加納マルタと話をすることはもう二度とないのではないだろうか、これを最後に彼女は僕の前から完全に姿を消してしまうのではないかと。とくに何かの理由があってそう思ったわけではない。ただ、ふとそう感じたのだ。

それから突然、井戸に縄梯子《なわばしご》を吊《つ》るしっぱなしにしてきたことを思いだした。なるべく早く回収してきたほうがいいだろう。あんなものがもし誰かの目にとまったら、面倒なことになるかもしれない。それに急にいなくなってしまった加納クレタの問題もある。最後に彼女の姿を見たのはあの井戸なのだ。

僕は懐中電灯をポケットにつっこむと、靴《くつ》をはいて庭に下り、また塀《へい》を乗り越えた。そして路地を通って空き家の前まで行った。笠原メイの家はあいかわらず真っ暗なままだった。時計の針は三時前を指していた。僕は空き家の庭に入って、まっすぐに井戸のところに行った。縄梯子は前と同じように、木の幹に結びつけられて、井戸の中に下りていた。蓋《ふた》は半分だけ開いていた。

僕はなんとなく気になったので井戸の底を覗《のぞ》き込んで、「ねえ、加納クレタさん」と囁《ささや》くように呼びかけてみた。返事はなかった。僕は懐中電灯をポケットから出して、その光を井戸の底に投げかけてみた。光は井戸の底にまではとどかなかったが、誰かが呻《うめ》くようなかすかな声が聞こえた。僕はもう一度名前を呼んでみた。

「大丈夫ですよ、ここにいます」と加納クレタが言った。

「そんなところでいったい何をしているの？」と僕は小さな声で訊いてみた。

「何をしているって……、岡田様と同じことをしているんです」と彼女は怪訝《けげん》そうな声で言った。「考えごとをしているんですよ。ここはものを考えるにはとてもいい場所ですね」

「それはまあたしかにそうだけど」と僕は言った。「でも、さっき君のお姉さんからうちに電話がかかってきたよ。君が消えてしまったことをすごく心配していた。真夜中になっても帰ってこないし、気配もまるで感じられないしってね。もし君に会ったら、すぐに連絡するように言ってくれって」

「わかりました。わざわざありがとうございます」

「ねえ加納クレタさん、それはともかく、そこから出てきてくれないかな。君とゆっくり話がしたいんだ」

加納クレタは何も答えなかった。

僕は懐中電灯の光を消して、それをまたポケットに突っ込んだ。

「岡田様がここに下りていらっしゃったらいかがですか？　ここに座って二人で話をしましょう」と加納クレタは言った。

また井戸の底に下りて、加納クレタと二人で話をするのも悪くないかもしれないと僕は思った。でも井戸の底の黴臭《かびくさ》い暗闇《くらやみ》のことを思いだすと、胃のあたりが重くなった。

「いや、悪いけど、もうそこには下りたくないな。君も適当に切りあげた方がいいよ。また誰かが梯子を外すかもしれないし、空気の流通だってそんなに良くないし」

「知っています。でももう少しここにいたいんです。私のことなら心配しないでください」

加納クレタに上がってくる意思がない以上、僕にできることは何もなかった。

「電話でお姉さんと話したとき、君とさっきここで会ったことは黙っておいたんだけど、それでよかったのかな？　なんとなく伏せておいた方がいいような気がしたものだから」

「ええ、それでよろしいのです。私がここにいることは、どうか姉には黙っていてください」と加納クレタは言った。それから少し間を置いてつけくわえた。「姉を心配させたくはないのですが、私にもものを考えたいときがあるんです。ひととおり考え終わったらすぐにここを出ます。ですからしばらくのあいだ一人にしておいてください。岡田様にはご迷惑はおかけしません」

僕は加納クレタをそこに残していったん家に引き上げることにした。明日の朝にでもまた様子を見にくればいい。もし夜のあいだに笠原メイがやって来てまた梯子をひっぱりあげてしまったとしても、そのときはそのときで、なんとか加納クレタを井戸の底から救い出すことはできるだろう。僕は家に帰ると服を脱いでベッドの上に寝ころんだ。そして枕《まくら》もとにあった本を手に取って、読みかけのページを開いた。気がたかぶっていて、とてもそのまま眠れそうにないように思えたのだ。しかし一ページか二ページ読んだところで、自分がもうほとんど眠りかけていることに気づいた。僕は本を閉じ、ライトを消した。そして次の瞬間にはもう眠りに落ちてしまった。

目覚めたのは、翌朝の九時半だった。加納クレタのことが気になったので、顔も洗わずに急いで服を着て、路地を抜けて空き家まで行ってみた。雲は低く、空気はじっとりと湿っていて、いつ雨が降りだしてもおかしくなさそうな朝だった。井戸にはもう縄梯子はかかっていなかった。誰かが木の幹からそれをほどいて、どこかに持っていってしまったらしい。井戸の蓋も二枚きちんとかぶせられていた。蓋の上には石が置いてあった。僕はその蓋の一枚をとって井戸の中をのぞきこみ、加納クレタの名を呼んでみた。しかし返事はなかった。それでも何度か、時間を置いて彼女の名を呼んだ。眠っているかもしれないと思って、小さな石をいくつか投げ込みまでした。しかし井戸の底にはもう誰もいないようだった。たぶん加納クレタは、今朝になってから井戸を出て、縄梯子を外しどこかに行ってしまったのだろう。僕はもう一度井戸の蓋をかぶせ、そこを離れた。

空き家を出て、その塀にもたれ、笠原メイの家の方をしばらく眺《なが》めた。笠原メイがいつものようにそこにいる僕の姿をみつけて出てくるかもしれない。でもしばらく待っても彼女は姿を見せなかった。あたりはひっそりと静まりかえっていた。人影もなく、物音も聞こえなかった。蟬《せみ》さえ鳴いてはいなかった。僕は靴の先でゆっくりと足元の地面を掘り返していた。井戸の中にいた何日かのあいだに、それまでにあった現実を別の現実が押し退《の》けてそのまま居すわってしまったみたいな違和感があった。それは井戸を出て家に戻ったときからずっと心の底で感じつづけていたことだった。

路地を歩いて家に戻り、浴室で歯を磨《みが》きそれから髭を剃ろうと思った。何日かぶんの髭が顔ぜんたいを黒く覆っていた。まるでついさっき救出されたばかりの漂流者みたいだ。そんなに長く髭を伸ばしたのは生まれて初めてだった。よほどそのまま伸ばしておこうかとも思ったのだが、少し考えてから、やはり剃ってしまうことにした。何となく、クミコが出ていったときの顔のままでいた方がいいような気がしたのだ。

顔を熱いタオルで蒸して、たっぷりとシェーヴィング・クリームをつけた。そして顔を傷つけないようにゆっくりと注意深く髭を剃っていった。顎《あご》を剃り、左の頰《ほお》を剃り、それから右の頰を剃った。でも右の頰を剃り終わってふと鏡に目をやったときに、僕は思わず息を吞《の》んだ。右の頰に何か青黒いしみのようなものがついていたのだ。最初は間違って何かが顔についたのだろうと思った。クリームの残りを落とし、石鹼《せっけん》で丁寧に顔を洗いそれからタオルでそのしみの部分を強くこすってみた。でもしみは顔から取れなかった。取れるという気配すらなかった。それは肌《はだ》に深くしみこんでいるようだった。僕はその上を指で撫《な》でてみた。肌のその部分は顔のほかの部分に比べると微《かす》かな熱を帯びているようだったが、それ以外に特別な感触はなかった。それはあざだった。井戸の中で熱を感じていたちょうどその部分にあざができていたのだ。

顔を鏡に近づけて、そのあざをもっと詳しく観察してみた。それは右の頰骨の少し外側あたりにあり、大きさは赤ん坊の手のひらくらいあった。色は黒に近い青で、それはクミコのいつも使っているモンブランのブルー・ブラック・インクに似ていた。

可能性としてまず考えられるのは、皮膚のアレルギーだった。井戸の底で何かにかぶれたのかもしれない。たとえばウルシにかぶれるように。しかしいったいあの井戸の底にかぶれるような何があったというのだ？　僕はあの狭い井戸の底を懐中電灯で隈《くま》なく照らしてみたのだ。そこにあったのは土とコンクリートの壁だけだ。それにアレルギーやかぶれなんかで、こんなにくっきりとしたあざができたりするものだろうか。

それからしばらくのあいだ、僕は軽いパニックに襲われた。まるで大きな波に巻き込まれたときのように、僕は混乱し、方向を見失った。タオルを床に落としたり、屑入《くずい》れをひっくりかえしたり、足をどこかにぶっつけたり、意味のないことを口走ったりしていた。それから僕は気を取り直して洗面台にもたれ、この事実に対してどのように対処すればいいのだろうかと冷静に考えてみた。

もう少しこのまま様子を見てみようと僕は思った。医者に行くのはあとでいい。これは一過性のもので、うまくいけばウルシのかぶれと同じようにそのうちに自然に消えてしまうかもしれない。たった何日かのうちに生じたものなのだから、消えるときだってあっさりと消えてしまうかもしれない。僕は台所に行ってコーヒーを沸かした。腹は減っていたが、実際に何かを食べようとすると、食欲は逃げ水のようにすっとどこかに消えてしまった。

僕はソファーに横になって、降りだした雨をじっと眺めていた。ときどき浴室に行って鏡をのぞいた。しかしあざには何の変化も見受けられなかった。それは僕の頬の上で見事なほど深い青に染まっていた。

あざの原因として唯一《ゆいいつ》思いあたることといえば、井戸の底で夜明け前に見たあの夢のような幻想の中で、電話の女の手に引かれて壁を抜けたことだけだ。あのときにドアを開けて部屋に入ってきた危険な誰かから逃れるために、彼女は僕の手を引いて壁の中に導いた。そして壁を抜けている最中に、頬の上に僕ははっきりとした熱のようなものを感じた。ちょうどこのあざのあるあたりにだ。でも壁を抜けることと顔にあざができることとのあいだにどのような因果関係があるのか、もちろん説明なんてつかない。

あの顔のない男は、ホテルのロビーで僕に言った。「今はまちがった時間です。あなたはここにいてはいけないのです」。彼は警告を与えたのだ。でも僕は警告を無視して、そのまま前に進んだ。僕は綿谷ノボルに対して腹を立てていたし、自分が途方に暮れていることに対して腹を立てていた。そしてその結果、僕はこのあざを受け取ることになったのかもしれない。

あるいはこのあざは、あの奇妙な夢なり幻想なりが僕に押した烙印《らくいん》なのかもしれない。あれはただの夢ではない、と彼らはあざを通して語っているのだ。それは本当にあったことなのだ、そして鏡を見るたびにお前はそれをいつも思い出さなくてはならないのだ。

僕は首を振った。説明のつかないことがあまりにも多すぎる。ただひとつはっきりとわかることは、僕には何ひとつとして正確には理解できていないということだけだった。頭はまた鈍く疼《うず》き始めた。それ以上ものを考えることができなかった。何をする気もおきなかった。冷めたコーヒーをひとくち飲み、それからまた外の雨を眺めた。

昼過ぎに叔父のところに電話をかけてみた。そして少し世間話のようなものをした。誰とでもいいから、とにかく何か話をしないことには、自分がどんどん現実の世界から切り離されて遠ざかっていくような気がしたのだ。

クミコは元気かと叔父が訊《き》いたので、元気だと答えておいた。今は仕事の関係でちょっと旅行に出ているのだと。正直に打ち明けてもべつに良かったのだけれど、今回の一連の出来事を、最初から筋道立てて第三者に話をするのはほとんど不可能だった。僕自身にだって何がなんだかよくわけがわからないのだ。他人にうまく説明できるわけがない。叔父には当分真実を伏せておくことにした。

「叔父さんはしばらくここの家に住んでいたんですよね」と僕は質問してみた。

「ああ、そこには全部で六年か七年は住んでいたと思うな」と彼は言った。「ちょっと待ってくれ、そこを買ったのが三十五のときで、それから四十二になるまで居たから、七年だね。それから結婚して、ここのマンションに移ったんだ。それまではずっと一人でそこに住んでいた」

「ちょっとうかがいたいんですが、ここにいるあいだに、何か悪いことは起こりましたか？」

「悪いこと？」と叔父は不思議そうな声を出した。

「つまり、病気をするとか、女と別れるとか……、そういうことですよ」

叔父は電話の向こうで面白そうに笑った。「たしかにそこに住んでいるあいだに女と別れたことはあったけどね、そういうのは他の家に住んでいたときにもちゃんとあったから、とくに悪いこととも言えないと思うな。それに正直言って、切れて惜しいというほどの相手でもなかったよ。病気ねえ……、病気をした覚えはないよ。首筋に小さなできものができて、それを切ったくらいだな。床屋に行ったときに、念のために切っておいた方がいいと言われたんで、医者に行ったんだけど、べつに問題のあるものでもなかったね。そこにいるあいだに医者に行ったのはそれが最初で最後だ。健康保険の払戻しをしてほしいくらいだよ、まったく」

「嫌《いや》な思い出みたいなものもありませんか？」

だよ？」

「ないな」と叔父は少し考えてから言った。「なあ、どうして急にまたそんなことを訊くん

「たいしたことじゃないんです。実はこのあいだクミコが占いの人に会って、家相がどうこうというようなことを吹き込まれてきたんですよ」と僕は嘘《うそ》を言った。「僕はそんなことはどうでもいいんだけど、叔父さんに訊いてみてくれって言われたものだから」

「うーん、俺《おれ》も家相とかそういうことはとんと疎《うと》いからね、そう言われても、良いも悪いもよくわからんな。でも俺の住んだ感じから言うと、その家には問題というようなものは何もないと思うよ。宮脇のところはまああのとおりだけれど、あそこからはずいぶん離れているしね」

「叔父さんの出たあとは、ここにはどんな人が住んでいたんですか？」

「俺が出たあとは、たしか都立高校の先生の一家が三年ほど住んで、それから若い夫婦が五年ほど住んだ。若い方は何か商売のようなものをしていたと思うな。どんな商売だったかは覚えてない。でもその人たちがそこで楽しく幸せに暮らしていたかどうかまではわからないよ。管理の方は不動産屋にまかせきりにしていたからね。住んでいた人の顔も知らないし、なんで出ていったか理由もわからんよ。でもとくに悪い話は何も聞いてないね。手狭になったから自分の家を建てて出ていったとかそういうことだと思ったけどな」

「この場所は流れが阻害された場所だと誰かに言われたことがあるんです。それについて何か心当たりはありませんか？」

「流れが阻害された？」と叔父は言った。

「僕にも何のことだかよくわかりません。ただそう言われただけです」

叔父はしばらく考えこんでいた。「思いあたる節は何もないな。でもその路地の両側を塀で塞《ふさ》いでしまったというのは、あまり良いことではなかったかもしれないな。入口と出口のない道というのは考えてみれば変なもんだものな。道とか川とかの根本原理は流れるということだからね。塞げば淀《よど》む」

「なるほど」と僕は言った。「それからもうひとつ訊きたいことがあるんです。叔父さんはねじまき鳥の声をここで聞いたことはありますか？」

「ねじまき鳥」と叔父は言った。「なんだ、それは？」

僕は簡単にねじまき鳥の説明をした。それが庭の木にとまって、毎日一度ねじを巻くような声で鳴くことを。

「知らない。そんなものは見たことも聞いたこともない。俺は鳥は好きだから昔から気をつけて鳴き声を聞いているけれど、そんな鳥のことは初耳だな。それが何か家のことと関係あるのか？」

「いいえ、とくに関係はありません。ただ知っているかと思って、訊いてみただけです」

「もし井戸だとか、俺のあとに住んだ人のこととか、そういうことについてもっと詳しい話を知りたかったら、駅前にある世田谷第一不動産という不動産屋に行って、俺の名前を出して、市川というじいさんに事情を訊いてみるといいよ。そこがその家をずっと扱っていたんだ。古くからここにいる人だから、土地のことをいろいろと教えてくれるかもしれないから。実は俺が宮脇の家のいろんなことを聞いたのもあのじいさんからなんだ。話し好きな人だから会ってみるといいかもしれないよ」

「ありがとう。そうしてみますよ」と僕は言った。

「ところで、仕事探しの方はどうなった？」と叔父は言った。

「まだです。実をいうと、あまり熱心に探しているわけでもないんです。今のところクミコが仕事をして、僕が家にいて家事をして、何とかそれでやっていますから」

叔父はしばらく何かを考えているようだった。「まあ、もしどうしても困ったら、そのときは言ってくるといいよ。できることはあるかもしれないからね」

「ありがとう。困ったら相談に行きます」と僕は言った。そして電話を切った。

僕は叔父が教えてくれた不動産屋に電話をかけて、この家の由来とか、僕の前にここに住んでいた住人のこととかについて尋ねてみようかとも思ったのだが、結局そんなことを考えるのが馬鹿馬鹿《ばかばか》しくなってやめてしまった。

午後になっても雨はまだ同じ調子で静かに降りつづいていた。雨は家々の屋根を濡《ぬ》らし、庭の木を濡らし、土を濡らした。僕は昼飯にトーストを食べ、缶詰《かんづめ》のスープを飲んだ。そして午後をずっとソファーの上で過ごした。買い物に出たかったのだが、顔のあざのことを考えるとなんとなく億劫《おっくう》になった。髭《ひげ》を伸ばしっぱなしにしておけばよかったなと僕は後悔した。でも冷蔵庫にはまだ少し野菜が残っているし、棚《たな》には缶詰の食品もいくつか並んでいる。

米も卵もある。贅沢《ぜいたく》さえ言わなければ、あと二日か三日は食べていけそうだった。ソファーの上ではほとんど何ものも考えなかった。僕はそこで本を読み、カセット・テープでクラシック音楽を聴いていた。あるいは庭に降る雨をぼんやりと眺めていた。真っ暗な井戸の底であまりにも長いあいだ集中してものを考えすぎたためか、思考力はもう底をついてしまっていた。何かをまともに考えようとすると、やわらかな万力で締め上げられるみたいに頭が鈍く痛んだ。何かを思いだそうとすると、体じゅうの筋肉だか神経だかが軋《きし》んだような音を立てた。『オズの魔法使い』に出てくる錆《さび》ついて油の切れたブリキ人間になったみたいな気がした。

ときどき洗面所に行って、鏡の前に立ち、顔のあざの具合を調べた。しかし何の変化もなかった。あざはそれ以上広がりもせず、縮みもしなかった。色の濃さもまったく同じだった。それから僕は鼻の下の髭を剃《そ》り残していたことに気づいた。さっき右の頰を剃っているときにあざをみつけて混乱して、残りの部分を剃るのを忘れてしまったのだ。もう一度湯で顔を洗い、シェーヴィング・クリームをつけて、残っていた髭を剃った。

何度か洗面所の鏡に自分の顔を映しているうちに、加納マルタが電話で言ったことを思いだした。我々はその鏡に映る像を正しいものだと経験的に信じているだけなのです。お気をつけてください。僕は念のために寝室に行って、クミコが洋服を着て映すための姿見に顔を映してみた。でもあざはやはりそこにあった。鏡のせいじゃない。

顔のあざ以外には、体に変調のようなものは感じなかった。体温も計ってみたが熱はいつもと変わらなかった。三日ばかり何も食べていなかったわりには食欲があまり湧《わ》いてこないことと、ときどき軽い吐き気を感じること——それはおそらく井戸の底で感じた吐き気の延長だった——を別にすれば、僕の体はまったく正常だった。

静かな午後だった。電話は一度も鳴らなかったし、手紙も一通もこなかった。路地を通りかかる人もいなかったし、近所の人の話し声も聞こえなかった。猫《ねこ》が庭を横切ることもなく、鳥がやってきて鳴くこともなかった。ときどき蟬が鳴いたが、いつもほどの勢いはなかった。

七時前になると少し腹が減ってきたので、缶詰と野菜を使って簡単な夕食を作った。久しぶりにラジオの夕方のニュースを聞いたが、世の中にはとくに変わったことは何も起こってはいなかった。高速道路で車が追越しに失敗して壁にぶつかり、乗っていた若者が何人か死んでいた。大手銀行の支店長と行員が不正融資に関連して警察の取り調べを受けていた。町田市の三十六歳の主婦が、通りがかりの若い男にハンマーで殴り殺されていた。でもそれらはみんなどこか別の遠い世界の出来事だった。僕のいる世界では、ただ庭に雨が降っているだけだった。音もなく、密《ひそ》やかに。

時計が九時を指すと僕はソファーからベッドに移り、本を一区切り読んでからスタンドの明かりを消して眠った。

何かの夢を見ている途中ではっと目が覚めた。夢の内容は思いだせなかったけれど、とにかく何かの緊張をはらんだ夢であったらしく、目覚めたとき胸がどきどきしていた。部屋の中はまだ真っ暗だった。目が覚めてからしばらくのあいだ、自分が今どこにいるのか思いだせなかった。自分の家の自分のベッドだとわかるまでに、けっこう時間がかかった。目覚し時計の針は午前二時過ぎを指していた。井戸ででたらめな寝方をしていたせいで、こんなわけのわからないサイクルで眠ったり起きたりするようになってしまったのだろう。混乱が収まると、僕は尿意を感じた。寝る前にビールを飲んだせいだ。できることならそのままもう一度横になって寝てしまいたかったのだけれど、まあしかたない。あきらめてなんとかベッドの上で体を起こしたときに、隣にいる誰かの肌に手が触れた。でも僕はべつに驚かなかった。何故《なぜ》ならそこはいつもクミコが寝ている場所だったし、僕は隣に誰かが寝ていることに馴《な》れていたからだ。でも僕は突然思いだした。クミコはもういない——彼女は家を出ていったのだ。誰か別の人間が僕の隣に寝ている。

僕は思い切って枕元《まくらもと》のスタンドの明かりをつけてみた。それは加納クレタだった。

13 加納クレタの話の続き

加納クレタはまったくの裸だった。彼女は僕の側に体を向けて、布団《ふとん》もかけずに裸で寝ていた。かたちの良い二つの乳房が見え、小さなピンク色の乳首が見え、まったいらな腹の下の方にまるでデッサンの陰影のような黒い陰毛が見えた。彼女の肌は白く、さっきできたばかりのように艶《つや》やかだった。僕はよくわけがわからないまま、じっとその体を見つめていた。加納クレタは膝《ひざ》をきちんと合わせて、両脚をくの字に折って眠っていた。髪が前に落ちて顔の半分を覆《おお》っていたから、彼女の目を見ることはできなかった。よほどぐっすりと眠りこんでいるらしく、枕元の明かりをつけても、身じろぎひとつせずに静かで規則的な寝息を立てていた。何はともあれ、僕の眠気はすっかり覚めてしまった。とりあえず押入れから夏用の薄い掛け布団を出して、それを彼女の体の上にかぶせた。そして枕元のスタンドを消し、パジャマのまま台所に行ってしばらくテーブルの前に座っていた。

それから僕は顔のあざのことを思いだした。触ってみると、頰《ほお》にはまだ微熱のようなものが感じられた。わざわざ鏡を見るまでもなかった。まだそこにあるのだ。それは何かの拍子に一晩ですっと消えてしまうような簡単な代物《しろもの》ではなさそうだった。夜が明けたら電話帳で近くにある皮膚科の病院を調べてみた方がいいかもしれない。しかし医者に何か原因の心当たりはと訊かれたときに、いったい何と答えればいいのだろう？　三日近く井戸の中にいたんです。いいえ、仕事とかそういうんじゃありません、ちょっと考えごとをしたかっただけなんです。井戸の底というのは考えごとをするには良さそうに思えたものですから。はい、食糧は持っていきませんでした。いいえ、うちの井戸じゃありません。よその家の井戸です。近所の空き家の井戸です。勝手に入ったんです。

僕はため息をついた。やれやれ、そんなことが言えるわけがないじゃないか。

テーブルの上に両肘《りょうひじ》をついて何を考えるともなくぼんやりしているうちに、加納クレタの裸の体が妙に鮮明に頭に浮かんできた。彼女は僕のベッドの上でぐっすりと眠っているのだ。それから僕は夢の中でクミコのワンピースを着た彼女と交わったときのことを思いだした。僕はそのときの彼女の肌の感触や、肉体の重みをまだはっきりと覚えていた。いったいどこまでが現実で、どこからが現実ではないのか、順を追って確かめていかないことにはうまく区別できなくなってしまっていた。ふたつの領域を隔てていた壁がだんだん溶け始めている。少なくとも僕の記憶の中では、現実と非現実とがほとんど同じ重みと鮮明さを持って同居していたようだった。僕は加納クレタと交わったし、また同時に加納クレタと交わっていない。

僕はそんな混乱した性的なイメージを頭から追い払うために、洗面所に行って冷たい水で顔を洗わなくてはならなかった。少しあとで加納クレタの様子を見てみた。彼女は僕が掛けた布団を腰のところまで下げてあいかわらずぐっすりと眠っていた。僕の方からは彼女の背中しか見えなかった。その背中は最後に見たクミコの背中を思いださせた。考えてみれば、加納クレタの体つきはおどろくくらいクミコに似ていた。髪のかたちや服の趣味や化粧がまったく違っていたせいで、これまではとくに気づかなかったのだが、二人は背も同じくらいだし、体重もだいたい同じくらいに見えた。たぶん服のサイズだって同じくらいだろう。

僕は自分の掛け布団を持って居間に行き、ソファーに横になって本のページを開いた。僕はしばらく前から、図書館で借りた歴史の本を読んでいた。戦前の日本による満州経営と、ノモンハンにおけるソ連との戦争に関する本だ。間宮中尉《ちゅうい》の話を聞いたあと、その時代の中国大陸の情勢に興味を持つようになって、図書館に行って何冊か借りてきたのだ。でも十分ばかり細かい歴史的記述を追っているうちに、急に眠気を感じた。そして少しだけ目を休めるつもりで本を床の上に置き、目を閉じた。でも結局明かりも消さずに、そのままぐっすりと眠りこんでしまった。

気がついたとき、台所から物音が聞こえた。行ってみると、加納クレタが台所に立って朝食の用意をしていた。彼女は白いTシャツにブルーのショートパンツをはいていた。どちらもクミコのものだった。

「ねえ、君の服はどこにあるんだ？」と僕は台所の戸口に立って加納クレタに声をかけた。

「ああ、ごめんなさい。寝ていらしたんで、勝手に奥様の服をお借りしたんです。厚かましいとは思ったんですけれど、着るものがぜんぜんなかったものですから」と加納クレタは首だけをこちらに向けて言った。彼女はいつのまにか、前と同じ一九六〇年代風の化粧と髪形に戻っていた。つけまつげがないだけだった。

「そのことなら別に気にしないでいいけど、君の服はいったいどうしたの?」

「なくしちゃったんです」と加納クレタはあっさりと言った。

「なくした?」

「ええ、そうです。何処《どこ》かでなくしちゃったんです」

僕は台所の中に入って、テーブルにもたれ、彼女がオムレツを作るのを眺《なが》めていた。加納クレタは器用に卵を割り、調味料を入れ、手早くかきまわした。

「というと、君は裸でここに来たということなのかな?」

「ええ、そうです」と加納クレタは当然のことみたいに言った。「まったくの裸でした。岡田様もそれはご存じでしょう。布団をかけてくださったんですから」

「それはたしかにそうだけど」と僕は口ごもった。「つまり僕が知りたいのはさ、君はどこでどういう風に服をなくして、そこからどうやって裸でここまで来たのかということなんだけれど」

「それは私にもわかりません」、加納クレタはフライパンを揺すりながら卵をくるくると丸めた。

「君にもそれはわからない」と僕は言った。

加納クレタはオムレツを皿に盛り、茹《ゆ》でたブロッコリをそれに添えた。そしてトーストを作り、コーヒーと一緒にテーブルに並べた。僕はバターと塩と胡椒《こしょう》とを出した。そして新婚の夫婦のように向かい合って朝食を食べた。

それから僕は顔のあざのことを突然思いだした。加納クレタは僕の顔を見ても少しも驚かなかったし、質問ひとつしなかった。僕は念のために顔に手をやってみた。しかしあざの温《ぬく》もりはまだそこにあった。

「岡田様、そこがお痛みになるのですか?」

「いや、痛むわけじゃない」と僕は言った。

加納クレタはしばらく僕の顔を見ていた。「あざのようにも見えますが」

「僕にもあざのように見える」と僕は言った。「医者に行ったほうがいいかどうか、迷っているところなんだ」

「これはただの印象にすぎませんが、医者の手には負えないんじゃないでしょうか」

「そうかもしれない。でもこのままにしておくわけにもいかないしね」

加納クレタはフォークを手に持ったまま少し何かを考えていた。「買い物とか用事があったら、私がかわりにやってきます。もし外に出るのがお嫌《いや》でしたら、ずっとお家《うち》の中にいらっしゃればよろしいですわ」

「そう言ってくれるのは有り難いけれど、君には君の用事だってあるし、僕だっていつまでも家の中にじっとしているわけにもいかないだろう」

加納クレタはしばらく考えていた。「あるいは加納マルタなら、そういうことについて何か知っているかもしれません。どのように処置すればいいかというようなことを」

「じゃあ加納マルタに連絡してもらえないかな」

「加納マルタは自分から連絡はしますが、連絡は受け付けません」、加納クレタはそう言ってブロッコリを齧《かじ》った。

「でも君は連絡することができるんだろう？」

「もちろんできます。私たちは姉妹ですから」

「じゃあそのついでに彼女に僕のこのあざのことを訊《き》いてみてくれないかな。あるいは僕に連絡してくれるように頼んでほしいんだ」

「申し訳ありませんが、それはできません。誰かのために姉に口をきくことはできないんです。それは原則のようなものなんです」

僕はトーストにバターを塗りながらため息をついた。「ということは、僕が加納マルタに用事があるときは、加納マルタからの連絡をじっと待っていなくてはならないということになるね？」

「そういうことですね」と加納クレタは言った。そしてうなずいた。「でも痛いとか痒《かゆ》いとかそういうことがないのであれば、そのあざのことはしばらくお忘れになっていたほうがいいと思いますよ。私はそんなものは気にしません。だから岡田様も気になさらなければよろしいんですよ。人間にはそういうものができるときだってあるんです」

「そういうものかな」

それから僕らはしばらく黙って朝食を食べた。誰かと一緒に食事をするのは久しぶりだったし、なかなか美味《うま》い朝食だった。僕がそう言うと加納クレタはまんざらでもなさそうだった。

「ところで君の服のことだけれど」と僕は言った。

「奥様の服を勝手に着ちゃって御不快でしたでしょうか？」と加納クレタは心配そうに言った。

「いや、そうじゃないんだ。クミコの服を君が着るのはぜんぜんかまわない。どうせ置いていったんだし、何を着たところでかまわないよ。僕が気にしているのは、君がどこでどういうふうに君の服をなくしたのかということなんだよ」

「服だけじゃなくて、靴《くつ》もです」

「君はどうやってそういうのを全部なくしたんだろう？」

「思いだせないんです」と加納クレタは言った。「私が覚えているのは、目が覚めたら岡田様の家のベッドで裸で寝ていたということだけです。その前のことは何も思いだせません」

「君は井戸に下りたよね？　僕がそこを出ていったあとで」

「それは覚えています。そして私はそこで眠りました。でもそのあとが思いだせないんです」

「ということは、君はどうやってあの井戸から出てきたかもまったく覚えていないということとになるのかな？」

「何も思いだせません。記憶が真ん中から途切れているんです」、加納クレタは両手の人さし指を立てて、二十センチほどの距離を僕に示した。それがどれくらいの時間を表しているのか、僕にはよくわからなかった。

「あの井戸にかかっていた縄梯子《なわばしご》をどうしたかも覚えてないんだね？　梯子はもうなくなってしまっているんだけど」

「梯子のことは何も知りません。梯子を登ってあそこから出てきたかどうかさえ覚えてないんです」

僕はしばらく手に持ったコーヒーカップを睨《にら》んでいた。「ねえ、君の足の裏を見せてもらえないかな」と僕は言った。

「ええもちろん」と加納クレタは言った。そして僕の隣の椅子《いす》に座り、足をまっすぐにのばして、僕に両方の足の裏を見せた。僕はその足首を持って、足の裏を観察した。それはとても綺麗《きれい》な足の裏だった。見事に造形されたまま、そこには傷ひとつ泥《どろ》ひとつついてはいなかった。

「泥も傷もついてない」と僕は言った。

「はい」と加納クレタは言った。

「昨日はずっと雨が降っていたから、もし君がどこかで靴をなくしてそこから歩いてここまで来たとしたら、君の足の裏には泥がついているはずだと思う。そして君は庭から入ってきたはずだから、縁側にも泥の跡があるはずだ。そうだね？　でも足は綺麗だし、縁側にもどこにも泥の跡はない」

「はい」

「とすると、君はどこからも裸足《はだし》では歩いてこなかったということになる」

加納クレタは感心したみたいにちょっと首をかしげた。「おっしゃっていることは論理的に正しいと思います」

「論理的には正しいかもしれないけれど、僕らはまだどこにも到達していない」と僕は言った。「君はどこで服と靴をなくして、そこからどうやって歩いてきたのか？」

加納クレタは首を振った。「さあ、私には見当もつきません」

彼女が流し台にむかって熱心に食器を洗っているあいだ、僕はテーブルの前でそのことについて考えていた。もちろん僕にも見当はつかなかった。

「そういうことはよく起こるの？　自分がどこに行っていたのか思いだせないというようなことが」と僕は質問した。

「こういう経験は初めてではありません。自分がどこに行って何をしていたのか思いだせないということは、よく起こるというほどではありませんが、ときどきは起こります。服をなくしたことも前に一度あります。でも服も靴もすっかり全部なくしたというのはこれが初めてです」

加納クレタは水道の水を止め、布巾《ふきん》でテーブルの上を拭《ふ》いた。

「ねえ、加納クレタさん」と僕は言った。「僕はこの前君が話しかけた話を、まだ全部は聞いていないんだ。あのとき君は話の途中で急に消えてしまったんだ。覚えているかい？　できたらあの話の続きを最後まで聞かせてもらえないかな。君が暴力団につかまって、その組織で売春をするようになって、綿谷ノボルに出会って、彼と寝てからどうなったかということを」

加納クレタは流し台にもたれかかるようにして僕を見た。手についていた水滴が彼女の指先をつたってゆっくりと床に落ちた。白いＴシャツの胸には、乳首のかたちがくっきりとふたつ浮かんでいた。それを見ていると、僕は昨夜目にした彼女の裸体をまたありありと思いだすことになった。

「わかりました。その先に起こったことをすっかりここでお話しすることにします」

そして加納クレタはもう一度僕の向かいの席に腰を下ろした。

「私があの日話の途中で突然席を立って帰ってしまった理由は、私にまだそれをお話しするだけの準備ができていなかったからなのです。それでも岡田様にはできるだけ本当のことを正直にお話ししたほうがいいと思ったからこそ、私は話し始めたのです。しかし結局のところ、最後まで話し終えることができませんでした。急にいなくなってしまって、岡田様もきっと驚かれたことだろうと思います」

加納クレタはテーブルの上に両手を置いて僕の顔を見ながら喋《しゃべ》った。

「驚いたといえば驚いたけれど、最近起こったなかでいちばん驚いた出来事というほどでもない」と僕は言った。

「以前にもお話ししかけましたように、私が娼婦《しょうふ》として、肉体の娼婦として最後にとったお客は綿谷ノボル様でした。二度目に、加納マルタの仕事を通して綿谷ノボル様にお目にかかったとき、私はすぐにその顔を思いだしました。たとえ忘れようと思っても忘れることはできません。でも綿谷様の方が私のことを覚えておられたかどうか、それはわかりません。綿谷様は簡単に感情を顔に出す方ではないからです。

でもとりあえず順を追ってお話をしていった方がよいかと思います。まず私が綿谷ノボル様を娼婦としてお客に取ったときの話をいたします。今から六年前の話になります。

前にもお話しいたしましたように、私はその頃《ころ》苦痛というものを一切感じない体になっておりました。苦痛だけではなく、あらゆる感覚を感じなくなっていたのです。私は底が見えないほど深い無感覚の中に生きていました。もちろん熱い、冷たい、痛い、苦しい、そういった感覚がないわけではありません。でもそれらの感覚は自分とは関係のないどこか遠い世界にあるもののように感じられるのです。ですから私は自分がお金のために男の人たちと性的関係を持つことに何の抵抗も感じませんでした。誰に何をされたとしても、私の感じているものは、私の感覚ではないからです。私の感覚のない肉体は私の肉体ですらないからです。私は既に暴力団の売春組織に組み込まれていました。彼らが男たちと寝ろというからそうして、お金をくれるというからそれを受け取っていたのです。そこまではお話しいたしましたね？」

　僕はもう一度うなずいた。

「私がその日に指示されて行ったのは、都心のあるホテルの十六階でした。部屋は綿谷という名前で取ってありました。そして綿谷というのはどこにでもあるありふれた名前ではありませんん。私がドアをノックしたとき、その男はソファーに座ってルームサービスで取ったコーヒーを飲みながら、本を読んでいたようでした。グリーンのポロシャツに茶色の綿のズボンという恰好《かっこう》で、髪は短く、茶色の眼鏡をかけていました。ソファーの前の低い机の上に、コーヒーポットとカップとその本が置いてありました。ずいぶん集中して読んでいたのでしょう、その目にはまだ昂《たかぶ》りのようなものが残っていました。これという特徴のない顔だちですが、目だけは異様なくらい活動的に見えました。私はその目を見て、一瞬自分が間違った部屋に入ってしまったのだと思いました。でも間違えたわけではありませんでした。その男は私に中に入ってドアをロックするようにと言いました。

　それから彼はソファーに腰を下ろしたまま、何も言わずにじっと私のからだを見ました。頭から足の先までです。部屋に入っていくと、たいていの人は私の体や顔を眺めまわします。失礼ですが、岡田様はこれまで娼婦を買われたことがありますか？」

　ない、と僕は言った。

「それは商品を見るのと同じなのです。そんな視線にはすぐに慣れます。お金を払って肉体を買うわけですから、品物を検分するのは当然のことです。でもその男の視線はそれとは違うものでした。彼は私の肉体を通して、私のからだの向こう側にあるものを眺めているみたいでした。視線を浴びながら、私はまるで自分が半分透明な人間になってしまったような居心地の悪さを感じました。

私はたぶん少し混乱していたのだと思いますが、手に持っていたハンドバッグを床に落としてしまいました。小さな音がしましたが、ぼんやりしていたので、自分がバッグを落としたことにしばらく気がつかなかったくらいでした。私は身をかがめて床の上からバッグを拾い上げました。落としたときにバッグのとめがねが外れて、化粧品がいくつか床の上に散らばりました。私は眉《まゆ》ペンシルとリップ・クリームとオーデコロンの小さな瓶《びん》を拾って、ひとつひとつバッグの中に戻しました。彼はそのあいだ同じ視線を私に注ぎ続けていました。

私が床に落としたものを拾い集めてバッグに戻し終わると、彼は私に服を脱ぐように言いました。『できたらその前にシャワーを浴びてもいいでしょうか。汗をかいてしまったものですから』と私は言いました。とても暑い日で、私は電車に乗ってホテルに来るまでにかなり汗をかいていたのです。汗なんてかまわないと彼は言いました。時間がないから、すぐに服を脱ぐようにと。

裸になると、ベッドにうつぶせになるようにと言われました。私はそのとおりにしました。そのままじっとしているように、目を閉じているように、尋ねられないかぎり何も喋らないように、と彼は私に命じました。

彼は服を着たまま私のとなりに腰を下ろしましたが、腰を下ろしただけで、私に指一本触れませんでした。横に座って、うつぶせになった私の裸のからだをただじっと見下ろしているだけでした。たぶん十分近く私のからだを見ていたと思います。私は自分の首筋や背中やお尻《しり》や脚に、彼のその鋭い視線を痛いほど感じることができました。私はひょっとしてこの人は性的に不能なのではないだろうかと思いました。お客の中にはときどきそういう人がいます。娼婦を買って裸にして、じっと眺めるだけです。あるいはまた中には、裸にしておいて、その前で自分で処理する人もいます。いろんな人が、いろんな理由で娼婦を買うのです。ですから、この人もそういう一人ではないかと思ったのです。

　でもやがて、彼は手をのばして私のからだを触りはじめました。その十本の指が私の体を肩から背中にかけて、背中から腰にかけてゆっくりと何かを探っていきました。それはいわゆる前戯でもなければ、もちろんマッサージでもありません。彼の指は、まるで地図の道筋を辿《たど》るように注意深く、私の体の上を移動していきました。私の肉体を触りながら、彼はずっと何かを考えているようでした。それもただ考えごとをするのではなくて、集中して何かを真剣に考えているのです。

　その十本の指はふらふらといろんな場所を彷徨《さまよ》ったかと思うとふと立ち止まり、そこに長いあいだじっと立ちすくんでいました。指そのものが文字どおり迷ったり、確信したりしているようでした。おわかりになりますか？　十本の指がそれぞれに生きて、意思を持って、ものを考えているみたいなのです。それは何かとても奇妙な感触でした。気味わるくさえありました。

でも、それにもかかわらず、その指先の感触は性的に私を興奮させました。それは私にとっては初めての体験でした。娼婦になる前には、性行為は私にはただ痛みを与えるだけのものでしかありませんでした。セックスのことを考えただけで、私の頭は痛みに対する恐怖でいっぱいになりました。そして娼婦になってからは、それとはうって変わって、もう何も感じませんでした。痛みもないかわりに、どのような感覚もありません。私は相手を喜ばせるためにため息をついたり、興奮しているふりをしました。そんなものはみんな嘘《うそ》です。職業的な演技です。でもそのとき、私はその男の指の下で本物の深い吐息をついていました。それは体の奥底から自然にわき上がってきました。自分の中で何かが動き始めているのがわかりました。まるで体の中で重心があちこちに移動しているようでした。

やがて男は指を動かすのをやめました。そして私の腰のくびれに両手をあてたまま、何かを考えているようでした。その指先から、彼が静かに呼吸を整えている様子が伝わってきました。それから彼はゆっくりと服を脱ぎはじめました。私は目をつぶったまま枕《まくら》に顔を埋め、次に来るものを待っていました。裸になると、彼はうつぶせになった私の両腕と両脚を広げました。

部屋の中はおそろしく静かでした。エアコンディショナーの小さな風音が聞こえるだけでした。男は物音というものをほとんど立てませんでした。息づかいも聞こえませんでした。男は手のひらを私の背中に置きました。私は体の力を抜きました。彼のペニスが私の腰に触れました。でもそれはまだ柔らかいままでした。

そのとき枕元の電話のベルが鳴りだしました。私は目を開けて男の顔を見ました。しかし彼はベルが鳴っていることにさえ気がつかないようでした。ベルは八回か九回鳴ってから鳴りやみました。ふたたび部屋に静寂が戻りました」

加納クレタはそこでゆっくりと息をついた。そしてしばらく黙って自分の手を眺《なが》めていた。

「申し訳ありませんが、少し休ませてください。かまいませんか？」

「もちろん」と僕は言った。僕はコーヒーのおかわりをカップに注《つ》いで飲んだ。彼女は冷たい水を飲んだ。我々はそれから十分くらい黙ってそこに座っていた。

「彼はまたその十本の指で、私の体をそれこそ隅《すみ》から隅まで撫《な》でまわしました」と加納クレタは話をつづけた。「私の体で彼の指が触れない部分はありませんでした。私はもう何も考えることができませんでした。心臓は私の耳もとで妙にゆっくりと、大きな音を立てていました。私はもう自分を抑えることができなくなっていました。彼に撫でまわされながら私は何度も大きな声を上げました。声を上げるまいと思っても、私とは違う誰かが私の声を使って勝手に喘《あえ》ぎ、叫んでいるのです。体じゅうのねじがゆるんでいくような気がしました。それから、ずいぶん長い時間をかけたあとで、彼は私をうつぶせにしたまま、後ろから私の中に何かを入れました。それが何だったのか、私には今でもわかりません。とても硬くて、ものすごく大きなものでしたが、でもそれはとにかく彼のペニスではありませんでした。それは確かです。やはりこの人は性的に不能なのだとそのとき私は思いました。

それがたとえ何であるにせよ、彼にそれを挿入《そうにゅう》されたときに、私は自殺未遂事件以来はじめて痛みというものを、わが身のものとしてありありと感じることができたのです。それは何と言いますか、私という肉が真ん中からふたつに裂けてしまうような、ほとんど理不尽な痛みでした。でも私は激しく痛みながらも、快感に悶《もだ》えていました。その快感は痛みと一体になったものでした。おわかりになりますか？　それは快感に裏付けられた痛みであり、痛みに裏付けされた快感でした。私はそれをひとつのものとして呑《の》み込まなくてはなりませんでした。そのような痛みと快感の中で、私の肉はどんどん大きく裂けていきました。私にはもうそれを止めることはできませんでした。それから奇妙なことが起こりました。そのぱっくりとふたつに裂けた自分の肉の中から、私がこれまでに見たことも触れたこともなかった何かが、かきわけるようにして抜け出してくるのを私は感じたのです。その大きさはよくわかりません。でもそれはまるで生まれたての赤ん坊のようにぬるぬるしたものでした。それが何であるのか、私にはまったく見当もつきませんでした。それはもともと私の中にあるものでありながら、私の知らないものなのです。でもこの男が、私の中からとにかくそれを引き出したのです。

私はそれが何であるか知りたいと思いました。とても知りたかったのです。それをこの目で見たかったのです。だっていいですか、それは私の一部なのです。私にはそれを見る権利があるのです。でもそれができませんでした。私は痛みと快感の奔流の中に呑み込まれていました。肉である私は声を上げ、涎《よだれ》を垂らし、腰を激しく動かしておりました。私は自分の目を開けることすらできなかったのです。

そして私は性的な絶頂に達しました。でもそれは絶頂というよりは、まるで高い崖《がけ》の上からつきおとされたような感覚でした。私が悲鳴を上げると、部屋の中のガラスというガラスが割れてしまったように思えました。思っただけではなく、私は実際に窓やグラスが音を立ててこなごなになるのを目にしたのです。それが細かいかけらになって私の上に降ってくるのを感じたのです。私はそのあとでひどく気分が悪くなりました。意識がすうっと薄くなり、体が冷たくなっていきました。変なたとえですが、まるで自分が冷えたお粥《かゆ》になってしまったような気がしました。どろどろとしていて、ところどころにわけのわからない塊のようなものがあるのです。そしてその塊は、心臓の鼓動に合わせてゆっくりと大きく疼《うず》いていました。私はその疼きにたしかに覚えがありました。それが何であるか思いだすのにそれほど時間はかかりませんでした。それは昔、自殺未遂事件を起こす前に、私がいつも感じていたどんよりとしたあの宿命的な痛みでした。そしてその痛みはまるでかなてこのように、私の意識の蓋《ふた》を強い力でこじあけていました。痛みは意識の蓋をこじあけ、私の意思とは関係なく、その中にある寒天のようなかたちをした私の記憶をずるずるとひきずりだしていました。変なたとえですが、まるで既に死んでしまった人間が、自分が解剖される光景を目にしているような感じでした。おわかりになりますか？　自分の体が切り裂かれて、内臓やら何やかやがずるずると引きずり出されていくのを、どこかから自分の目で見ているような気持ちなのです。

私はからだを痙攣《けいれん》させながら、枕の上に涎を垂らしつづけていました。失禁もしていました。それをなんとか止めなくてはと思いました。でも自分の肉の動きを止めることができなくなっていました。私のからだのねじはひとつ残らずほどけて落ちてしまっていました。朦朧《もうろう》とした意識の中で私は自分という人間がどれほど孤独で、どれほど無力な存在であるかということをひしひしと感じていました。自分の肉からいろんなものがどんどんこぼれて抜けていきました。かたちのあるもの、かたちのないもの、すべてのものが涎や尿と同じように、液体になってだらだらと私の外に流れて出ていくのです。こんなまま何もかもをこぼしてしまうわけにはいかないと私は思いました。それは私自身なのだ、このまま無駄《むだ》にこぼして失ってしまうわけにはいかない。でもその流れを止めることはできませんでした。私はその流出をただぼんやりと手をこまねいて見ているしかなかったのです。それがどれくらいの時間続いたのか、私にはわかりません。なんだかすべての記憶とすべての意識がすっかり抜け落ちてしまったみたいでした。何もかもが自分の外に出ていってしまったように思えました。やがて重いカーテンが上からどすんと落ちてくるように、唐突に暗闇《くらやみ》が私を包みました。

そして意識が戻ったとき、私はまた別の人間になっていました」

加納クレタはそこで話をやめて僕の顔を見た。

「それがそのときに起こったことです」と彼女は静かに言った。
僕は何も言わずに話のつづきを待った。

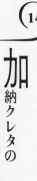

14 加納クレタの新しい出発

加納クレタは話を続けた。

「それから何日かのあいだ、私は体がばらばらにほどけてしまったような感覚の中で生きていました。歩いていても、足がきちんと地面を踏んでいるという感覚がないのです。ものを食べていても、自分がそれを咀嚼《そしやく》しているという感触がないのです。じっとしているとしばしば、自分の体が底もなければ天井もない空間をどこまでも果てしなく落下していくような、あるいは風船のようなものに引っ張られてどこまでも果てしなく上昇していくような、そういう恐怖を感じました。私には自分の肉体の動きや感覚を自分自身につなぎ止めておくことができなくなっていました。それらは私の意思とは無関係に、好き放題に動きまわっているようでした。そこには秩序もなく、方向もありませんでした。でも私はその激しい混沌《こんとん》を鎮《しず》める術《すべ》を知りませんでした。私にできることといえば、しかるべき時期がきてそれが収まるのをただおとなしく待っていることだけでした。家の者には体の具合があまりよくないからと言って、朝から夜まで自分の部屋に閉じこもり、ほとんど何も食べずにじっとしていました。

何日かがそんな混乱のうちに経過しました。三日か四日くらいだったと思います。そしてそのあとで、まるで激しい嵐《あらし》が過ぎ去ったかのようにすべてがぴたりと静まり、停止しました。私はあたりを見まわし、そこにいる自分自身の姿を眺めました。そして自分がそれまでとは違う新しい人間になっていることを知りました。つまりそれは三番目の私自身でした。いちばん最初の私は、絶え間のない激しい苦痛の中に煩悶《はんもん》して生きる私でした。二番目の私は苦痛なき無感覚の中に生きる私でした。最初の私は原初の状態の私です。私は苦痛という重いくびきをどうしても首からはずすことができませんでした。そして無理にそれをはずそうとしたときに——つまり自殺を試み、それが失敗に終わったときにということですが——私は第二の私になったのです。それはいわば中間地点の私でした。それまで私を苦しめ苛《さいな》んでいた肉体の苦痛はたしかに消え去りました。しかし他の感覚もそれと同時に後退し霞《かす》んでしまったのです。生きる意思や、肉体的活力や、精神の集中力、そういうものまでが苦痛と一緒にすべて消えてしまったのです。そしてそのような奇妙な過渡期を通過して、今私は新しい私となりました。それが本来あるべき私の姿なのかどうか、自分ではまだわかりませんでした。でも私は、ほんとうに漠然《ばくぜん》とではあるけれど、自分が正しい方向に向かって進んでいるのだという感触を持つことができました」

加納クレタは顔を上げて僕の目をじっと見た。まるで自分の話に対する感想を求めるみたいに。彼女の両手はまだテーブルの上に置かれていた。

「つまり、その男が君に新しい自己をもたらしたということなんだね？」、僕はそう尋ねてみた。

「おそらくそういうことになるかと思います」と加納クレタは言った。そして何度かうなずいた。彼女の顔は、まるで干あがった池の底みたいに、表情というものを欠いていた。「その男に愛撫《あいぶ》され、抱かれ、生まれて初めて理不尽なほどの性的な快感を得ることによって、私の肉体に何らかの大きな変化が生じたのです。どうしてそのようなことが起こったのか、そして何故《なぜ》それがよりによってあの男の手でなされなくてはならなかったのか、私にはわかりません。しかし経過がどのようなものであれ、気がついたときには私は既にその新しい入れ物の中に入っていたわけです。そして、先程も申し上げましたような深い混乱をいちおう通り抜けたあとで、私はその新しい自己を『より正しいもの』として受け止めようとしました。何はともあれあの深い無感覚の中から脱出できたのだし、私にとってはそれはまさに息苦しい牢獄《ろうごく》のようなものだったのです。

　でも、後味の悪さは、それからあとも長いあいだ暗い影として私につきまとっていました。その十本の指のことを思いだすたびに、彼が私の中に入れた何かのことを思いだすたびに、私の中から出てきた（あるいは出てきたと感じた）ぬるぬるした塊のようなものを思いだすたびに、私は落ちつかない気持ちになりました。持っていき場のない怒りを感じ、絶望感を感じました。私はその日の出来事を何もかも記憶の中から消し去ってしまいたいと思いました。でもそれはできませんでした。何故ならその男は私の体の中の何かをこじあけたからです。そのこじあけられた感触は、男の記憶と一体になっていつまでも残っておりました。そして私の中には紛れもない汚《けが》れのようなものがありました。それは矛盾した感情でした。おわかりになりますか？　私の通過した変貌《へんぼう》そのものはおそらく正しいものです。間違ってはいないものです。でもその一方で、その変貌をもたらしたものは汚れているものです。間違っているものです。そのような矛盾なり分裂が長いあいだ私を苦しめることになりました」

　加納クレタはまたしばらくテーブルの上の自分の手を眺めていた。

「それから私は体を売るのをやめました。もうそんなことをする意味はなくなってしまったからです」と彼女は言った。加納クレタの顔には相変わらず表情らしきものは浮かんでいなかった。

「簡単にやめることができたの？」と僕は訊《き》いてみた。

　加納クレタはうなずいた。「何も言わずに私はただあっさりとやめてしまったんです。でも特に何も問題はありませんでした。あっけないくらいでした。きっと電話くらいかかってくるだろうと予想して覚悟はきめていたのですが、彼らはそれっきり何も言ってきませんでした。彼らは私の住所も電話番号も知っていました。脅迫することだってできました。でも結局何も起こりませんでした。

　そのようにして私は、表面的には普通の女の子に戻りました。その頃《ころ》には親に借りたお金を全額返してしまっていましたし、その上かなりの蓄えさえありました。兄は返したお金でまたろくでもない新しい車に乗っていました。私がそのお金を返すために何をしたかなんて、彼には想像もつかなかったでしょう。

私には新しい自分自身に慣れる時間が必要でした。自分というのはどういう存在なのか、それはどのように機能するのか、それは何をどのように感じるのか、そういうことをひとつひとつ経験的に把握《はあく》し、記憶し蓄積していかなくてはならなかったのです。おわかりになりますでしょうか？　私の中にあったものはあらかたこぼれ落ちて、失われてしまいました。私は新しいものであると同時に、ほとんどからっぽに近いものだったのです。私はその空白を少しずつ埋めていかなくてはなりません。私というものを、あるいは私というものを形成しているものを、自分の手でひとつひとつ作っていかなくてはならないのです。

私はまだ学生の身分でしたが、大学に戻る気はありませんでした。私は朝家を出て、公園に行き、何もせずにただひとりでベンチに座っていました。あるいは公園の中の道をただ歩きまわり、雨が降ると図書館に行き、机の前に本を置いてそれを読むふりをしていました。映画館に一日いたこともありますし、山手線に乗って一日ぐるぐると回っていたこともあります。まるでひとりぼっちで真っ暗な宇宙に浮かんでいるみたいな気がしました。私には相談をする相手もいませんでした。加納マルタになら何もかも包み隠さず打ち明けられたのですが、前にも申し上げましたように、姉はその当時遥《はる》か離れたマルタ島に籠《こ》もって修行を積んでおりました。住所もわからず、連絡を取ることすらできません。そんなわけで私は何もかも自分ひとりの力で解決しなくてはなりませんでした。私の経験したようなことを解明してくれる本など一冊だってありませんでした。でも私は孤独ではありましたが、不幸ではありませんでした。私は自分自身にしっかりとしがみついていることができました。少なくとも今では自分自身というしがみつくべきものがあったのです。

その新しい私は、以前ほど激しくではありませんが、苦痛というものを感じることができました。しかしそれと同時に、私はいつのまにかその苦痛から逃げる方法を身につけておりました。つまり私は、その苦痛を感じている肉としての私から離れることができるのです。おわかりになりますか？ 自分を肉である自分と肉でない自分とに分割することができるのです。口で説明すると難しいように思われるかもしれませんが、一度その方法を覚えてしまうと、実際にはそれほど難しいことではありません。苦痛がやってくると、私は肉である自分を離れます。誰か会いたくない人がやってきたときに、こっそりと隣の部屋に移るようにです。それはとても自然にできるのです。私は自分の肉に苦痛が及んでいることを認識します。苦痛の存在を感じます。しかし私はそこにはいません。私がいるのはその隣の部屋です。だからその苦痛のくびきは私を捕らえることができないのです」

「すると君は、いつでも好きなときに自分をそんな風に分離できるわけなの？」

「いいえ」と加納クレタは少し考えてから言った。「最初のうち、私にそれができるのは、私の肉体に物理的な苦痛が及んだときだけでした。つまり苦痛というのが、私の意識分離の鍵《かぎ》なのです。あとになって加納マルタの助けを借りて、私はある程度意識的にその分離をおこなえるようになりました。しかしそれはもっとあとのことです。

そうこうしているうちに、加納マルタから手紙が届きました。彼女は三年間にわたるマルタ島での修行のようなものをようやく終了したので、一週間のうちに日本に帰ってくるというのです。そしてそれからはもう何処《どこ》にも行かずずっと日本に住むということでした。私はマルタに再会できることを喜びました。私たちはもう七年か八年のあいだ一度も顔を合わせていませんでした。そしてマルタはさっきも申し上げましたように、この世の中で私が心を許して何もかも話すことができる唯《ただ》ひとりの人間だったのです。

マルタが帰国したその日に、私は彼女にそれまでに起こったことを残らず話してしまいました。マルタは私の長い奇妙な話を黙ってじっと最後まで聞いていました。質問ひとつしませんでした。そして私が話し終えると、深いため息をついてこう言いました。『ほんとうは私がずっとお前のそばについて、見守っていなくてはならなかったんだろうね。お前がそれほど深い問題を抱えていたということに、どういうわけか、私は気がつかなかったんだ。それはお前が私にあまりにも近い存在だったからかもしれない。でもいずれにせよ私には、どうしてもやらなくてはならないことがあったんだ。私はひとりでいろんなところに行かなくてはならなかった。そしてそれは選びようのないことだったんだよ』

そんなことは別に気にしなくていいと私は言いました。これは私の問題なのだと、結局のところ私はこれでも少しずつはましになっているのだからと。加納マルタはしばらくじっと黙って考えていました。それからこう言いました。

『私が日本を出ていってからこれまでのあいだにお前がくぐり抜けてきたいろんな出来事は、

お前にとって辛《つら》く酷《むご》いことだったと思う。しかしお前も言ったとおり、何はともあれお前は自分のあるべき姿に少しずつ段階的に近づいてるのだと思う。いちばん辛い時期はもう通り過ぎてしまったし、もう戻ってはこない。そんなことは二度とはお前の身に起こらない。簡単なことではないけれど、ある程度の時間がたてば、いろんなことは忘れてしまえる。でも本当の自分というものがなくては、人はそもそも生きていくことはできないんだよ。それは地面と同じなんだ。地面がなかったら、そこに何かを作るということはできないんだからね。

ただひとつ、覚えておかなくてはならないことは、お前のからだはその男に汚されてしまったということだ。それは本来なされてはならないことだったのだ。下手をすればお前は永遠に失われて、まったくの無のなかをいつまでも彷徨《さまよ》っていなくてはならなかったかもしれないんだ。でもうまい具合に、そのときのお前の存在はたまたま本来のお前ではなかったから、それが逆にうまく作用したのだよ。それによって、お前はその〈かりそめのお前〉から逆にうまく解放されることができた。それはほんとうに幸運なことだった。しかしそれでも、その汚れはお前の中に残っているし、どこかでその汚れを落とさなくてはならない。しかし私にはお前のためにそれを洗い落としてやることができない。その具体的な方法もわからない。それはお前が自分でみつけて、自分でやるしかないことなのだろうね』

そして姉は私に加納クレタという新しい名前をつけてくれました。新しく生まれかわった私には新しい名前が必要だったのです。私はその名前がすぐに好きになりました。そして加納マルタは私を霊媒として用いるようになりました。彼女の指導のもとに、私は新しい自己を統御し、肉と精神を分ける方法を少しずつ学んでいきました。私はようやく、生まれて初めて、平穏な気持ちのうちに生活を送ることができるようになりました。もちろん私はまだ本当の私というものを手に入れてはいません。そこには欠けたものがいっぱいあります。でも今では私の隣には、加納マルタという頼ることのできる相手がいます。彼女は私を理解し、受け入れてくれました。彼女は私を導き、しっかりと守ってくれました」

「そしてそこで、君は綿谷ノボルにもう一度出会うことになったんだね？」

加納クレタはうなずいた。「そうです。私は綿谷ノボル様と再会することになりました。それは今年の三月初めのことでした。私が最初に綿谷様に抱かれ、変貌を遂げて、加納マルタとともに働くようになってから五年以上が経過していました。綿谷様は私の家にマルタを訪ねていらっしゃって、そこで私たちは顔を合わせたのです。口をきいたわけではありません。家の玄関で一瞬ちらっと見かけただけです。でも私はその顔を一目見て、電気に打たれたように立ちすくんでしまいました。それは最後に私を買ったあの男だったからです。

私は加納マルタを呼んで、あれが私を汚した男なのだと教えました。『わかった。あとのことは私がぜんぶ引き受けるから、お前は何も心配しないでいい』と姉は言いました。『お前は奥にひっこんでじっとしていなさい。決してあの男の前に顔を見せるんじゃないよ』。私は言われたとおりにしました。ですから彼と加納マルタがそこでどのような話し合いを持ったのか、私にはわかりません」

「綿谷ノボルはいったい何を求めて加納マルタのところに来たのだろう？」

加納クレタは首を振った。「私には何もわかりません、岡田様」

「でも人々は普通、君たちのところに何かを求めてやってくるわけだね」

「そうです。そのとおりです」

「たとえばどんなことを彼らは求めているんだろう？」

「あらゆることです」

「あらゆることというと？」

加納クレタは少し唇《くちびる》を嚙《か》んでいた。「探し物、運命、未来……なんでもです」

「そして君たちにはそれがわかるのかな？」

「わかります」と加納クレタは言った。そして自分のこめかみを指さした。「もちろん何もかもがわかるというわけではありません。でも答えの多くはここに入っています。中に入っていけばいいのです」

「井戸の底に下りるように？」

「そうです」

僕はテーブルに肘《ひじ》をついてゆっくりと深呼吸した。

「もし教えてもらえるものなら、ひとつ君に教えてほしいことがあるんだ。君は僕の夢の中に何度も出てきた。そしてそれは意図的に君の意思によって行われている。そうだね」

「そのとおりです」と加納クレタは言った。「それは意図的に行われたことです。私は岡田様の意識の中に入って、そこで岡田様と交わりました」

「君にはそういうことができる」

「できます。それは私の役目のひとつです」

「僕と君とは意識の中で交わった」と僕は言った。実際に口に出してしまうと、なんとなく真っ白な壁の上に大胆な超現実主義絵画をひとつかけたような気分になった。僕はそれが曲がってかけられていないかどうか遠くから眺《なが》めるように、もう一度繰り返して口にした。「僕と君とは意識の中で交わった。でも僕は君たちに対して何かを頼んだわけではない。僕が何かを知りたいと思ったわけじゃない。そうだね？　なのにどうして君はわざわざ僕とそんなことをしなくてはならなかったのだろう？」

「そうするようにと加納マルタに命じられたからです」

「とすると、加納マルタは霊媒としての君を使って、僕の意識を探ることによって、その中に何かの答えを見いだそうとしていたわけだね。それは何故だろう？　それは綿谷ノボルに依頼されたことに関しての答えだろうか、それともクミコに依頼されたことに関しての答えだろうか？」

加納クレタはしばらく黙っていた。彼女は迷っているように見えた。「私にはそれはわかりません。詳しい情報を与えられていないのです。情報を与えられない方が、霊媒としてはより自発的になれるからです。私はただ通過させるものなのです。そこで見いだされたものに意味を付与するのは加納マルタの役目です。でも岡田様におわかりいただきたいのは、加納マルタは基本的には岡田様の味方だということです。何故なら私は綿谷ノボル様を憎んでいますし、加納マルタは何よりも私のためを思っている人間だからです。加納マルタはたぶん岡田様のためにそれをしていたのだと私は思います」

「ねえ加納クレタさん、僕にはよくわからないんだけど、君たちが登場してきてから僕のまわりではいろんなことが起こり始めた。そういうのがぜんぶ君たちのせいだと言っているわけじゃない。あるいは君たちは僕のために何かをしてくれていたのかもしれない。でもはっきりと言って、僕がそれによって幸せになったとはどうしても思えないんだ。むしろ逆にいろんなものを失ってしまった。いろんなものが僕のもとを去っていってしまった。最初に猫《ねこ》が消えた。それから女房が消えた。クミコはあとで手紙をくれて、長いあいだ他の男と寝ていたと打ち明けた。僕には友達だっていない。仕事だってない、収入だってない。将来の展望もなければ、生きていくための目的もない。それが僕のためになっているんだろうか？君たちは僕とクミコに対していったい何をしたんだろう？」

「おっしゃっておられることはもちろんよくわかります。お腹立ちになられるのも当然です。すべてを明確にご説明できればとは思うのですが」

　僕はため息をついて、右頰《みぎほお》の上のあざに手を触れた。「まあ、それはいいよ。ただの独り言みたいなものだから、別に気にしなくてもいいよ」

　そして彼女はじっと僕の顔を見ながら言った。「たしかに岡田様のまわりではこの何ヵ月かのあいだにいろんなことが起こりました。それについては私たちにも幾分かの責任があるかもしれません。でもそれは遅かれ早かれいつかは起こらなくてはならないことだったのではないかと私は思うのです。そしていつか起こらなくてはならないことであったのなら、それは早く起こった方がかえってよかったのではないでしょうか？ 私は本当にそんな風に感じているのですよ。いいですか、岡田様、もっとひどいことにだってなったのです」

加納クレタは近所のスーパーマーケットに食料品を買いに行くと言って家を出ていった。僕は買い物の金を渡し、外に出るのならもう少しきちんとした服に着がえていった方がいいんじゃないかと言った。彼女はうなずいて、クミコの部屋に行って白い木綿のブラウスとグリーンの花柄《はながら》のスカートを着てきた。

「私が奥様の服を勝手に着てしまって、岡田様は気になさらないのですか？」

僕は首を振った。「手紙には全部捨ててくれと書いてあったんだ。君が着たって誰も気にはしないよ」

服は思ったとおり、全部加納クレタにぴったりだった。不思議なくらいぴったりだった。靴《くつ》のサイズまで同じだった。加納クレタはクミコのサンダルを履いて家を出ていった。クミコの服に身を包んだ加納クレタの姿を見ていると、また少し現実が方向をずらせつつあるように感じられた。巨大な客船がゆっくりと舵《かじ》を切るみたいに。

加納クレタが出ていったあと、僕はソファーに横になってぼんやりと庭を眺めていた。三十分ほどで加納クレタは食料品を詰めた大きな紙袋を三つ抱えてタクシーで戻ってきた。そして彼女は僕のためにハム・エッグとイワシのサラダを作ってくれた。

「岡田様はクレタ島には興味はおありですか？」、食事のあとで加納クレタは突然僕に訊いた。

「クレタ島？」と僕は言った。「あの地中海のクレタ島のこと？」

「そうです」

僕は首を振った。「わからないな。興味があるもないも、クレタ島についてとくに考えたことがないんだ」

「私と二人でクレタ島に行くおつもりはありませんか？」

「君と一緒にクレタ島に行く？」と僕は繰り返した。

「実を言うと、私はしばらく日本を離れるつもりでいるのです。私は岡田様と別れて一人で井戸の中にいるあいだずっとそのことについて考えていました。私は自分の名前がつけられたときからずっと、その島にいつか行こうと思っていたのです。そのために私はクレタ島について書かれたいろんな本を読みました。そこでゆくゆく生活できるように一人でギリシャ語の勉強だってしてしていたのです。私には当分のあいだ生活に困らないだけのかなりの蓄えがあります。お金のことでしたら心配なさることはありません」

「君がクレタ島に行くことは加納マルタは知っているのかな？」

「いいえ、加納マルタにはまだ何も打ち明けておりません。でも私が行きたいといえば、姉は反対はしないはずです。おそらくそれは私にとっていいことだと彼女は思うでしょう。姉はこの五年間、私を霊媒として使ってきましたが、それは姉がただ単に私を道具として利用していたということではないのです。彼女はそうすることによって、ある意味で私の回復を助けていたのです。いろんな人々の意識なり自我なりを私に通過させることによって、私が自分というものを獲得することが可能になると、姉は考えていたのだと思います。おわかりになりますでしょうか？　それはいわば自我の疑似体験のようなものなのです。

考えてみれば、私はこれまでに誰かに向かって『自分はどうしてもこれをやりたいんだ』とはっきりと口にしたことはただの一度もありませんでした。実際のことを言えば、私は『自分はどうしてもこれをやりたい』と思ったこともなかったのです。私は生まれてからずっと苦痛というものを中心に据《す》えた人生を送って参りました。厳しい苦痛となんとか共存することをほとんど唯一《ゆいいつ》の目的として生きてきたわけです。そして二十歳になって、自殺未遂の失敗によってその苦痛が消えてしまったあとは、そのかわりに深い深い無感覚がやってきました。私はまるで歩く屍《しかばね》のようなものでした。分厚い無感覚のヴェールが私の全身に覆《おお》いかぶさっておりました。私の意思と呼べるようなものは、そこにはかけらもありませんでした。そして私は綿谷ノボル様によって肉体を犯され、意識をこじあけられることで、第三の私を獲得しました。それでも私はまだ私自身ではありませんでした。私は必要最低限の入れ物を手に入れただけのことでした。ただの入れ物です。そして入れ物としての私は、加納マルタの指導のもとにいろんな自我を通過させました。それが二十六年間にわたる私の人生だったのです。想像してみてもください。二十六年のあいだ私は何ものでもなかったのです。

私は井戸の中でひとりで考えているときにそのことにはっと気がつきました。私という人間は、こんなにも長いあいだまったく何ものでもなかったのだと。私はただの娼婦《しょうふ》に過ぎなかったのです。私は肉体の娼婦であり、意識の娼婦だったのです。

でも今私は、新しい私自身を手に入れようとしています。私は入れ物でも通過物でもありません。私はこの地面の上に私自身を打ち立てようとしております」

「君の言っていることはわかるよ。でもどうして君は僕と一緒にクレタ島に行きたいんだろう？」

「私にとっても岡田様にとってもそれがおそらく良いことだからです」と加納クレタは言った。「当分のあいだ、私たちは二人ともここにいる必要もないし、だとすればむしろいない方がいいという気がするのです。岡田様はこれから先、何か他にご予定のようなものがおありなんですか、身の振り方というようなことで？」

僕は黙って首を振った。

「私たちはふたりとも、どこかから新しく何かを始めなくてはならないんです」、加納クレタは僕の目を見ながら言った。「そしてクレタ島に行くというのは、悪くない手始めだと思うんです」

「悪くないかもしれない」と僕は認めた。「かなり唐突な話だとは思うけれど、手始めとしては悪くないかもしれない」

加納クレタは僕に向かってにっこりと微笑《ほほえ》んだ。考えてみたら、加納クレタが僕に向かって微笑みかけたのはそれが初めてだった。彼女が笑うと、歴史が少しだけ正しい方向に向けて進みはじめたような気がした。「まだ時間はあります。これから急いで支度をするといってもおそらく出発の準備に二週間くらいはかかるでしょう。そのあいだにゆっくりお考えになって下さい。私が岡田様に何かを差し出すことができるのかどうか、私にはわかりません。私には今のところ差し出すべき何もないように思えます。私は本当に文字どおりからっぽだからです。そのからっぽの入れ物に、私はこれから少しずつ中身を入れていこうとしているところなのです。でもそれでかまわないと言われるのなら、私はこの自分自身を岡田様に差し出すことができます。私たちは助けあうことができると思うんです」

僕はうなずいた。

「でも僕にはその前に考えなくちゃならないこともあるし、片づけなくちゃいけないこともある」

「もし仮に岡田様がやはりクレタ島には行かないとおっしゃっても、私はそのことで傷ついたりはしません。残念だとは思いますが、遠慮なくおっしゃってください」

加納クレタはその夜も僕の家にいた。彼女は夕方に近所の公園まで散歩しないかと僕を誘った。それで顔のあざのことは忘れて家の外に出てみることにした。いちいちそんなことを気にしていても仕方ないじゃないかと僕は思った。僕らは気持ちの良い夏の夕暮れどきを一時間ばかり散歩してから家に帰り、簡単な食事をした。

散歩をしているときに、僕は加納クレタにクミコからの手紙の内容を詳しく話した。彼女はおそらく二度とここには戻ってこないだろうと僕は言った。彼女には他に恋人がいて、二ヵ月以上もその男と寝ていたのだ。その男とはもう別れたらしいけれど、かといって僕のところに帰ってくるつもりもないのだと。加納クレタは黙って僕の話を聞いていた。それについての感想のようなものは何も口にしなかった。どうやら彼女はそんな経緯はぜんぶもう既に承知していたらしかった。たぶんこのあたりでは僕がいちばん何も知らない人間だったのだろう。

食事のあとで加納クレタは僕と寝たいと言った。僕と肉体的に性交したいと言った。急にそう言われてもどうしていいのかわからなかった。「急にそう言われてもどうしていいのかよくわからないんだ」、僕は加納クレタに正直に言った。

加納クレタは僕の顔をじっと見て言った。「岡田様が私と一緒にクレタ島にいらっしゃるにせよ、いらっしゃらないにせよ、それとはべつに、私は岡田様にただ一度だけでいいから私を娼婦として抱いてほしいのです。今夜ここで、私は岡田様に私の肉体を買っていただきたいのです。そして私はそれを最後に、意識的にも肉体的にも娼婦であることをきっぱりとやめるつもりです。私は加納クレタという名前さえ捨ててしまおうと思っています。でもそのためには、ここで終わりという目で見える区切りがほしいのです」

「区切りがほしいというのはわかるけれど、どうして僕と寝なくてはならないんだろう？」

「よろしいですか、私は現実の岡田様と現実に交わることで、岡田様という人間の中を抜けたいのです。そこを通過することによって、私は自分の中の汚れのようなものから解放されたいのです。それが区切りです」

「ねえ、悪いけれど僕は他人の肉体を買ったりしない」

加納クレタは唇を噛んだ。「こうしましょう。お金のかわりに奥様の洋服を何着かください。そして靴も。それが形式的には私の肉体の代価になります。それでいいでしょう？　そうすることによって、私は救われるのです」

「君が救われるというのは、つまり綿谷ノボルが最後に君の中に残した汚れから君が解放されるということなのかな？」

「そういうことです」

僕は加納クレタの顔をしばらく見ていた。つけまつげのない加納クレタの顔はいつもよりずっと子供っぽく見えた。「ねえ、綿谷ノボルというのはいったい何ものなんだ？　あの男は僕の女房の兄貴だ。でも考えてみれば、僕はあの男のことをほとんど何も知らないんだ。僕は彼がいったい何を考えているのか、何を求めているのか……僕にはまったくわからない。僕にわかっているのは、我々がお互いを嫌《きら》いあっているということだけだ」

「綿谷ノボル様は岡田様とはまったく逆の世界に属している人です」と加納クレタは言った。それからしばらく口を噤《つぐ》んで言葉を探していた。「岡田様が失っていく世界で、綿谷様は獲得していきます。岡田様が否定される世界で、綿谷様は受入れられていきます。またその逆のことも言えます。だからこそあの方は岡田様のことを激しく憎んでおられるのです」

「僕にはそこがよくわからないな。あの男にとっては僕の存在なんて目にも入らないくらいちっぽけなものじゃないか。綿谷ノボルは有名だし、力もある。それに比べれば僕はまったくのゼロだ。そんなものを、どうして手間暇かけて憎んだりしなくてはいけないんだろう」

加納クレタは首を振った。「憎しみというのは長くのびた暗い影のようなものです。それがどこからのびてくるのかは、おおかたの場合、本人にもわからないのです。それは両刃の剣です。相手を切るのと同時に自分をも切ります。相手を激しく切るものは、自分をも激しく切ります。命取りになる場合もあります。でも捨てようとして簡単に捨てられるものではないのです。岡田様もお気をつけになってください。それは本当に危険なのです。一度心に根づいた憎しみを振り落とすのは至難の業です」

「君はそれを感じることができるんだね、綿谷ノボルの中にあったその憎しみの根源のようなものを？」

「感じることができます」と加納クレタは言った。「それが私の肉をふたつに裂き、汚したのですよ、岡田様。だからこそ私はあの人を、娼婦としての私の最後のお客にはしたくないのです。おわかりになりますか？」

その夜に、僕はベッドに入って彼女を抱いた。僕は加納クレタの着たクミコの服を脱がせ、彼女と交わった。それは静かな交わりだった。加納クレタと交わるのは、なんだか夢の延長のように感じられた。夢の中で加納クレタとやった行為を、そのまま現実でなぞっているみたいに思えた。それは本物の生身の肉体だった。でもそこには何かが欠けていた。それははっきりとこの女と交わっているという実感だった。僕は加納クレタと交わりながら、ときどきクミコと交わっているような錯覚にさえ襲われた。僕は射精するときに、これできっと目が覚めてしまうんだろうと思った。でも目は覚めなかった。僕は彼女の中に射精していた。それは本物の現実だった。でもこれが現実だと僕が認識するたびに、現実は少しずつ現実らしくなっていくような気がした。現実が少しずつ現実からずれて、離れていくのだ。そしてしかもそれはやはり現実なのだ。

「岡田様」と加納クレタは僕の背中に両手を巻きつけながら言った。「二人でクレタ島に行きましょう。私にとっても、岡田様にとっても、ここはもういるべき場所ではないのですよ。私たちはクレタ島に行かなくてはならないのです。ここに残っていると、岡田様の身にはいつか必ず悪いことが起こります。私にはそれがわかるのです」

「悪いこと？」

「とても悪いことです」と加納クレタは予言した。森の中に住む予言の鳥のように、小さなよく通る声で。

15

正しい名前、夏の朝にサラダオイルをかけて焼かれたもの、不正確なメタファー

朝になると、加納クレタは名前を失っていた。

夜明けの少しあとに、加納クレタは僕をそっと起こした。僕は目を覚まし、目をあけてカーテンの隙間《すきま》から差し込んでくる朝の光を見た。それからベッドの隣に身を起こして僕を見ている、彼女の姿を見た。寝巻がわりに僕の古いTシャツを着ていたが、それが彼女の身につけているすべてだった。朝の光の中で、その陰毛は淡い色に輝いていた。

「ねえ岡田様、私にはもう名前がないんです」と彼女は言った。彼女は娼婦であることをやめ、霊媒であることをやめ、加納クレタであることをやめたのだ。

「オーケー、君はもう加納クレタじゃない」と僕は言った。そして指の腹で目をこすった。「おめでとう。君はもう新しい人間だ。でも名前がないとなると、これからは君のことをなんて呼べばいいんだろう？ 名前がないと、たとえばうしろから呼びかけるようなときに困

るからね」

彼女は――昨夜までは加納クレタであったその女は――首を振った。「わかりません。たぶん何か新しい名前を探さなくてはいけないのでしょうね。私は昔は本名を持っていました。それから娼婦をしているときには、もう二度と口にしたくはありませんが、その仕事のための仮の名前がありました。娼婦をやめたときは加納マルタが、霊媒としての私のために『加納クレタ』という名前をつけてくれました。でも私はもうそのうちのどれでもないわけですから、新しい私のためのまったく新しい名前が必要だと思うんです。岡田様には何かお心当たりはありませんでしょうか？　新しい私にふさわしい名前のようなものが」

しばらく考えてみたが、適当な名前は思いつけなかった。「それはたぶん君が自分でみつけなくちゃいけないんじゃないかな。君はこれから新しい自立した人間になるわけだからね。たとえ時間が長くかかっても、きっとその方がいいと思うね」

「でも、自分のための正しい名前をみつけるというのは難しいことですね」

「もちろん簡単なことじゃない。名前というのはある場合には全部を表すものだからね」と僕は言った。「あるいは僕も、君と同じようにここで一度名前をすっかりなくしてしまった方がいいのかもしれない。そういう気がするんだ」

加納マルタの妹はベッドの上で身を起こして、手をのばし、指先で僕の右頰《みぎほお》に触れた。そこにはまだ赤ん坊の手のひらくらいの大きさのあざがあるはずだった。

「もし岡田様がここで名前をなくしてしまったら、私は岡田様のことをなんて呼べばいいんでしょうね」

「ねじまき鳥」と僕は言った。少なくとも僕には新しい名前だけはある。

「ねじまき鳥さん」と彼女は言った。そしてその名前をしばらく空中に浮かべて眺《なが》めていた。

「素敵な名前だと思うけれど、それはいったいどんな鳥なのですか？」

「ねじまき鳥は実在する鳥なんだ。どんな恰好《かっこう》をしているかは、僕も知らない。僕も実際にその姿を見たことはないからね。声だけしか聞いたことがない。ねじまき鳥はその辺の木の枝にとまってちょっとずつ世界のねじを巻くんだ。ぎりぎりという音を立ててねじを巻くんだよ。ねじまき鳥がねじを巻かないと、世界が動かないんだ。でも誰もそんなことは知らない。世の中の人々はみんなもっと立派で複雑で巨大な装置がしっかりと世界を動かしていると思っている。でもそんなことはない。本当はねじまき鳥がいろんな場所に行って、行く先々でちょっとずつ小さなねじを巻いて世界を動かしているんだよ。それはぜんまい式のおもちゃについているような、簡単なねじなんだ。ただそのねじを巻けばいい。でもそのねじはねじまき鳥にしか見えない」

「ねじまき鳥」と彼女はもう一度繰り返した。「世界のねじを巻くねじまき鳥さん」

僕は顔をあげてあたりを見まわしてみた。見慣れたいつもの部屋だった。僕はその部屋でこの四年か五年のあいだずっと眠ってきたのだ。でも部屋は不思議なくらいがらんとして、広々として見えた。「でも残念ながら、どこに行けばねじがあるのか、僕にはわからない。そのねじがどんな恰好をしているのかもわからない」

彼女は僕の肩の上に指を置いた。そして指先で小さな円を描いた。

僕は仰向けになって、胃袋のようなかたちをした天井の小さなしみを、長いあいだじっと眺めていた。そのしみは僕の枕《まくら》のまっすぐ上にあった。そんなしみの存在に気づいたのは初めてだった。いったいいつからしみはこの場所にあったのだろうと僕は思った。たぶん僕らが住むようになる前からここについていたのだろう。そして僕とクミコがこのベッドで一緒に寝ているあいだずっと静かに、息を殺して僕らの真上にへばりついていたのだ。そしてある朝、僕はふとその存在に気がつくのだ。

僕はすぐ隣に、かつて加納クレタであった女の息のぬくもりを感じた。その肉体の柔らかな匂《にお》いをかぐことができた。彼女はまだ僕の肩の上に小さな円を描きつづけていた。できることなら手をのばして彼女の体をもう一度抱きたかったけれど、それが正しいことなのかどうか、判断がつかなかった。上下左右の関係があまりにも入り組みすぎている。僕は考えることを放棄して、そのまま黙って天井を眺めつづけていた。やがて加納マルタの妹は僕の体の上に屈《かが》み込んで、右の頬にそっとキスをした。彼女のやわらかい唇《くちびる》があざに触れると、僕は深い痺《しび》れのようなものを感じた。

僕は目を閉じて、世界の音に耳を澄ませた。どこかで鳩《はと》の鳴く声が聞こえた。ホウ、ホウ、ホウと我慢強く鳩は鳴いていた。その声は世界に対する善意に満ちていた。それは夏の朝を祝福し、一日の始まりを人々に告げていた。でもそれだけでは足りないんだよと僕は思った。誰かがねじを巻かなくてはならないのだ。

「ねじまき鳥さん」とかつて加納クレタであった女は言った。「あなたはきっといつか、そのねじをみつけることができると思います」

僕は目を閉じたままたずねた。「もしそうなったら、もしいつか僕がねじをみつけて、それを巻くことができたら、僕のまわりにもう一度まともな生活が戻ってくるだろうか？」

彼女は静かに首を振った。彼女の目には微《かす》かな哀《かな》しみのようなものがひっそりと漂っていた。それは空のずっと上の方に浮かんだひとかけらの雲のように見えた。「私にはわかりません」と彼女は言った。

「誰にもわからない」と僕は言った。

世の中にはわからない方がいいこともあるのです、と間宮中尉《ちゅうい》は言った。

加納マルタの妹は美容院に行きたいと言った。彼女は金というものを一銭も持っていなかったので（文字通り裸の体ひとつでうちにやってきたのだ）、僕は金を貸した。彼女はクミコのブラウスを着て、クミコのスカートとサンダルを履いて、駅の近くにある美容院に行った。クミコがいつも行っていた美容院だった。

加納マルタの妹が出ていったあと、僕は久しぶりに床に掃除機をかけ、たまっていた洗濯《せんたく》ものを洗濯機に入れた。それから自分の机の引き出しを全部引っ張りだして、中にあったものをそっくり段ボール箱に開けた。そこから必要なものだけを選びだし、あとは焼いてしまうつもりだったが、必要なものなんて実際にはほとんどなかった。そこにあったほとんど全部が不用品だった。古い日記、返事を書こうと思いつつ長いあいだそのままになっていた手紙、予定が細かく書き込まれた昔の手帳、僕の人生を通り過ぎていった人々の名前が並んでいる住所録、変色してしまった新聞や雑誌からの切り抜き、期限の切れたプールの会員証、テープレコーダーの説明書と保証書、半ダースほどの使いかけのボールペンと鉛筆、メモ用紙に書き留めた誰かの電話番号のメモ（今となってはそれが誰の電話番号なのか見当もつかない）。それから僕は箱に入れて押入れに保管していた古い手紙を全部焼いた。手紙の半分近くはクミコからのものだった。僕らは結婚前によく手紙のやりとりをしたのだ。封筒の上にクミコの例の細かい丁寧な筆跡が並んでいた。彼女の筆跡は七年前からほとんど変化していなかった。インクの色まで同じだった。

僕はその段ボール箱を持って庭に出て、その上からたっぷりとサラダオイルをかけ、マッチで火をつけた。箱は景気よく燃え上がりはしたが、それだけのものが全部灰になってしまうまでには、思ったより長い時間がかかった。風のない日だったので、白い煙は地面からそのまままっすぐ夏の空へと立ちのぼっていった。『ジャックと豆の木』に出てきた、雲の上にまで伸びる巨大な木みたいに見えた。それをどんどん登っていくと、ずっと上の方には僕の過去が、みんなで集まって楽しく暮らしている小さな世界があるのかもしれない。僕は庭石の上に腰を下ろして汗をかきながら、その煙の行方をじっと眺めていた。より暑い午後の到来を予告する、暑い夏の朝だった。着たTシャツは汗でべっとりと体に張りついていた。

古いロシアの小説では、手紙というものはだいたい冬の夜に暖炉の火で焼かれる。夏の朝に庭でサラダオイルをかけて焼かれたりはしない。でもこの我々のみっともないリアリスティックな世界においては、人は夏の朝に汗まみれで手紙を焼くことだってあるのだ。世の中にはより好みができないことだってある。冬まで待っていられないことだってある。

それらがだいたい燃えつきてしまうと、バケツに水を汲《く》んで持ってきて、上からかけて火を消した。そして残った灰を靴底《くつぞこ》で踏み潰《つぶ》した。

自分の方を片づけてしまうと今度はクミコの部屋に行って、彼女の机の中を調べてみた。クミコが家を出ていったあとも、僕はその中身を調べたりはしなかった。あまり礼儀にかなったことではないような気がしたからだった。でも二度と帰ることはないと本人が言ってきたのだから、僕が机の引き出しをあけたところでクミコも気にはしないだろう。

家を出ていく前に机の中をすっかり整理したらしく、引き出しはほとんどがらがらになっていた。残っているものといえば、新しい便箋《びんせん》と封筒、箱に入ったペーパークリップ、定規と鋏《はさみ》、ボールペンと鉛筆があわせて半ダース、その程度のものだった。いつでも出ていけるように、前もって整理していたのかもしれない。そこにはクミコの存在を感じさせるようなものは何ひとつとして残されてはいなかった。

でもクミコは僕の手紙をいったいどうしたんだろう？　僕が持っているのと同じくらいの数の手紙を彼女も持っていたはずだった。そしてそれらの手紙を、どこかに保管していたはずだった。でもどこにも見当たらない。

その次に浴室に行って、そこにある化粧品を全部箱の中に開けた。口紅やらクレンジング・クリームやら香水や髪どめやら眉《まゆ》ペンシルやらカット綿やらローションやらその他わけのわからないものを、菓子箱の中にまとめて放《ほう》り込んだ。それほどの量はない。クミコはあまり熱心に化粧をする方ではなかった。それからクミコの使っていた歯ブラシとデンタル・フロスを捨てた。シャワー・キャップも捨てた。

それだけの作業を終えると、すっかり疲れてしまった。僕は台所の椅子《いす》に座って、水をいっぱい飲んだ。その他にクミコの残していったものといえば、あまり大きくない本棚《ほんだな》ひとつぶんの本と、洋服だった。本はまとめて古本屋に売ってしまえばいい。問題は洋服だった。クミコは適当に処分してくれと手紙に書いていた。もう二度と着るつもりはないから、と。でも具体的にどういう風に「適当に」処分すればいいのか、彼女は教えてはくれなかった。古着屋に売ればいいのか、ビニール袋に詰めてゴミとして捨ててしまえばいいのか、誰か欲しい人にあげればいいのか、救世軍に寄付すればいいのか？　でもどの方法も僕にはあまり「適当」なものとは思えなかった。まあいい、急ぐこともないさ、と僕は思った。当分のあいだはこのまま残しておけばいい。加納クレタ（かつて加納クレタであった女）が着るかもしれないし、あるいはクミコが思いなおして引き取りにくるかもしれない。それはまずありえないことだったが、誰にそんなことが断言できるだろう？　明日になって何が起こるかは、誰にもわからないのだ。明後日のことなんて、もっとわからない。いや、そんなことを言いだせば今日の午後に何が起こるかだって見当もつかないのだ。

かつて加納クレタであった女が美容院から戻ってきたのはお昼の少し前だった。新しい髪は驚くほど短く、いちばん長いところでせいぜい三センチか四センチくらいしかなかった。彼女はそれをヘア・クリームのようなものでぴったりとまとめていた。化粧をすっかり落としてしまったせいで、最初に見たとき、誰だかよくわからなかったくらいだった。とにかく彼女はもうジャクリーン・ケネディのようには見えなかった。

僕は彼女の新しいヘア・スタイルを褒《ほ》めた。「その方がずっと自然で、若々しく見える。でもなんだか別人になったみたいな気がするな」

「だって本当に別人になったんですよ」と彼女は言って笑った。

僕は昼ご飯を一緒に食べないかと誘ってみたが、彼女は首を横に振った。これからいろいろと一人でやらなくてはならないことがあるのだと彼女は言った。

「ねえ、岡田様。ねじまき鳥さん」と彼女は僕に言った。「これでなんとか、新しい人間としての最初の一歩は踏みだせたと思います。まず家に帰って姉とゆっくり話をして、それからクレタ島に行く支度をします。パスポートを取ったり、飛行機の切符を手配したり、荷物をまとめたり。私はこういうことにぜんぜん馴《な》れていないので、何をすればいいのかもよくわからないんです。だって私はこれまで旅行なんて、ただの一度もしたことがないんですよ。東京の外にでたことさえありません」

「君はまだ僕と一緒にクレタ島に行ってもいいと思っているのかな？」と僕は訊《き》いてみた。

「もちろんです」と彼女は言った。「私にとっても岡田様にとっても、それがいちばんいいことだと思うんです。だから岡田様もそのことについてよく考えてみてください。これはとても大事なことなのです」

「よく考えてみるよ」と僕は言った。

かつて加納クレタであった女が家を出ていってしまうと、僕は新しいポロシャツを着て、長いズボンをはいた。あざを目だたなくするためにサングラスをかけた。そして強い日差しの中を駅まで歩き、午後のがらがらの電車に乗って新宿まで行った。紀伊國屋《きのくにや》書店でギリシャの旅行案内書を二冊買い、それから伊勢丹の鞄《かばん》売り場に行って中型のスーツケースをひとつ買った。それだけの買い物をすませてしまうと、目についたレストランに入って昼食を取ることにした。ウェイトレスはものすごく無愛想で、機嫌《きげん》が悪かった。僕は無愛想で、機嫌が悪いウェイトレスにはかなり精通しているつもりだったが、それほどまでに無愛想で、機嫌が悪いウェイトレスを見たのは初めてだった。僕という人間も、僕が注文したものも、徹頭徹尾彼女の気に染まないようだった。僕がメニューを見て、何を食べようかと考えているあいだ、彼女はまるで悪いおみくじでも引いたときのような目つきで、僕の顔のあざをじっと眺めていた。僕はその彼女の視線をずっと頬の上に感じつづけていた。ビールの小瓶《こびん》を注文したのだが、しばらくあとで運ばれてきたのは大瓶だった。でも文句は言わなかった。ちゃんと泡《あわ》の出る冷えたビールが出てきただけでも、感謝しなくてはいけないのだろう。多すぎれば、半分飲んで残せばいいだけだ。

食事が出てくるまで、ビールを飲みながら旅行案内書を読んだ。クレタ島はギリシャの中でもいちばんアフリカに近い、細長いかたちをした島だった。島内に鉄道はなく、旅行者はだいたいバスで移動する。いちばん大きな街はイラクリオン、その近くには迷路で有名なクノッソスの宮殿の遺跡がある。主な産業はオリーブの栽培であり、ワインも名高い。多くの地域において風が強く、風車がいっぱいある。様々な政治的理由によって、トルコからの独立はギリシャの中でもいちばんあとになり、そのせいもあって風土や習慣は他のギリシャの地域とは少し肌合《はだあ》いが違う。尚武《しょうぶ》の気風が強く、第二次世界大戦中はドイツ軍に対する熾烈《しれつ》なレジスタンス運動で知られていた。カザンザキスはこのクレタ島を舞台にして長編小説『その男ゾルバ』を書いた。僕がクレタ島について案内書から得ることのできた知識はだいたいそれくらいのものだった。そこでの実際の生活がどのようなものなのか、僕にはほとんど知るすべもなかった。それはまあそうだろう、旅行案内書というものはあくまでそこを通り過ぎていく人々のための本であって、これからそこに腰を据《す》えて住みつこうという人間のために書かれているわけではないのだ。

僕は自分がかつて加納クレタであった女と二人でギリシャで生活しているところを想像してみた。いったい僕らはそこでどんな生活を送ることになるのだろう。僕らはどのような家に住んで、どのようなものを食べるのだろう。朝起きてからどんなことをして、どんな話をして一日を過ごすのだろう。そしてそれがいったいこの先何ヵ月、何年続くのだろう？　僕の頭にはイメージと言えるほどのものはまったく浮かんでこなかった。

でも、それがたとえどのようなものであれ、僕はこのままクレタ島に行ってしまうこともできるんだ、と僕は思った。僕はとにかくクレタ島に行って、かつて加納クレタであった女と二人で生活することもできる。僕はテーブルの上の二冊の旅行案内書と、足元に置いた真新しいスーツケースをしばらく交互に眺めていた。それらは具体的なかたちを取った僕の可能性だった。僕はその可能性という概念を目に見えるかたちにするために、わざわざ街に出てきて案内書とスーツケースを買ったのだ。そして見れば見るほど、それは魅力的な可能性に見えてきた。何もかもを一切放り出し、スーツケースひとつをさげてさっさとここから出ていけばいい。簡単なことだ。

僕が日本に残ってできることといえば、家に籠《こ》もってじっとクミコが帰ってくるのを待っていることくらいだ。いや、クミコはまず帰ってはこない。私を待たないでくれ、探さないでくれと彼女ははっきりと手紙に書いていた。もちろん何と言われようと、僕にはクミコを待ちつづける権利はある。しかしそうすることで僕はどんどんすり減っていくだろう。もっと孤独になるだろうし、もっと途方に暮れて、もっと無力になっていくだろう。問題は、ここでは誰もぼくのことを必要とはしていないということだった。

たぶんこのまま加納マルタの妹と一緒にクレタ島に行くべきなのだろう。彼女が言ったように、それが僕にとっても彼女にとってもいちばん良いことなのだろう。僕は足もとに置いてあるそのスーツケースをもう一度じっと眺めた。自分がそのスーツケースをさげて、加納マルタの妹とともにイラクリオン空港（それがクレタ島の空港の名前だった）に降り立つところを想像してみた。どこかの村に落ちついて生活し、魚を食べ、真っ青な海で泳ぐところを想像してみた。でもそんな絵葉書の写真みたいなとりとめのない空想を頭の中でかさねているうちに、胸の中に固い雲のようなものが次第に広がっていった。買い物客で込み合った新宿の通りを、片手に新しいスーツケースをさげて歩きながら、僕は空気穴に何かが詰ったときのような息苦しさを感じつづけていた。自分の手脚をうまく正確に動かせていないような気がした。

レストランを出て道を歩いているときに、僕の持っていたスーツケースが向かいから勢いよく歩いてきた男の脚にぶつかった。大柄《おおがら》な若い男で、グレイのTシャツに野球帽をかぶっていた。耳にはウォークマンのイヤフォンをつけていた。僕はその男に「どうもすみません」と謝った。でも男は黙って帽子をかぶりなおし、それから腕をまっすぐにのばすようにして僕の胸を思い切り突き飛ばした。まったく予想もしなかったことだったので、僕はよろめいてひっくりかえり、ビルの壁で頭を打った。男は僕が倒れたことを見届けると、表情ひとつ変えずにそのまま歩いて去っていってしまった。一瞬そのあとを追いかけていこうかと思ったが、思いなおしてやめた。そんなことをしたって仕方ない。僕は起き上がり、ため息をつき、ズボンについた汚れを払った。そしてスーツケースを手に取った。誰かが僕の落とした本を拾って渡してくれた。縁のほとんどない丸い帽子をかぶった小柄な老婦人だった。それはとても不思議なかたちをした帽子だった。僕に本を渡すときに、彼女は何も言わずに小さく首を振った。その老婦人の帽子と同情的な顔を見ていると、僕はふと意味もなくねじまき鳥のことを思いだした。どこかの森の奥にいるねじまき鳥のことを。

しばらくのあいだ頭が痛んだが、怪我《けが》というほどのものではない。頭のうしろに小さな瘤《こぶ》ができただけだ。こんなところでうろうろしてないで、早く家に帰った方がよさそうだなと僕は思った。あの静かな路地に戻らなくては。

気持ちを落ちつかせるために、駅のキヨスクで新聞とレモンドロップを買った。ポケットから財布を出して代金を払い、その新聞を抱えて改札口にむけて歩いていくと、後ろから女の声が聞こえた。「ねえ、お兄さん」とその女は叫んでいた。「そこの背の高い、顔にあざのあるお兄さん！」

それは僕のことだった。呼んでいたのはキヨスクの売り子だった。僕はわけのわからないまま引き返した。

「お釣《つ》り忘れてるよ」と彼女は言った。そして千円からの釣り銭を僕に渡した。僕は礼を言ってそれを受け取った。

「あざのこと言ってごめんね」と彼女は言った。「ほかに呼び方を思いつかなかったもんだから、つい言っちゃったんだよ」

そんなことはかまわないという風に、僕はなんとか微笑を顔にうかべて首を振った。

彼女は僕の顔を見た。「あんたずいぶん汗をかいてるけど、大丈夫？　気分が悪いんじゃないの？」

「暑くて、歩いているうちに汗をかいただけです。ありがとう」と僕は言った。

僕は電車に乗って、新聞を読んだ。そのときまで気がつかなかったのだけれど、新聞を手にするのは実に久しぶりだった。我々は新聞を取っていなかった。クミコは電車で通勤する途中、気が向くと駅の売店で朝刊を買って、それを僕のために家に持って帰ってきた。そして翌朝、僕はその前日の朝刊を読んだ。新聞を読むのは求人欄を見るためだった。でもクミコがいなくなると、新聞を買って持ってきてくれる人間もいなくなった。

新聞には僕の興味を引きそうなことは何も書いていなかった。一面から最後の面までざっと目を通してみたが、そこには僕が知らなくてはならないことはひとつもなかった。でも新聞を閉じて週刊誌の中吊《なかづ》り広告を順番に見ているうちに、僕は綿谷昇という字に目をとめた。そこにはかなり大きな字で「綿谷昇氏の政界出馬が投げかける波紋」と書いてあった。僕は長いあいだその「綿谷昇」という字をじっと見上げていた。あの男はやはり本気なのだ。本気で政治家になるつもりなのだ。これだけでも日本を出ていく価値はありそうだな、と僕は思った。

僕は空っぽのスーツケースをさげて駅からバスに乗り、家に帰った。脱《ぬ》け殻《がら》のような家だったが、それでも家に帰るとほっとした。しばらく休んでから、シャワーを浴びるために浴室に行った。浴室の中にはもうクミコの影は残っていなかった。歯ブラシもシャワー・キャップも、化粧品も何もかもが消えていた。そこにはもうストッキングも下着も干されていなかったし、彼女専用のシャンプーもなかった。

浴室を出てタオルで体を拭《ふ》きながら、綿谷ノボルの記事が出ていた週刊誌を買ってくるべきだったかなとふと思った。そこにいったい何が書いてあるのか、だんだん気になってきたのだ。それから僕は首を振った。綿谷ノボルが政治家になりたければなればいいのだ。この国では誰かが政治家になりたいのならなる権利がある。それにクミコが僕のもとを去っていったことで、僕と綿谷ノボルとの関係は実質的に絶たれてしまったし、これからあの男がどういう運命をたどろうと、僕の知ったことではなかった。僕がこれからどういう運命をたどろうが、それが綿谷ノボルの知ったことではないのと同じように。けっこうなことだ。最初からそもそもそうであるべきだったのだ。

でも僕はその週刊誌の見出しを頭の外に追いやることができなかった。僕はその午後ずっと押入れや台所の荷物の整理をしていたのだが、どれだけ他のことを考えたり体を忙しく動かしたりしていても、その「綿谷昇」という中吊り広告の大きな活字は、強い残像として僕の前に浮かび、漂っていた。それはまるでアパートの隣室から、壁をとおして聞こえてくる遠い電話のベルのようだった。その電話は応答されることもないままに、いつまでもいつまでも鳴りつづけていた。僕はそんなものは存在しないのだと思おうとした。聞こえないふりをしようとした。でも駄目《だめ》だった。僕はあきらめて近所のコンビニエンスストアまで歩いていって、その週刊誌を買ってきた。

台所の椅子に座って、アイスティーを飲みながら記事を読んだ。経済学者として評論家として有名な綿谷昇氏が次回の衆議院選挙で新潟＊区からの立候補を具体的に検討している、とそこには書いてあった。綿谷昇の詳細な経歴も載っていた。学歴、著書、マスコミにおけることの何年かの活躍。伯父は新潟＊区選出の衆議院議員、綿谷義孝氏である。氏は今回健康上の理由で引退を表明しているが、他にこれというめぼしい有力な後継者が見当たらないことから、このまま順調に話が進んでいけば、甥《おい》の綿谷昇氏がその選挙区を引き継ぐことになるであろうという見方が強くなっている。もしそうなれば、現綿谷議員の地盤の強さや、綿谷昇氏の知名度や若さからいって、綿谷昇氏の当選はまず間違いのないところではないかとそこには書いてあった。「昇さんが出馬する可能性はまあ九十五パーセントというところでしょう。細かい条件は交渉ということになりますが、結局は本人も乗り気のようですから落ちつくべきところに落ちつくのではないでしょうか」と地元の「ある有力者」は語っていた。

綿谷ノボルの談話も載っていた。かなり長い談話だった。自分は今のところまだ正式には出馬を決意してはいない、と彼は語っていた。そういう話があることは確かである。しかし自分にも考えがあるし、出てくれともちかけられて、わかりましたはい出ましょうと簡単に答えられるような問題ではない。自分が政治の世界に求めているものと、そこで自分に求められるであろうものとのあいだには、あるいはかなりのずれがあるかもしれない。だからこれから少しずつ話し合いが持たれ、調整がなされることだろう。しかし双方が納得し、本当に衆議院選挙に出馬するということになったなら、自分は何があっても確実に当選するつもりだし、当選したあともただの新人陣笠《じんがさ》議員になるつもりはない。自分はまだ三十七歳だし、もしここで政治家としての道を選ぶなら、先はまだまだ長い。はっきりとしたヴィジョンも持っているし、それを人々に訴えかけるだけの力をも持っている。自分はかなり長期的な展望と戦略に基づいて行動することになるだろう。目標はとりあえずは十五年先にある。二十世紀のうちには自分は必ず、政治家としてこの日本という国家の明確なアイデンティティーの確立を推し進められる位置についているつもりである。それがとりあえずの目標である。自分が目指しているのは、日本を今あるような政治的な辺境状態から抜け出させ、ひとつの政治的・文化的モデルの位置にひっぱりあげることである。換言すれば、日本という国家の枠組《わくぐ》みの作り替えである。偽善の放擲《ほうてき》であり、論理と倫理の確立である。必要とされているのは、不明瞭《ふめいりよう》な字句や、出口のないレトリックではなく、手にとって示すことのできる明確なイメージである。我々はそのような明確なイメージを摑《つか》まなくてはならない時期に来ているし、そのような国民的、国家的コンセンサスを打ち立てることこそが今政治家に強く求められていることなのだ。今我々が手にしているような理念なき政治は、やがてこの国を潮の流れのままに揺られ、運ばれる巨大なクラゲのような存在にしてしまうだろう。自分は理想論にも夢にも興味はない。私が語っていることはただ単に「なされなくてはならない」ことであって、なされなくてはならないことは何があってもなされなくてはならないのだ。私はそのための具体的な政策案を持っているし、それは状況の進行に従ってこれからおいおい明らかにされていくだろう。

週刊誌の記事はだいたいにおいて綿谷ノボルに対して好意的に書かれているようだった。綿谷氏は頭の切れる有能な政治・経済評論家であり、その雄弁さはつとに知られている。若いし毛並みもいいし、政治家としての将来は有望であろう。そういう意味では氏の言う「長期的戦略」も夢物語とは言えない現実性を帯びていると言えよう。多くの選挙民も彼の出馬を歓迎している。保守的な選挙区にあっては、離婚経験のあることと独身であることはいささかの問題になるだろうが、年齢的な若さと有能さはそれらのマイナスポイントを補って余りあるだろう。女性票もかなり獲得できるだろう。「もっとも」とその記事はいささか辛口な口調で最後を結んでいた。「綿谷氏が伯父の選挙区の地盤をそのまま引き継いで出馬するということは、氏の批判する『理念なき政治』に便乗しているのではないかという見方もできなくはない。氏の高邁《こうまい》な政見はそれなりの説得力を持っているけれど、それが現実の政治活動においてどれほどの有効性を持ちうるのかは、今後の動向を見て判断するしかないだろう」

僕は綿谷ノボル関連の記事を読んでしまうと、その週刊誌を台所のごみ箱に捨てた。そしてクレタ島に行くのに必要な衣類や雑貨をとりあえずスーツケースの中に詰めてみた。クレタ島の冬がどれくらい寒くなるのか、見当がつかなかった。地図で見ると、クレタ島はアフリカのすぐ近くにあった。でもアフリカだって場所によっては冬になると相当寒い。僕は革のジャンパーを出してスーツケースに入れた。そしてセーターを二枚、ズボンを二本。長袖《ながそで》のシャツを二着と半袖のシャツを三着。ツイードのジャケット。Tシャツとショートパンツ。靴下《くつした》と下着。帽子とサングラス。水着。タオル。旅行用の洗面用具ケース。それだけ入れても、スーツケースの空間はやっと半分くらいしか埋まらなかった。でも必要なものといってもとくにそれ以上は思いつけなかった。

とりあえずそれだけをスーツケースに詰めて蓋《ふた》を閉めると、自分がこれから本当に日本を出ていこうとしていることが実感できた。僕はこの家を出て、この国を出ていこうとしている。僕はレモンドロップをなめながら、その真新しいスーツケースをしばらく眺《なが》めていた。それからクミコは家を出ていくときスーツケースさえ持っていかなかったのだということをふと思いだした。彼女は小さなショルダーバッグと、駅前のクリーニング屋でピックアップしたブラウスとスカートだけを持って、晴れた夏の朝にここを出ていってしまった。彼女が下げていた荷物は、ここにある僕の荷物よりまだ少なかったのだ。

それから僕はクラゲのことを考えた。「このような理念なき政治はやがてこの国を、潮の流れのままに揺られ、運ばれる巨大なクラゲのような存在に変えてしまうことだろう」と綿谷ノボルは語っていた。綿谷ノボルは本物のクラゲを間近に見て観察したことがあるだろうか。たぶんないだろう。僕はある。水族館で嫌々《いやいや》ながらではあるけれど、クミコにつきあって世界中のクラゲたちの姿をこの目で見たのだ。クミコはひとつひとつの水槽《すいそう》の前に立って、ほとんど口もきかずに、じっとクラゲたちの穏やかで精妙な動きに見とれていた。初めてのデートだというのに、彼女は僕が隣にいることをすっかり忘れてしまっているようだった。

そこには本当にいろんな種類のいろんなかたちのいろんな大きさのクラゲたちがいた。クシクラゲ、ウリクラゲ、オビクラゲ、ユウレイクラゲ、ミズクラゲ……クミコはそのクラゲたちに夢中だった。僕はそのあとでクラゲの図鑑を買ってクミコにプレゼントしたほどだった。おそらく綿谷ノボルは知らないと思うけれど、ある種のクラゲにはちゃんと骨もあるし、筋肉だってある。酸素呼吸をするし、排泄《はいせつ》だってする。精子と卵子だってあるのだ。そして彼らは触手や傘《かさ》を使って美しい動き方をする。潮の流れのままにただふらふらと揺られているわけではない。決してクラゲの弁護をするわけではないけれど、彼らにも彼らなりの生命的な意思というものはあるのだ。

ねえ綿谷ノボル君、と僕は言った。君が政治家になるのはかまわない。それはもちろん君の勝手だ。僕が口を出す問題じゃない。でもこれだけは言わせてくれ。不正確なメタファーを使ってクラゲを侮辱するのは間違ったことだ。

夜の九時すぎに突然電話のベルが鳴った。でも僕はしばらく受話器を取らなかった。テーブルの上で鳴りつづける電話をじっと見ながら、いったい誰だろうと思った。今度は誰が何を僕に求めているのだ？

でもそのうちに誰なのかがわかった。それはあの電話の女だった。何故《なぜ》かはわからないけれど、僕には確信があった。彼女はあの奇妙な暗い部屋から僕を求めているのだ。そこには今も、あのもったりと重い花弁の匂《にお》いが漂っている。そこには今も、彼女の激しい性欲がある。「私はなんでもやってあげるわよ。奥さんがやってくれないようなことでも」。結局僕は受話器を取らなかった。電話のベルは十回鳴ってから切れ、また鳴りはじめて十二回鳴った。それから沈黙した。その沈黙はベルが鳴りだす前にあった沈黙よりずっと深かった。心臓が大きな音を立てていた。僕は長いあいだ自分の指先を眺めていた。心臓から送りだされた僕の血が時間をかけて指先にまでまわっていくところを思い浮かべた。それから両手で静かに顔を覆《おお》い、深いため息をついた。

沈黙の中でこつこつという乾いた時計の音だけが部屋に響いていた。寝室に行って、床に座って新しいスーツケースをまたしばらく眺めた。クレタ島か、と僕は思った。申し訳ないけれど僕はやはりクレタ島に行くことにするよ。岡田亨という名前を抱えてここに生きていることにいささか疲れた。僕はかつて岡田亨であった男として、かつて加納クレタであった女とクレタ島に行くことにする、僕は実際に口に出してそう言ってみた。でも誰に向かってわざわざそんなことを言っているのか、自分でもよくわからなかった。誰かだ。

こつこつこつこつこつこつと時計は時を刻んでいた。その音は僕の心臓の鼓動と連動して動いているみたいだった。

16

笠原メイの家に起こった唯一の悪いこと、笠原メイのぐしゃぐしゃとした熱源についての考察

「ねえ、ねじまき鳥さん」とその女は言った。僕は受話器に耳を押し当てながら、時計に目をやった。午後の四時だった。電話のベルが鳴ったとき、僕はソファーの上に横になって、ぐっしょりと汗をかきながら眠っていた。短い、不快な眠りだった。まるで眠っているあいだ、誰かが僕のからだの上にずっと腰かけていたみたいな感触が体に残っていた。その誰かは僕が眠るのを待ってやってきてそこに腰かけ、目を覚ますちょっと前に腰をあげてどこかに行ってしまったのだ。

「もしもし」とその女は小さな、囁《ささや》くような声で言った。その声は希薄な空気を通して聞こえて来るようだった。「笠原メイですけれど」

「やあ」と僕は言った。口の筋肉がまだうまく動かなかったので相手にどんな風に聞こえたかわからないけれど、とにかくそう言ったつもりだった。あるいはただのうめき声にしか聞

こえなかったかもしれない。

「今何をしてたの？」と彼女はさぐりを入れるような声で言った。

「何もしていない」と僕は言った。それから受話器を離して咳払《せきばら》いをした。「何もしていない。昼寝をしていたんだ」

「起こしちゃったのかしら？」

「たしかに起こしはしたけど、べつにかまわないよ。どうせ昼寝だから」

笠原メイは何かを迷うようにちょっと間を置いてから言った。「ねえ、ねじまき鳥さん、よかったら今からうちに来ない？」

僕は目を閉じた。目を閉じると、暗闇《くらやみ》の中にいろんな色とかたちの光が漂っていた。

「行ってもいいよ」

「私は庭に寝ころんで日光浴しているから、裏から勝手に入ってきてくれる？」

「わかった」

「ねえ、ねじまき鳥さん、私のことを怒ってる？」

「よくわからない」と僕は言った。「とにかく今からシャワーを浴びて、服を着替えて、それから君のところに行く。話したいこともあるから」

最初にひとしきり冷たい水のシャワーを浴び、頭をすっきりとさせてから熱い湯のシャワーを浴びた。そして最後にまた冷たい水を浴びた。それで目は覚めたが、体の重さはまだ取れなかった。ときおり脚が震えて、シャワーを浴びているあいだ何度もタオルかけに摑まったり、浴槽に腰かけたりしなくてはならなかった。自分で思っているより疲れているのかもしれない。瘤《こぶ》の残った頭をシャンプーで洗いながら、新宿の街で僕を突き倒した若い男のことを考えていた。僕にはその出来事の意味がよく理解できなかった。いったい何が人にあんなことをさせるのだろう。昨日起こったことなのに、それはもう一週間か二週間も前の出来事みたいに思えた。

シャワーを出てタオルで体を拭《ふ》いてから、歯を磨《みが》き、鏡に向かって自分の顔を眺めてみた。右の頰《ほお》にはまだ青黒いあざが残っていた。それは前より濃くもなっていなかったし、薄くもなっていなかった。眼球には細かな赤い筋が走り、目の下にはくまができていた。両方の頰はげっそりと落ち込んでいたし、髪は少し伸びすぎていた。まるで少し前に息を吹きかえし、土を掘りかえして墓場からはい出してきた新品の死体みたいだ。

それから僕は新しいTシャツとショートパンツをはき、帽子をかぶり、濃いサングラスをかけて路地に出た。暑い一日はまだ終わっていなかった。地上の生命あるものかたちあるものは残らず夕立の到来を求めて喘《あえ》いでいたが、空のどこにも雲の姿は見あたらなかった。風もなく、停滞した熱気が路地を包んでいた。いつものように、路地では誰とも顔を合わせなかった。こんな暑い日に、こんなひどい顔で誰かに会いたくはない。

空き家の庭では、相変わらず鳥の彫像がくちばしを上げて空を睨《にら》んでいた。鳥はこの前に見たときよりもずっとうす汚れて、くたびれているようだった。その視線にも何かしらもっと切迫したものがうかがわれた。鳥はじっと目をこらして、空に浮かんでいる何か並外れて陰惨な光景を見つめているみたいに見えた。鳥としてはできることならそんなものから目をそらしてしまいたいのに、そうすることができない。目が固定されてしまっているから、見ないわけにはいかないのだ。彫像のまわりを囲んだ背の高い雑草たちは、まるでギリシャ悲劇のコロスのように身動きひとつせず、息をひそめて託宣の下るのを待っていた。屋根の上のＴＶアンテナはそのむせかえるような熱気の中に、銀色の触角を無感動につきたてていた。激しい夏の光の下で、すべてが干からびて、疲弊していた。

しばらく空き家の庭を眺めてから、笠原メイの家の庭に入った。樫《かし》の木が涼しげな影を地上に投げかけていたが、彼女はその影を避けて激しい光の中に身を横たえていた。おそろしく小さなチョコレート色のビキニの水着をつけた笠原メイは、デッキチェアに仰向けになっていた。水着は小さな布を簡単な紐《ひも》で結んだだけのもので、そんなものを着けて本当に人が水の中を泳ぐことができるものなのか、僕には疑問だった。彼女は最初に会ったときと同じサングラスをかけ、顔には大粒の汗をかいていた。デッキチェアの下には、白い大きなタオルと日焼けオイルの容器と何冊かの雑誌が置いてあった。スプライトの空き缶《かん》がふたつ転がっていたが、ひとつは灰皿のかわりに使われているようだった。芝生の上にはプラスチックの散水ホースが、この前に使われたときのままの恰好《かっこう》でだらしなく投げ出されていた。

僕が近づいていくと笠原メイは体を起こし、手をのばしてラジオのスイッチを切った。彼女は前に見たときよりもずっと濃く日焼けしていた。週末にちょっと海に行って焼いたというようなとおりいっぺんの日焼けではなかった。体の隅々《すみずみ》にいたるまで、それこそ耳たぶから足の指の先までむらなく綺麗《きれい》に見事に焼けていた。毎日ここでただただ体を焼いていたのだろう。おそらく僕が井戸の底にいるあいだもずっと。僕はあたりを見回してみた。庭の光景は前に見たときとだいたい同じだった。丁寧に刈り揃《そろ》えられた芝生が広がり、水を抜かれたままの池は、見ているだけで喉《のど》が渇きそうなくらいからからに干からびていた。

僕は彼女のとなりのデッキチェアに腰を下ろして、ポケットからレモンドロップを出した。暑さのせいで、ドロップはべったりと包装紙にくっついていた。

笠原メイはしばらく何も言わずに僕の顔をじっと見ていた。「ねえ、ねじまき鳥さん、その顔のあざはいったいどうしたの。それはあざなんでしょう？」

「そうだね、たぶんあざなんだと思う。どうしたと訊《き》かれても、僕にもわからない。気がついたらいつのまにかこうなってたんだ」

笠原メイは体を半分だけ起こして、じっと僕の顔を見た。そして鼻のわきについた汗を指で拭き、サングラスのブリッジを指でちょっと上にあげた。濃いレンズの奥の目はほとんど見えなかった。

「何か心あたりはないの？　どこでどうやってそういう風になっちゃったのか」

「心あたりはまったく何もない」

「まったく？」

「井戸を出てきてしばらくしてから鏡を見たらできてたんだ。本当にそれだけだよ」

「痛い？」

「痛くもないし、痒《かゆ》くもない。少し熱をもっているだけだよ」

「お医者には行った？」

僕は首を振った。「たぶん行っても無駄《むだ》だろうと思うな」

「かもね」と笠原メイは言った。「私も医者は嫌《きら》いよ」

僕は帽子を取り、サングラスをはずし、ハンカチを出して額の汗を拭《ぬぐ》った。僕の着たグレイのTシャツはわきの下がもう汗で黒くなっていた。

「素敵な水着だね」と僕は言った。

「ありがとう」

「何かの廃物利用で作ったみたいだ。限りある資源をすごく有効に利用している」

「家の人がいないときには、いつもは上も取っちゃってるのよ」

「へえ」と僕は言った。

「もっともこんなの取っちゃったって、たいした中身があるわけじゃないんだけれど」と彼女は言い訳するように言った。

水着の下に見える彼女の乳房はたしかにまだ小さく、膨らみも薄かった。「それを着て泳いだことはあるの？」と僕は尋ねてみた。

「ないわ。私ぜんぜん泳げないの。ねじまき鳥さんは？」

「泳げるよ」

「どれくらい？」

僕は舌の上でレモンドロップを転がした。「どれくらいでも」

「十キロでも？」

「たぶん」、僕は自分がクレタ島の海岸を泳いでいるところを想像した。「あくまで白い砂浜と、葡萄酒《ぶどうしゅ》のように色濃い海」とガイドブックにはあった。葡萄酒のように色濃い海というのがどういうものか、僕には想像できなかった。でも悪くなさそうだ。僕はもう一度顔の汗を拭いた。

「今は家の人はいないの？」

「昨日から伊豆の別荘に行っちゃったわ。週末だからみんなで泳ぎに行ったの。みんなといっても両親と弟だけだけれど」

「君は行かなかったの？」

彼女はほんのちょっとだけ肩をすくめるような仕種《しぐさ》をした。そしてバスタオルのあいだからショート・ホープとマッチを出して、口にくわえて火をつけた。

「ねじまき鳥さん、あなたなんだかひどい顔しているわね」

「真っ暗な井戸の底にほとんど飲まず食わずで何日も入っていたんだ。顔だってひどくなる」

笠原メイはサングラスを外して、僕の方に顔を向けた。彼女の目の脇《わき》にはまだ深い傷あとが残っていた。「ねえ、ねじまき鳥さん、私のことを怒っている？」

「よくわからない。君のことを怒るより先に、僕には考えなくちゃならないことがいっぱいあるような気がする」

「奥さんは戻ってきた？」

僕は首を振った。「このあいだ手紙が来た。もう二度と帰ってこないって。そしてクミコが二度と帰って来ないと書いてくるということは、クミコはもう二度と帰って来ないっていうことなんだ」

「一度決心したら簡単にはそれを変えたりしない人なのね？」

「変えない」

「かわいそうなねじまき鳥さん」と笠原メイは言って体を起こし、手を伸ばして僕の膝《ひざ》に軽く触れた。「かわいそうなかわいそうなねじまき鳥さん。ねえ、ねじまき鳥さん、信じてくれないかもしれないけれど、私は本当の最後にはあなたをちゃんと井戸の底から助け出すつもりでいたのよ。私はねじまき鳥さんのことをちょっと脅かして苛《いじ》めてみたかっただけなの。怖がらせて、叫ばせてみたかっただけなの。どこまでいけばあなたが自分の世界みたいなものを失って混乱してくるのか、ためしてみたかったの」

どう言えばいいのかよくわからなかったので、僕は黙ってうなずいた。

「ねえ、本気だと思った？　私があなたをあそこで殺しちゃうって言ったことを？」

僕はレモンドロップの包み紙を手の中でしばらく丸めていた。「僕にはよくわからなかったな。君の言っていることは本気のようにも聞こえたし、ただの脅しのようにも聞こえた。井戸の上と下とに分かれて話していると声がとても不思議な響き方をするから、その表情のようなものがうまく摑《つか》みきれないんだ。でも結局のところ、それはどちらが正しいという種類のものじゃなかったんだと思うな。わかるかな？　現実というのは幾つかの層のようになって成立しているんだ。だから君はあっちの現実では僕を本気で殺そうとしたかもしれない。でもこっちの現実では僕を本気では殺そうとしていなかったかもしれない。それは君がどの現実を取り、僕がどの現実を取るかという問題になると思うな」

僕は丸めたレモンドロップの包装紙をスプライトの空き缶の中に入れた。

「ねえねじまき鳥さん、ひとつお願いがあるんだけれど」と笠原メイは言って、芝生の上に伸びた散水ホースを指さした。「あのホースで私のからだに水をかけてもらえないかしら。ときどき水でもかけないと、暑くて頭がおかしくなっちゃいそうだわ」

僕はデッキチェアを立って芝生のところまで歩き、青いプラスチックのホースを手に取った。ホースはなま温かく、ぐったりと柔らかかった。それから僕は植え込みの陰にある水道の蛇口《じゃぐち》をひねって水を出した。最初のうちはホースの中で温められてほとんど熱湯になった水が出てきたが、そのうちに少しずつ冷えて最後には冷たい水になった。僕は芝生の上に寝ころんだ笠原メイのからだにいきおいよくそれをかけた。

笠原メイはじっと目を閉じてその水をからだに受けていた。「すごく冷たくて気持ちいいわよ。ねじまき鳥さんもちょっとやってみたら？」

「これは水着じゃないからね」と僕は言った。でも水浴びをしている笠原メイは本当に気持ち良さそうに見えたし、じっと我慢しつづけるには熱気はあまりに激しすぎた。僕は汗で濡《ぬ》れたTシャツを脱いで、前かがみになって頭から水をかけた。浴びるついでにその水を少し口に入れて飲んでみた。冷たくて美味《うま》い水だった。

「ねえ、これは地下水なのかな？」と僕は訊いてみた。

「そうよ、ポンプで地下からくみ上げているの。冷たくて気持ちいいでしょう。飲むこともできるのよ。この前保健所の人に水質検査してもらったんだけど、ぜんぜん問題はない、いまどき東京都内でこんな綺麗な水も珍しいって言われたわ。検査した人が驚いていたくらい。でもさ、なんだか心配だから飲んではいないの。こんなに家がぎっしり建っているところだもの、いつ何が混ざるかなんてわかんないでしょう」

「でも考えてみれば不思議だな。向かいの宮脇さんの家の井戸はあのとおりすっかり涸《か》れてしまっているのに、ここではこうやってどんどん新鮮な水をくみ上げている。狭い路地をひとつ隔てているだけなのに、どうしてこれだけの違いが出てくるんだろう？」

「さあどうしてかしら」と笠原メイは言って首をかしげた。「たぶん水脈の流れが何かの拍子にちょっと変わっちゃって、それでそっちの井戸は涸れて、こっちの井戸は涸れなかったりするんじゃないかしら。私には細かい理屈はよくわからないけれど」

「君の家には何か悪いことは起こらなかった？」と僕は尋ねてみた。

笠原メイは顔をしかめて首を振った。「この十年ほどのあいだに私の家に起こった唯一の悪いことは、とことん退屈であるっていうことよ」

しばらくからだに水をかけたあとで、笠原メイはタオルで体を拭きながら、僕にビールを飲まないかと言った。飲みたいと僕は言った。彼女は家から冷えたハイネケンの缶をふたつ持ってきた。彼女が一本を飲み、僕が一本を飲んだ。

「ねじまき鳥さん、これからどうするつもり？」

「まだ何をするってきちんと決めたわけじゃないんだ」と僕は言った。「でもたぶんここを出ていくことになると思う。あるいは日本を出ていくことになるかもしれない」

「日本を出てどこに行くの？」

「クレタ島」

「クレタ島？　それは何かあの人と関係あるのかな、あのなんとかクレタっていう女の人と？」

「少しはある」

笠原メイはそれについてしばらく考えていた。

「あなたをあの井戸から救い出したのもそのなんとかクレタさんなの？」

「加納クレタ」と僕は言った。「そうだよ、加納クレタが僕を井戸から出してくれたんだ」

「ねじまき鳥さんにはきっと友達が多いのね」

「そうでもない。僕はどちらかといえば友達が少ないことで有名なんだ」

「でもその加納クレタさんはどうしてあなたが井戸の底にいることを知ったのかしら。だってねじまき鳥さんは誰にも言わずにあそこに入ったんでしょう。なのにどうしてあなたの行き先がわかったの？」

「知らない」と僕は言った。「見当もつかない」

「でもとにかくあなたはクレタ島に行くのね？」

「行くとはっきり決めたわけじゃない。そういう可能性もあるということだよ」

笠原メイは煙草《たばこ》をくわえて火をつけた。そして小指の先で目の脇の傷を触った。

「ねえ、ねじまき鳥さん、あなたがあそこの井戸の底にいるあいだ、私はだいたいここに寝ころんで日光浴をしていたのよ。ここから空き家の庭を見ながら、体を焼いて、井戸の底にいるあなたのことを考えていたの。あそこにねじまき鳥さんがいるんだって。あの深い暗闇《くらやみ》の中であなたがお腹《なか》をすかせて、ちょっとずつちょっとずつ死に向かって近づいているんだって。あなたはあそこから出られない、あなたがあそこにいることは私しか知らない。そう思うと、私はあなたの苦痛やら不安やら恐怖やらをものすごくありありと感じていることができたの。ねえ、わかるかな？　そうすることによって、私はねじまき鳥さんという人間にものすごく近くまで近づけたような気がしたのよ。本当に殺しちゃうつもりはなかったのよ。本当よ、これは。でもね、ねじまき鳥さん、私はもっと先まで行くつもりだった。ぎりぎりのところまで。あなたがぐらぐらして、怖くて怖くてしかたない、これ以上は我慢できないくらいになるまで。その方が私にとっても、あなたにとっても、いいことだと思ったの」

「でも僕は思うんだけどね、もし本当にぎりぎりのところまで行ったら、君はひょっとして最後まで行きたくなったんじゃないかな。それは君が思っているよりもずっと簡単なことだったかもしれないよ。そこまで行けば、あとはただの最後のひと押しでいいんだから。そしてそのあとで君はこう思うんだ。この方が結局は僕にとっても君にとっても良かったんだって」と僕は言った。そしてビールを一口飲んだ。

笠原メイはじっと唇《くちびる》を噛《か》んで考えこんでいた。「あるいはそうかもしれない」と彼女は少しあとで言った。「それは私にもわからないことね」

僕はビールの最後の一口を飲み、立ち上がった。そしてサングラスをかけ、汗で湿ったTシャツを頭からかぶった。「ビールをどうもありがとう」

「ねえ、ねじまき鳥さん」と笠原メイは言った。「昨日の夜に、家族がみんな別荘に出かけてしまったあとで、私もあの井戸の中に入ってみたの。ぜんぶで五時間か六時間くらい、あそこの底に座ってじっとしていたの」

「じゃあ君があの縄梯子《なわばしご》を外して持っていったんだね？」

笠原メイはちょっと顔をしかめた。「そうよ、私があれを持っていったの」

僕は芝生の庭に目をやった。水を吸い込んだ地面が陽炎《かげろう》のような湯気を上げているのが見えた。笠原メイは煙草をスプライトの缶の中に入れて消した。

「最初の二時間か三時間か、私はとくに何も感じなかったの。もちろんあのとおり真っ暗だから、そりゃ少しは心細かったけれど、とくべつに怖いとか恐ろしいとかいう風には思わなかった。私はそのへんの普通の女の子みたいに何でもないことでぎゃあぎゃあ怖がるようなタイプじゃないのよ。ただ暗いだけじゃないって思っていたの。ねじまき鳥さんだって何日もここにいたんだもの、危ないことなんて何もないし、怖がる理由なんてないんだって。でもね、二時間か三時間が過ぎると、私にはだんだん自分のことがよくわからなくなってきたの。暗闇の中でひとりでじっとしているとね、私の中にある何かが私の中で膨らんでいくのがわかったわ。鉢植《はちう》えの中の樹木の根がどんどん成長していって、最後にその鉢を割ってしまうみたいに、その何かが私のからだの中でどこまでも大きくなって最後には私そのものをばりばりと破っちゃうんじゃないかっていうような感じがしたのよ。太陽の下では私のからだの中にちゃんと収まっていたものが、その暗闇の中では特別な養分を吸い込んだみたいに、おそろしい速さで成長しはじめるのよ。私はそれを何とか抑えようとしたわ。でも抑えることができなかった。そして私はどうしようもなく怖くなったの。そんなに怖くなったのは生まれて初めてのことだった。私という人間は私の中にあったあの白いぐしゃぐしゃとした脂肪のかたまりみたいなものに乗っ取られていこうとしているのよ。それは私を貪《むさぼ》ろうとしているの。ねじまき鳥さん、そのぐしゃぐしゃは最初は本当に小さなものだったのよ」

しばらく口をつぐんで、笠原メイはそのときのことを思いだすように自分の手を見ていた。

「本当に怖かったのよ」と彼女は言った。「きっと私はあなたにもそういうのを感じてほしかったのね。それがあなたの体をぼりぼりと齧《かじ》っていく音を聞いてほしかったのね」

僕はデッキチェアに腰をおろした。そして小さな水着に包まれた笠原メイのからだを眺《なが》めた。彼女は十六歳だったけれど、からだつきはまだ十三か十四くらいに見えた。乳房も腰も、まだきちんと成長しきってはいなかった。それは僕に最小限だけの線を使って、しかも不思議なくらいリアルに描かれたデッサンのようなものを思いださせた。でもそれと同時に、彼女の姿にはどこかしら老いを感じさせるものもあった。

「君はこれまでに何かに汚《けが》されたと感じたことはあるかな？」と僕はふと思いついてそう尋ねてみた。

「汚された？」彼女はちょっと目を細めるようにして僕を見た。「汚されたというのは、からだのこと？　誰かに暴力的に犯されたとか、そういうことかしら？」

「肉体的にでも、あるいは精神的にでも」

笠原メイは自分の体に目をやり、それから僕の方に視線を戻した。「肉体的にはないわね。だって私はまだ処女だもの。胸は男の子に触らせたことあるけど、でも服の上からだけ」

僕は黙ってうなずいた。

「精神的にどうかと言われても困るわね。精神的に汚されるというのがどういうことか、私にはよくわからないもの」

「僕にもうまく説明できない。それはただ単にそう感じるかどうかという問題なんだ。もし君が感じてないんなら、君は汚されてないことになると思う」

「どうしてそんなことを私に訊《き》くの？」

「僕の知っている人たちのうちの何人かはそう感じているからさ。そしてそこからいろんな複雑な問題が生まれてくる。でもひとつ訊きたいんだけれど、どうして君はそんなにいつもいつも死について考えているんだろう？」

彼女は煙草をくわえ、片手で器用にマッチを擦《す》った。そしてサングラスをかけた。

「ねじまき鳥さんは死についてあまり考えないの？」

「考えることはもちろんある。でもいつもいつもじゃない。ときどきだよ。世間一般の人とおなじようにね」

「ねえ、ねじまき鳥さん」と笠原メイは言った。「私は思うんだけれど、人間というのはきっとみんなそれぞれ違うものを自分の存在の中心に持って生まれてくるのね。そしてそのひとつひとつ違うものが熱源みたいになって、ひとりひとりの人間を中から動かしているの。もちろん私にもそれはあるんだけれど、ときどきそれが自分の手に負えなくなってしまうんだ。私はそれが私の中で勝手に膨らんだり縮んだりして私を揺さぶるときの感じをなんとか人に伝えたいのよ。でもそれはわかってもらえない。もちろん私の言い方が悪いということはあるんだけど、でもみんなは私の言うことなんてロクに聞いてないのよ。聞いているふりはしているけれど、本当は何も聞いてない。だから私はときどきひどく苛々《いらいら》するし、それで無茶苦茶なことをしちゃうの」

「無茶苦茶なこと？」

「たとえば、あなたを井戸の底に閉じこめちゃうとか、それからバイクに乗っているときに運転してる子を両手でうしろから目かくしするとか」

彼女はそう言って、目の脇の傷に手をやった。

「そのときにバイクの事故が起きたんだね？」と僕は訊いた。

笠原メイは怪訝《けげん》そうな顔をして、僕を見た。質問がよく聞こえなかったようだった。でも僕が口にしたことはひとこと残らず彼女の耳に届いているはずだった。濃いサングラスの奥の彼女の目の表情ははっきりとは見えなかったが、彼女の顔ぜんたいに何かしら無感覚なものが、まるで静かな水に油をこぼしたときのように、さっと広がった。

「その男の子はどうしたの？」と僕は訊いた。

笠原メイは煙草を唇のあいだにくわえたまま、僕を見ていた。正確にいえば、僕のあざを見ていた。「ねじまき鳥さん、私はその質問に答えなくちゃいけない？」

「答えたくなければべつに答えなくてもいいよ。君がその話を始めたんだ。君が話したくなければ話すことはない」

笠原メイはどうすればいいか決めかねるようにじっと黙り込んだ。煙草の煙を大きく胸に吸いこみ、そしてゆっくりと吐いた。サングラスをいかにも気だるそうにはずし、目を固く閉じて太陽を見上げた。そんな動作を見ていると、時間の流れが少しずつ遅くなっているように感じられた。時間のぜんまいが切れかけているみたいだ、と僕は思った。

「死んだわよ」、やがて何かをあきらめたように、笠原メイは表情のない声でそう言った。

「死んだ？」

笠原メイは煙草の灰を地面に落とした。そしてタオルを取って顔の汗を何度も何度も拭《ふ》いた。それからまるで言い忘れた用件を思いだしたみたいに、早口で事務的に説明した。

「そのときはかなりスピードが出ていたから。江ノ島の近くで」

僕は黙って彼女の顔を見ていた。笠原メイは白いビーチ・タオルを両手で持って、それを両方の頬《ほお》に押しつけていた。指のあいだの煙草が白い煙をあげていた。風はなかったから、その煙はまるで小型ののろしのようにまっすぐ上にのぼっていった。彼女は泣き出そうか笑い出そうかずっと迷っているみたいだった。少なくとも僕の目にはそう見えた。彼女はその狭い境い目に不安定な姿勢で立って、いつまでもふらふらと揺れ動いていた。でも結局どちらの側にも倒れなかった。笠原メイはぎゅっと表情を引き締め、タオルを地面に置き、煙草を一口吸った。時刻は五時に近くなっていたが、暑さはいっこうに収まらなかった。

「私がその子を殺したのよ。でももちろん殺すつもりなんてなかったのよ。ただ私はぎりぎりのところまで行きたかっただけなの。私たちはそれまでにも何度もそういうことはしてきたのよ。ゲームみたいなものだったの。バイクに乗っているときに、うしろから目かくししたり、脇腹をちょっとくすぐったり……。でもそれまでは何も起きなかった。ただその時はたまたま……」

笠原メイは顔を上げて僕の顔を見た。

「ねえ、ねじまき鳥さん、私は自分が汚されているとかそういう風には感じないわよ。私はただなんとかそのぐしゃぐしゃに近づきたかっただけなの。私は自分の中にあるそのぐしゃぐしゃをうまくおびきだしてひきずりだして潰《つぶ》してしまいたかったの。そしてそれをおびきだすためには、本当にぎりぎりのところまで行く必要があるのよ。そうしないことには、そいつをうまくひっぱりだすことができないの。おいしい餌《えさ》を与えなくちゃならないの」、彼女はそう言ってゆっくり首を振った。「私は汚されてはいないと思う。でも救われてもいない。今のところ誰にも私を救うことはできない。ねえねじまき鳥さん、私には世界がみんな空っぽに見えるの。私のまわりにある何もかもがインチキみたいに見えるの。インチキじゃないのは私の中にあるそのぐしゃぐしゃだけなの」

笠原メイは長いあいだ小さく、規則的な息をしていた。鳥も蟬《せみ》も、何も鳴いていなかった。その庭はひどく静かだった。本当に世界が空っぽになってしまったみたいだった。まるで何かをふと思いだしたみたいに、笠原メイはからだの向きを変えて僕の方を向いた。彼女の顔からは表情が消えてしまっていた。まるで何かに洗い流されたように。「ねじまき鳥さんはその加納クレタっていう人と寝たの？」

僕はうなずいた。

「クレタ島に行ったら手紙を書いてくれる？」と笠原メイは言った。

「書くよ。もしクレタ島に行ったらね。でもまだ最終的に行くと決めたわけじゃないんだ」

「でも行くつもりなんでしょう？」

「たぶん行くことになると思う」

「ねえ、こっちに来て、ねじまき鳥さん」と笠原メイは言った。そしてデッキチェアの上に身を起こした。

僕はデッキチェアを立って笠原メイのそばに行った。

「そこに腰を下ろして、ねじまき鳥さん」と笠原メイは言った。

僕は言われたとおり彼女のとなりに腰を下ろした。

「顔をこちらに見せて、ねじまき鳥さん」

彼女はしばらくじっと僕の顔を正面から見ていた。そして片手を僕の膝《ひざ》の上に置き、片手の手のひらを僕の顔のあざの上に置いた。

「かわいそうなねじまき鳥さん」と笠原メイは囁《ささや》くように言った。「きっとあなたはいろんなものを引き受けてしまうのね。知らず知らずのうちに、より好みすることもできずに。まるで野原に雨が降るみたいに——ねえ目を閉じて、ねじまき鳥さん。糊《のり》で貼《は》りつけたみたいにしっかりと目を閉じてくれる」

僕はしっかりと目を閉じた。

笠原メイは僕の顔のあざの上に唇をつけた。薄い小さな唇だった。それはまるでよくできたつくりもののような唇だった。それから彼女は舌を出して、そのあざの上をまんべんなくゆっくりと舐《な》めた。彼女の片方の手は僕の膝の上にずっと置かれていた。世界中の野原を通り抜けたよりももっと遠くの場所から、その湿った温かい感触はやってきた。それから彼女は僕の手を取って、自分の目の脇《わき》の傷の上に置いた。僕はその一センチほどの長さの傷痕《きずあと》をそっと撫《な》でた。笠原メイの傷痕を撫でていると、彼女の意識の波動が指先から伝わってきた。それは何かを求めるような微《かす》かな震えだった。たぶん誰かがこの少女をしっかりと抱きしめてやるべきなのだ。たぶん僕以外の誰かが。彼女に何かを与える資格を持った誰かが。

「もしクレタ島に行ったら、私に手紙を書いてね、ねじまき鳥さん。私、長い長い手紙をもらうのが好きなんだ。誰も書いてくれないけれど」
「書くよ」と僕は言った。

⑰

いちばん簡単なこと、洗練されたかたちでの復讐、ギターケースの中にあったもの

次の日の朝、僕はパスポート用の写真を撮りにいった。スタジオの撮影用の椅子《いす》に座ると、写真屋はしばらく僕の顔を職業的な目つきで見ていたが、何も言わずに奥に引っ込んで白粉《おしろい》のようなものを持ってきて、右頬のあざの上にそれをつけた。そして後ろにさがってあざが目立たないように、照明の強さや角度を細かく調節した。僕はカメラのレンズに向かって、写真屋に言われるままになんとか、淡い微笑《ほほえ》みのようなものを口許《くちもと》に浮かべた。明後日のお昼頃までには出来ていますから、そのあとで取りにきてくださいと写真屋は言った。僕はそれから家に帰り、叔父に電話をかけて、たぶん何週間かのうちにこの家を出ていくことになると思うと言った。急な話で申し訳ないのだけれど、実はクミコが突然家を出ていってしまったのだと僕は打ち明けた。あとで送られてきた手紙によれば、彼女が戻ってくることはたぶんもう二度とないだろうし、僕としてはしばらくのあいだ——それがどれくらいの期間に

なるかはまだわからないのだが――この場所を離れてみたいのだ、と。僕がだいたいの説明を終えると、叔父はしばらく電話の向こうで考え込むように黙っていた。

「クミコとお前とは、これまでのところずいぶんうまくやっているみたいに思えたんだけどね」、叔父は軽いため息をついたあとでそう言った。

「実を言うと、僕もそう思っていたんですよ」、僕は正直に言った。

「べつに話したくなければ話さなくてもいいんだけど、クミコが出ていったのには何かちゃんとした理由はあるのかな？」

「たぶんクミコに恋人ができたんだと思いますよ」

「そういう心当たりがあるんだね？」

「いいえ、心当たりというようなものはほとんどありません。でも本人がそう書いてきたんですよ、手紙に」

「なるほど」と叔父は言った。「とすれば、まあそういうことなんだろうね」

「そうなるでしょうね」

彼はもう一度ため息をついた。

「僕のことは大丈夫ですよ」と僕は叔父を慰めるように明るい声で言った。「ただ少しのあいだ、ここを離れたいと思うんです。場所を変えて気分転換もしたいし、これからのこともゆっくりと考えてみたいし」

「どこか行くあてはあるのか？」

「たぶんギリシャに行くことになると思うんです。友達があっちに住んでいて、前から遊びにこないかと誘われていたものですから」、僕は嘘《うそ》をついたことで、また少し嫌《いや》な気持ちになった。でも叔父に向かって、今ここで本当のことをすっかり全部、正確にわかりやすく説明するのはどう考えても不可能だった。まるっきりの嘘の方が、まだましだ。

「うん」と彼は言った。「それはかまわんよ。どうせ俺《おれ》はその家を、これから先誰か他の人間に貸すつもりはないから、荷物もそのままそこに置いていけばいい。まだ若いんだし、やりなおしもきくし、まあしばらく遠くに行ってのんびりしてくるといいさ。ギリシャか……ギリシャはいいだろうな」

「いろいろとすみません」と僕は言った。「でも、もし何かの事情で、僕のいないあいだに他の誰かに家を貸すようなことになったら、今あるものは適当に処分しちゃってかまいません。どうせたいしたものは何もありませんから」

「それはまあいいさ。あとのことは俺が考えてちゃんとやっとくから。でも、このあいだお前が電話で言っていた『流れが淀《よど》む』云々《うんぬん》というのは、クミコのことと関係があるのかな？」

「そうですね。少しはあります。そんな風に言われて、僕にもいささか気にかかるところがあったものですから」

叔父はしばらく考え込んでいるようだった。「そのうちに、一度そちらに顔を出してみていいかな？　俺も自分の目でなんとなく様子を見てみたいんだ。しばらくそこにも行ってないしな」

「べつにいつでもかまいませんよ。用事なんて何もありませんから」

電話を切ってから、僕は急にやりきれない気持ちになった。この何ヵ月かのあいだにある奇妙な流れが、僕をここまで運んできたのだ。今僕のいる世界と、叔父のいる世界とのあいだには、目には見えない厚く高い壁のようなものがあった。それはひとつの世界と別の世界を隔てる壁だった。叔父はあっちの世界にいて、僕はこっちの世界にいた。

二日後に彼は家にやってきた。叔父は僕の顔のあざを見ても、とくになにも言わなかった。どう言えばいいのかよくわからなかったのだろう。ちょっと不思議そうに目を細めただけだった。彼は上等のスコッチウィスキーを一本と、小田原で買ってきたかまぼこの詰合せを土産に持ってきた。僕と叔父は縁側に座ってかまぼこを食べ、ウィスキーを飲んだ。

「しかし、縁側というのはやはりいいものだね」と叔父は言って、何度もうなずいた。「マンションにはもちろん縁側はないからね、ときどきここのことが懐《なつ》かしくなるよ。なんといっても、縁側には縁側の心もちというものがあるね」

叔父はしばらくのあいだ空に浮かんだ月を眺《なが》めていた。誰かがついさっき研ぎあげたばかりのような白い三日月だった。そういうものが実際に空に浮かびつづけていられるというのが、僕にはなんとなく不思議に思えた。

「ところで、そのあざはいつ、どこでできたんだい？」、叔父はなにげなさそうに尋ねた。

「それがよくわからないんですよ」と僕は言った。そしてウィスキーをひとくち飲んだ。「ふと気がついたら、ここにできていたんです。一週間くらい前のことかな。もっとうまく詳しく説明できるといいんだろうけど、困ったことに説明のしようがないんですよ」

「医者には行ったのかい？」

僕は首を振った。

「俺にはもうひとつよくわからないんだけど、それと、クミコが出ていったこととのあいだには、何か関係のようなものがあるんだろうか？」

僕は首を振った。「でもこのあざはとにかく、クミコが出ていったあとでできたんです。順番からいえばそういうことになります。因果関係までは僕にもわかりませんね」

「とつぜんそんなあざが顔にできるなんて話は聞いたことがないね」

「僕だって聞いたことありませんよ」と僕は言った。「でも、うまく説明できないんですが、僕はだんだんこのあざの存在に馴《な》れてきているような気がするんです。もちろんこんなものができて、最初は僕も驚いたし、ずいぶんショックでした。自分の顔を見ているだけで気持ちが悪かったし、こんなものが一生ここについていたら、どうすればいいんだろうって思いました。でも日にちが経過するにしたがって、どういうわけか、あまり気にならなくなってきたんです。それほど悪いものでもないんじゃないかとさえ思えてきたんです。どうしてだか、僕にもわからないんですが」

「ふうん」と叔父は言った。そしてどことなく疑わしげな目で、長いあいだ僕の右頰のあざを眺めていた。

「まあ、お前がそう言うのなら、べつにそれでいいんだろうな。あくまでそれはお前の問題なんだからね。もし必要なら、医者のひとりくらいは紹介できると思うけれど」

「ありがとう。でも今のところ医者に行くつもりはありません。たぶん医者に診てもらっても無駄《むだ》だと思うんです」

叔父は腕を組んで、しばらく空を見上げていた。いつものように星は見えなかった。ただくっきりとした三日月がひとつそこにあるだけだった。「俺はずいぶん長いあいだ、お前とこうやってゆっくり話をしたことがなかった。放《ほう》っておいても、クミコと二人で仲良くうまくやっていると思ったからだよ。それにもともと俺は、他人のことにあれこれ口を出すのがあまり好きじゃないからね」

それはよくわかっていると僕は言った。

叔父はグラスの中の氷をしばらくからからと揺すっていたが、一口飲んでそれを下に置いた。「お前のまわりで、ここのところいったい何が起こっているのか、俺にはよくわからん。流れが淀むとか、家相がどうとか、クミコがいなくなったとか、突然ある日顔にあざができたとか、しばらくギリシャに行くとかね。まあそれはそれでいいさ。お前の女房が出ていったんだし、お前の顔にあざができたんだ。こういう言い方はなんだけど、俺の女房が出ていって、俺の顔にあざができたわけじゃない。そうだろう？　だからお前が細かい説明をしたくないのなら、べつに説明することはない。俺も余計な口出しはしたくない。ただね、俺は思うんだけれど、自分にとっていちばん大事なことは何かというのを、お前はもう一度よくよく考えてみた方がいいと思うよ」

僕はうなずいた。「ずいぶん考えてはいるんですよ。でもいろんなことがものすごく複雑にしっかりと絡《から》み合っていて、ひとつひとつほどいて独立させることができないんです。どうやってほどけばいいのか僕にはわからない」

叔父は微笑んだ。「それをうまくやるためのコツみたいなのはちゃんとあるんだ。そのコツを知らないから、世の中の大抵の人間は間違った決断をすることになる。そして失敗したあとであれこれ愚痴を言ったり、あるいは他人のせいにしたりする。俺はそんな例を嫌というくらい見てきたし、正直に言ってそういうのを見るのはあまり好きじゃない。だからあえてこういう偉そうな話をするわけだけど、コツというのはね、まずあまり重要じゃないところから片づけていくことなんだよ。つまりAからZまで順番をつけようと思ったら、Aから始めるんじゃなくて、XYZのあたりから始めていくんだよ。お前はものごとがあまりにも複雑に絡み合っていて手がつけられないと言う。でもそれはね、いちばん上からものごとを解決していこうとしているからじゃないかな。何か大事なことを決めようと思ったときはね、まず最初はどうでもいいようなところから始めた方がいい。誰が見てもわかる、誰が考えてもわかる本当に馬鹿《ばか》みたいなところから始めるんだ。そしてその馬鹿みたいなところにたっぷりと時間をかけるんだ。

俺のやってるのはもちろんたいした商売じゃないよ。銀座にたかが四軒か五軒店を持っているだけだ。世間的に見ればけちな話だし、いちいち自慢するほどのことじゃない。でも成功するか失敗するかということに話を絞れば、俺はただの一度も失敗しなかった。それは、俺がそのコツのようなものを実践してきたからだよ。他のみんなは誰が見てもわかるような馬鹿みたいなところは簡単にすっ飛ばして、少しでも早く先に行こうとする。でも俺はそうじゃない。馬鹿みたいなところにいちばん長く時間をかける。そういうところに長く時間をかければかけるほど、あとがうまく行くことがわかってるからさ」

叔父はまたひとくちウィスキーを飲んだ。

「たとえばだね、どこかに店を一軒出そうとする。レストランでもバーでもなんでもいいよ。まあ想像してみろよ、自分がどこかに店を出そうとしているところを。いくつかの場所の選《せん》択肢《たくし》がある。でもどこかひとつに決めなくちゃならない。どうすればいい？」

僕は少し考えてみた。「まあそれぞれのケースで試算することになるでしょうね。この場所だったら家賃が幾らで、借金が幾らで、その返済金が月々幾らで、客席がどのくらいで、回転数がどれくらいで、客単価が幾らで、人件費がどれくらいで、損益分岐点がどれくらいか……そんなところかな」

「それをやるから、大抵の人間は失敗するんだ」と叔父は笑って言った。「俺のやることを教えてやるよ。ひとつの場所が良さそうに思えたら、その場所の前に立って、一日に三時間だか四時間だか、何日も何日も何日も、その通りを歩いていく人の顔をただただじっと眺めるんだ。何も考えなくていい、何も計算しなくていい、どんな人間が、どんな顔をして、そこを歩いて通り過ぎていくのかを見ていればいいんだよ。まあ最低でも一週間くらいはかかるね。そのあいだに三千人か四千人くらいの顔は見なくちゃならんだろう。あるいはもっと長く時間がかかることだってある。でもね、そのうちにふっとわかるんだ。そしてその晴れたみたいにわかるんだよ。そこがいったいどんな場所かということがね。突然霧が所がいったい何を求めているかということがさ。もしその場所が求めていることと、自分の求めていることがまるっきり違っていたら、それはそれでおしまいだ。別のところにいって、同じことをまた繰り返す。でももしその場所が求めていることと、自分の求めていることとのあいだに共通点なり妥協点があるとわかったら、それは成功の尻尾《しっぽ》を摑《つか》んだことになる。あとはそれをしっかり摑んだまま離さないようにすればいい。でもそれを摑むためには、馬鹿みたいに雨の日も雪の日もそこに立って、自分の目で人の顔をじっと見ていなくちゃならないんだよ。計算なんかはあとでいくらでもできる。俺はね、どちらかというと現実的な人間なんだ。この自分のふたつの目で納得するまで見たことしか信用しない。理屈や能書きや計算は、あるいは何とか主義やなんとか理論なんてものは、だいたいにおいて自分の目でものを見ることができない人間のためのものだよ。そして世の中の大抵の人間は、自分の目でものを見ることができない。それがどうしてなのかは、俺にもわからない。やろうと思えば誰にだってできるはずなんだけどね」

「マジックタッチというだけのことでもないんですね」

「それもある」と叔父はにっこり笑って言った。「でもそれだけでもない。俺は思うんだけれど、お前のやるべきことは、やはりいちばん簡単なところからものごとを考えていくことだね。例えて言うなら、じっとどこか街角に立って毎日毎日人の顔を見ていることだろうね。何も慌《あわ》てて決める必要はないさ。辛《つら》いかもしれないけれど、じっと留《とど》まって時間をかけなくちゃならないこともある」

「それは、もうしばらくここにいろということですか？」

「いや、俺はどこに行けとか、ここにいろとか、そういうことを言っているわけじゃない。ギリシャに行きたいのなら、行けばいいと思う。ここに残りたいのなら、残ればいいと思う。それはお前が順番をつけて決めることだよ。ただね、お前がクミコと結婚したのはいいことだと俺はずっと思っていた。クミコにとってもいいことだと思っていた。それがどうしてこんな風に急に駄目になってしまったのか、俺にはもうひとつうまく理解できないんだよ。お前にもまだうまく理解できていないんだろう？」

「いませんね」

「だとすれば、何かがはっきりとわかるまで、自分の目でものを見る訓練をした方がいいと思う。時間をかけることを恐れてはいけないよ。たっぷりと何かに時間をかけることは、ある意味ではいちばん洗練されたかたちでの復讐なんだ」

「復讐」と僕は少し驚いて言った。「なんですか、その復讐というのは。いったい誰に対する復讐なんですか？」

「まあ、お前にもそのうちに意味はわかるよ」と叔父は笑って言った。

僕らが縁側に座って一緒に酒を飲んでいたのは、全部で一時間ちょっとだった。それから叔父は腰を上げ、すっかり長居をしたなと言って帰っていった。ひとりになったあと、僕は縁側の柱にもたれて、ぼんやりと庭と月を眺めた。僕はしばらくのあいだ、叔父があとに残していってくれた現実的な空気のようなものを、たっぷりと胸に吸い込むことができた。そのおかげで本当に久しぶりに、ほっとすることができた。

でもそれから何時間かたち、そんな空気が徐々に薄らいでくると、あたりはまた淡い哀《かな》しみの衣のようなものに包まれていった。そして結局のところ僕はこちらの世界にいて、叔父はあちらの世界にいた。

ほんとうに簡単なところからものごとを考えていけばいいと叔父は言った。でも僕にはどこが簡単なところなのか、どこが難しいところなのか、区別することができなかった。だから翌日の朝、ラッシュアワーの時間が終わってから、家を出て新宿に行った。そしてそこに立って実際に、人々の顔をただじっと眺めることにした。そんなことをして何かの役に立つのかどうかわからなかったが、何もやらないよりはたぶんましだろうと思ったのだ。人々の顔を嫌というほど眺めることが、簡単なことの一例であるのなら、その一例を実行してみてもいいはずだった。少なくとも損はないはずだった。うまくいけばそこには僕にとって何が「簡単なこと」かを示唆《しさ》してくれるものが含まれているかもしれない。

最初の日、僕は新宿駅前の花壇の縁に腰を下ろし、目の前を通り過ぎていく人々の顔を、二時間ばかりじっと見ていた。でもそこを通り過ぎる人々の数は、余りにも多すぎたし、その足取りはあまりにも速すぎた。誰かの顔をゆっくりと見ることもむずかしかった。おまけにそこに長く座っていると、浮浪者らしい男が寄ってきて、僕にしつこく何かを話しかけた。警官が何度も前を通って、僕の顔をじろじろと見た。それで僕は駅前をあきらめ、もっとのんびり通行人を眺めるのに適した場所を探すことにした。

ガードをくぐって西口に移り、しばらくあちこちを歩き回ったあとで、高層ビルの前に小さな広場をみつけた。広場には洒落《しゃれ》たベンチがあったし、そこに座って好きなだけ通行人を眺めることもできた。通行人の数も駅前ほど多くはなかったし、ウィスキーの小瓶《こびん》をポケットに突っ込んだ浮浪者もいなかった。僕はダンキン・ドーナツでドーナツとコーヒーを買い、それを昼食がわりにして、一日そこに座っていた。そして夕方のラッシュの前に家に引き上げた。

最初のうち、髪の薄い人の姿ばかりが目についた。笠原メイと一緒にかつらメーカーの調査アルバイトをしたときの影響だ。目が自然に、禿《は》げた人を追って、松とか竹とか梅とかにさっと分類してしまうのだ。これなら笠原メイに電話をかけて、また一緒にアルバイトをやってもよかったなと思ったくらいだった。

でも何日かが経過すると、何も考えずにただ人の顔を見ていられるようになった。そこを通り過ぎる人々の多くは、高層ビルのオフィスに出入りする男女のサラリーマンだった。

人々は白いシャツにネクタイを結んで、鞄《かばん》をさげ、女性の多くはヒールの高い靴《くつ》を履いていた。その他に、ビルの中のレストランや店を訪ねてくる人々もいた。最上階にある展望台に登るためにやってくる家族連れもいた。ただどこかからどこかに歩いて移動していく人々もいた。でもだいたいにおいて、人々はそれほど速くは歩かなかった。僕はこれというあてもなく、ただぼんやりと彼らの顔を見ていた。ときどき何かの理由で興味の引かれる人がいれば、その顔を集中して眺め、その姿を目で追った。

一週間、毎日それを続けた。人々が出勤を終える十時頃に電車で新宿に出て、広場のベンチに座り、四時までそこでほとんど身動きもせず、じっと人の顔を見ていた。実際にやってみてわかったことなのだが、次から次へと前を通り過ぎていく人の顔を目で追っていると、まるで栓《せん》でも抜いたみたいに頭の中を空っぽにしておけるのだ。僕は誰にも語りかけず、誰からも語りかけられなかった。何も思わず、何も考えなかった。時々自分が石のベンチの一部になってしまったような気がした。

でも一度だけ、僕に話しかけてきた人間がいた。身なりのいい瘦《や》せた中年の女性だった。ぴったりとした鮮やかなピンク色のワンピースを着て、鼈甲縁《べっこうぶち》の濃いサングラスをかけ、白い帽子をかぶり、白いメッシュのハンドバッグを持っていた。脚が綺麗《きれい》で、とても高そうに見えるしみひとつない白い革のサンダルを履いていた。化粧は濃かったが、厭味《いやみ》なほどではなかった。その女は僕に、何か困ったことはあるかと尋ねた。とくにない、と僕は言った。毎日ここで見かけるようだけれど、いったい何をしているのか、と彼女は尋ねた。人の顔を見ているのだ、と僕は答えた。何か目的があって人の顔を見ているのかと彼女は尋ねた。とくに目的のようなものはない、と僕は答えた。

彼女はバッグからヴァージニア・スリムを出して、小さな金のライターで火をつけた。そして僕に一本勧めた。僕は首を振った。それから彼女はサングラスをはずし、何も言わずにしげしげと僕の顔を見ていた。正確に言えば、彼女は僕のあざを見ていた。僕はかわりに彼女の目を覗《のぞ》き込んでみた。でもその中にはどのような感情の動きも読みとれなかった。ただの一対《つい》の、正確に機能しているらしい黒い瞳《ひとみ》があるだけだった。彼女は小さな尖《とが》った鼻をしていた。唇《くちびる》は細く、そこに丁寧に口紅が塗られていた。年齢を見きわめるのは難しかったが、たぶん四十代の半ばくらいだろう。一見するともっと若く見えるのだが、鼻のわきの線がちょっと独特のくたびれかたをしていた。

「あなた、お金はあるの？」と彼女は訊《き》いた。

「お金？」びっくりして僕は言った。「なんですか、いったいそのお金っていうのは？」

「ただ訊いただけよ。お金はあるのかって？　お金に困ってはいない？」

「とくに今のところ困ってはいませんね」と僕は言った。

女は僕の言ったことを吟味するように唇を少し横に曲げたまま、じっと注意深く僕を見ていた。それからうなずいた。そしてサングラスをかけ、煙草《たばこ》を地面に捨て、すっと立ち上がって、後ろも見ずに行ってしまった。僕はあっけにとられて、彼女が人込みの中に消えていくのを眺《なが》めていた。頭が少しおかしいのかもしれない。でもそれにしてはあまりにも身なりがきちんとしている。僕は彼女の捨てていった煙草を靴の底で踏んで消し、ゆっくりとまわりを見回してみた。僕のまわりにはいつもと同じ現実の世界が満ちていた。人々はそれぞれの目的を持って、どこかからどこかに移動していた。僕は彼らが誰かを知らず、彼らは僕が誰かを知らなかった。僕は深呼吸をし、また何も考えずにそれらの人々の顔を眺める作業にとりかかった。

僕は全部で十一日、そこに座りつづけていた。毎日コーヒーを飲み、ドーナツを食べ、前を通り過ぎる何千人もの人々の顔をただじっと眺めつづけた。僕に話しかけてきた身なりのいい中年の女との意味のない短い会話を別にすれば、僕はその十一日のあいだ誰ともひとことも口をきかなかった。とくべつなことは何もしなかったし、何も起こらなかった。でもその十一日間がほとんど空白のまま経過したあとでも、まだどこにもたどり着けなかった。僕はあいかわらず複雑に絡み合った迷路の中で途方に暮れていた。いちばん簡単なもつれをほどくことすらできない。

でも十一日目の夕方にある奇妙なことが起こった。それは日曜日で、僕はいつもより遅い時間までそこに座って、人々の顔を眺めつづけていた。日曜日にはいつもとは違う種類の人々が新宿にやってくるし、ラッシュアワーもない。僕は黒いギターケースを下げた若い男の姿をふと目にとめた。背は低くもなく、高くもない。黒いプラスチックの縁の眼鏡をかけて、長い髪を肩まで垂らし、ブルージーンズにダンガリー・シャツという恰好《かっこう》で、くたびれかけた白いスニーカーを履いていた。そしてまっすぐ前を向いたまま、考えごとでもしているような目つきで僕の前を横切っていった。その男の姿を目にしたとき、何かが僕の意識を打った。心臓が小さく音を立てた。あの男を知っている、と僕は思った。あの男を前にどこかで見たことがある。でも誰だったか思いだすまでに何秒かかかった。それはあの夜、札幌のスナック・バーで歌を歌っていた男だった。間違いない、あの男だ。

すぐにベンチを立って、急いでそのあとを追った。男はどちらかといえばのんびりとした足取りで歩いていたから、追いつくのは難しくなかった。僕は男の歩調にあわせて、その十メートルほどあとからついていった。僕はよほど彼に声をかけようと思った。あなたはたしか三年ほど前に札幌で歌っていましたね、そこであなたの歌を聴いたんですよ、と僕は言うだろう。「そうですか、それはどうもありがとうございます」と彼は言うだろう。でもそれから何と言えばいいのだ。「実は、あの夜に僕の女房は堕胎手術を受けたんです。そして彼女はこのあいだ家を出ていきました。他の男とずっと寝ていたんですよ」とでも言えばいいのか？　とにかく成り行きにまかせて、男のあとをつけていくことにした。あるいは歩いているうちに、どうすればいいか良い考えが浮かぶかもしれない。

その男は駅とは逆の方向に歩いていった。高層ビルの連なる地域を抜け、甲州街道を越え、代々木の方向に向かった。何を考えているのかはわからないけれど、集中して深く何かを考えているように見えた。また歩き馴《な》れた道らしく、きょろきょろあたりを見回したり、迷ったりするようなこともなかった。じっと前方に目を向けたまま、終始同じペースで歩き続けた。僕はそのあとを追いながら、クミコが堕胎手術をした日のことを思いだした。三月初めの札幌。地面は硬く凍りつき、雪がときどきはらはらと舞っていた。僕はもう一度その街に戻り、その凍《い》てついた空気を胸に吸い込んだ。人々の吐く白い息を目の前に見ることもできた。

たぶんあの時から何かが変わり始めたんだ、僕はふと思った。間違いない。あの時を境として僕のまわりで流れが確かな変化を見せ始めたのだ。今になって考えてみれば、あの堕胎手術は僕ら二人にとって、非常に重要な意味を持つ出来事だったのだ。でもその時には、僕はその重要性がうまく認識できなかった。僕は堕胎という行為そのものにあまりにも強くとらわれすぎていた。でも本当に大事なことは、もっと別のところにあったのかもしれない。

私はそうしないわけにはいかなかったの。そしてそうするのが私たち二人にとっていちばん正しいことだと私は思ったの。ねえ、そこにはあなたの知らないこともあるのよ。私が今はまだ口には出せないようなことも、そこにはあるの。私はそれをあなたに隠しているわけではないのよ。私にはそれが本当のことなのかどうかまだ確信が持てないだけなの。だから今はまだそれを口に出すことができないの。

その時の彼女にはまだその何かが真実であるのかどうか確信が持てなかった。そしてまず間違いなく、その何かは堕胎よりはむしろ、妊娠に関係したことだった。あるいは胎児に関係したことだったのだ。それはいったい何だったのだろう？　何がそれほどまでにクミコを混乱させたのか？　彼女は僕以外の男と関係していて、その子供を産むことを拒否したのだろうか。いや違う、そんなことはあり得ない。彼女自身そんなことはあり得ないと断言したのだ。それはたしかに僕の子供だった。でもそこには僕に言えない何かがあった。そしてその何かは、今回のクミコの家出と密接に関連している。すべてはそこから始まっているのだ。

でもそこにいったいどんな秘密が隠されているのか、僕には見当もつかない。僕ひとりだけが、暗闇《くらやみ》の中に置き去りにされていた。ただひとつわかっているのは、その何かの秘密を解きあかさないことには、クミコはもう二度と僕のところには戻ってこないだろうということだけだ。やがて僕は自分の体の内に静かな怒りのようなものを感じはじめた。それは僕の目には見えない何かに対する怒りだった。僕は背筋を伸ばし、大きく息を吸い込み、心臓の鼓動を鎮《しず》めた。でもその怒りは水のように音もなく、僕のからだの隅々《すみずみ》までを浸していた。それは哀しい怒りだった。僕はそれをどこにぶっつけることもできない。どのようにして解消することもできない。

男は同じ調子で歩き続けた。小田急線の線路を越え、商店街を通り抜け、神社を通り抜け、ところどころで入り組んだ路地を抜けた。僕は気づかれないように、場合場合に応じて適当な距離を置いて、そのあとをついていった。彼が僕の存在にまったく気づいていないことは明らかだった。ただの一度もうしろを振り向かなかったからだ。この男には間違いなく、何かしら普通ではないところがあると僕は思った。後ろを振り返らないどころか、よそ見ひとつしないのだ。それほどまで集中していったい何を考えているのだろう？　あるいは逆に、まったく何も考えていないのだろうか？

　やがて男は人通りのある道路を離れ、二階建ての木造住宅が並ぶひっそりとした一画に入っていった。道路は狭く、曲がりくねり、その両側にはいかにも古びた家屋が、間隔らしい間隔もあけずに連なっていた。そこは奇妙なほど人の気配がなかった。周辺の家屋の半分以上が空き家になっているせいだ。空き家の玄関には板が打ちつけられ、建築予定の札が吊《つ》るしてあった。またところどころに、まるですっぽりと歯が抜けたように、夏草の生えた空き地があり、まわりを金網で囲ってあった。おそらく近いうちにこの一帯をまとめて取り壊し、あとに新しいビルでも建てる計画でもあるのだろう。まだ人が住んでいる家の前には、朝顔やら何やらの鉢《はち》が所狭しと並んでいた。三輪車が放《ほう》り出してあり、二階の窓にはタオルと子供用の水着が干してあった。何匹かの猫《ねこ》たちが窓の下や、戸口に寝ころんで大儀そうに僕を見ていた。まだ夕方の明るい時刻なのに、人の姿は見えなかった。それがいったい地理的にどのあたりになるのか、よくわからなかった。どちらが北でどちらが南なのかもわからない。たぶん代々木と千駄ヶ谷と原宿の三つの駅を結ぶ三角の中だろうと僕は見当をつけたのだが、確信はなかった。

　でもいずれにせよ、それは都会の真ん中に、見過ごされたようにぽつんと残された地域だった。たぶんもともとの道路が狭くて車がほとんど入れないせいだろう、その一画だけには、長いあいだ開発業者の手が及んでいなかったのだ。そこに足を踏み入れると、二十年か三十年時間が逆戻りしたような気分になった。気がつくと、ついさっきまでうるさく耳についていた車の騒音が、どこかに吸い込まれたように消えてしまっていた。男はギターケースを下げて、その迷路のような道を歩き、アパートらしき木造の建物の前で立ち止まった。そして入口のドアを開け、中に入り、ドアを閉めた。ドアには鍵《かぎ》がかかっていないようだった。

僕はしばらくのあいだそこに立っていた。腕時計の針は六時二十分を指している。それから向かいの空き地の金網の塀《へい》にもたれかかって、しばらくその建物の様子を観察した。よくある二階建ての木造アパートだ。入口の雰囲気《ふんいき》や、部屋の並び方でそれはわかる。学生のときに僕も、そんなアパートにしばらくのあいだ住んだことがあった。玄関に下駄箱《げたばこ》があって、便所が共同で、小さな台所のついている一間のアパート——住んでいるのは学生か独身の勤め人だ。でもその建物には人の住んでいる気配というものが感じられなかった。物音ひとつ聞こえず、動きひとつ見受けられない。デコラ張りの入口のドアには表札は出ていなかった。どうやら表札はしばらく前に剝《は》がしとられたらしく、そのあとが細長い白い空白になって残っていた。あたりにはまだ午後の熱気が残っているというのに、どの部屋の窓もぴたりと閉められ、内側のカーテンが引かれたままになっていた。

あるいはこのアパートも近いうちに、まわりの建物と一緒に取り壊す予定になっていて、中にはもう誰も住んでいないのかもしれない。もしそうだとすれば、あのギターケースを下げた男はここで何をしているのだろう？ 男が中に入っていったあと、どこかの部屋の窓がさっと開けられるのではないかと待っていたのだが、相変わらず何の動きもなかった。

人通りのない路地でいつまでも時間を潰《つぶ》しているわけにもいかないので、僕はそのアパートらしき建物の玄関に行ってドアを開けてみた。ドアにはやはり鍵はかかっておらず、それは簡単に内側に開いた。そのまましばらく戸口で様子をうかがっていたが、中はほの暗く、そこに何があるのか、一目ではよく見分けられなかった。窓という窓が閉め切りになっているせいで、もわっとした熱気がこもっていた。あの井戸の底でかいだのとよく似た黴《かび》の匂《にお》いがした。暑さのせいでシャツのわきの下はぐっしょりと湿っていた。耳のうしろを汗が一筋流れ落ちた。僕は思い切って中に入り、そっと静かにドアを閉めた。そして郵便受けなり下駄箱なりについた名札で(もしそういうものがあればだが)、誰かがまだそこに住んでいるのかどうかを確かめようとした。でもそのときに僕は突然、そこに誰かがいることに気づいた。誰かが僕をじっと見ている。

戸口のすぐ右側には背の高い下駄箱のようなものがあって、その陰にまるで身を隠すかのように、その誰かはいた。僕は息を呑《の》んで、そのほの暗い熱気の奥を見た。そこにいるのは僕があとをつけてきたギターケースを持った若い男だった。彼はここに入ってすぐ、下駄箱のうしろにじっと潜んでいたのだ。心臓が僕の喉《のど》のすぐ下のあたりで釘《くぎ》を打つような音を立てた。この男はそんなところでいったい何をしているのだろう? 僕を待っていたのかもしれない。あるいは……、「こんにちは」と僕は思い切って声をかけてみた。「ちょっとお伺いしたいんですが……」

そのとき、何かがだしぬけに僕の肩を打った。ひどく激しく打った。いったい何が起こったのか、うまく事情が呑み込めなかった。そのときに僕が感じたのは、目がくらんでしまいそうなほど強い肉体的な衝撃だった。わけがわからないまま、僕はそこにじっと立ちすくんでいた。でも次の瞬間に僕ははっと理解した。バットだ。その男は下駄箱の陰からまるで猿《さる》のように素早く飛びだしてきて、野球のバットで思い切り僕の肩を叩いたのだ。僕があっけにとられていると、彼はもう一度バットを振り上げて襲いかかってきた。身をかわそうとしたが既に遅すぎた。バットは今度は左腕を打った。一瞬腕の感覚がなくなった。痛みはない。まるで左腕そのものがそっくり空中に消えてしまったように、感覚が失われただけだった。

そのときほとんど反射的に、僕は相手のからだを蹴《け》りあげていた。高校生のころに空手の有段者だった友人に、正式にではないけれど空手の初歩的なテクニックを習ったことがある。彼は何日も何日も僕に蹴りだけをやらせた。派手なことはなにもなし、ただなるべく強く、なるべく高くまっすぐに最短距離で足を蹴りあげる練習だけだった。いざというときにはこれがいちばん役に立つんだ、と彼は言った。たしかにそのとおりだった。男はバットを振るうことで頭がいっぱいで、蹴られるという可能性をまったく考えていなかった。僕も夢中だったから、いったいどこを蹴ったのかもわからないし、蹴り自体もそれほど強いものではなかったのだが、男はショックでひるんだようだった。バットを振り上げるのをやめて、まるでそこで時間が中断してしまったみたいに、ぼんやりとした目で僕を見ていた。その隙《すき》に、今度はより正確な、より強い蹴りを相手の下腹部にのめりこませた。男が苦痛にからだを折っているあいだに僕は男の手からバットをもぎ取った。そして今度は脇腹《わきばら》を思い切り蹴りあげた。男が足を摑《つか》もうとしたので、もう一度蹴った。そしてもう一度同じ場所を蹴った。それからバットで太腿《ふともも》を叩きつけた。男は鈍い悲鳴のようなものを上げて、床に転がった。

最初のうち僕は、むしろ恐怖と興奮から男を蹴ったり殴ったりしていた。自分が殴られないために、相手を蹴り、殴っていたのだ。でも男が床に倒れてからは、それははっきりとした怒りに変わっていた。しばらく前、クミコのことを考えながら歩いているときに僕のからだの中にわき起こってきた静かな怒りは、まだそこに残っていた。そしてそれは今では解き放たれ、大きく膨らみ、炎のように燃え上がっていた。それは激しい憎しみに近い怒りだった。僕はもう一度バットで男の太腿を打ちつけた。男は口のわきから涎《よだれ》をたらしていた。バットで打たれた僕の肩と左腕が少しずつずきずきと痛みはじめていた。その痛みは僕の怒りをもっと強くかきたてることになった。男の顔も苦痛に歪《ゆが》んでいたが、それでも彼は腕を使って起きあがろうとした。左手に思うように力が入らなかったので、バットを捨て、男にのしかかるようにして顔を右手で思い切り殴った。何度も何度もその男の顔を殴りつけた。右手の指が痺《しび》れて痛くなるまで殴った。相手が意識をなくすまで殴ってやろうと思った。襟首《えりくび》を摑んで、頭を木の床に叩きつけた。僕はこれまでに殴り合いの喧嘩《けんか》なんて一度もやったことがなかった。思い切り人を殴ったこともなかった。でもどういうわけか、もうやめることができなくなってしまっていた。もうやめなくちゃいけないんだ、と僕は頭の中で考えていた。これでもう十分だ。これ以上はやりすぎになる。こいつはもう立ち上がることもできないんだぞと。でもやめられなかった。自分がふたつに分裂してしまっていることがわかった。

こっちの僕にはもうあっちの僕を止めることはできなくなってしまっているのだ。僕は激しい寒けを感じた。

そのとき男が笑っていることに気がついた。その男は殴られながら、僕に向かってにやにや笑いかけているのだ。殴られれば殴られるほど笑いは大きくなっていった。そして最後には、彼は鼻から血を流し、切れた唇から血を流し、自分の涎にむせながら、ひいひいと声を上げて笑っていた。こいつは頭がおかしいんだと僕は思った。僕は殴るのをやめ、立ち上がった。

あたりを見回すと、黒いギターケースが下駄箱の横に立てかけてあるのが見えた。僕は笑い続けている男をそのままにして、そこに行ってギターケースを床に倒し、とめがねを外し、蓋《ふた》をあけた。その中には何もなかった。からっぽだった。ギターもなく、蠟燭《ろうそく》もなかった。男は僕を見て、咳《せき》をしながら笑っていた。突然僕は息苦しくなった。この建物の中の蒸し暑い空気が急に耐えがたいものに思えてきた。黴の匂い、自分の汗の感触、血と涎の匂い、そして自分の中の怒り、憎しみ、そんな何もかもが耐えがたいものになった。僕はドアを開け、外に出た。そしてドアを閉めた。相変わらずあたりには人影はなかった。茶色い大きな猫が、こちらには目もくれずにゆっくりと空き地を横切っていくだけだった。

誰かに見とがめられないうちにその一画を抜け出したかった。どちらに向かえばいいのかもわからなかったが、それでも見当をつけて歩いていくうちに、新宿駅行きの都バスの停留所をみつけることができた。バスが来るまでになんとか呼吸を整え、頭の中を整理しようとした。でも呼吸は乱れたままだったし、頭の整理もつかなかった。僕はただ人の顔を見ようとしていただけなんだ、頭の中でそう繰り返した。叔父がやっていたのと同じように、街角で通行人の顔を眺めていただけなのだ。そしていちばん簡単なもつれをほどこうと思っていただけなのだ。バスに乗り込むと、乗客はみんな一斉《いっせい》に僕の方を向いた。彼らは驚いたようにしばらく僕の姿を見て、それからどことなく居心地悪そうに目をそらせた。たぶん顔のあざのせいだろうと僕は思った。それが僕の白いシャツに飛んだ男の血（それはほとんど鼻血だったのだけれど）と、手にした野球バットのせいだということに気づくまでにしばらく時間がかかった。無意識にその野球のバットを摑んで持ってきてしまったのだ。結局僕はそのバットを家まで持って帰った。そして押入れの中に放り込んでおいた。

その夜、明け方まで寝つけなかった。時間が経過するにつれて、男にバットで殴られた肩と左腕の部分が膨れ上がってずきずきと痛んだし、右手の拳《こぶし》には何度も何度も男を殴りつけた感触がそのまま残っていた。ふと気がつくと、右手の拳はまだぎゅっと強く握りしめられ、闘いの姿勢を取っていた。僕がそれをほどこうと思っても、手の方がなかなか言うことをきかなかった。だいいち僕は眠りたくなかった。今このまま寝てしまえば、まず間違いなく嫌《いや》な夢を見るだろう。気持ちを落ちつけるために台所のテーブルの前に座って、叔父の残していったウィスキーを生《き》のままで飲み、カセット・テープで静かな音楽を聴いた。僕は誰かと話したかった。誰かに語りかけてほしかった。電話機をテーブルの上に置いて、それを何時間も眺《なが》めていた。誰でもいい、誰でもいいから僕に電話をかけてきてくれ、と僕は思った。あの奇妙な謎《なぞ》の女でもいい。誰でもいい。どんな無意味な汚らしい話でもいい、どんな嫌な不吉な話でもいい。とにかく誰かに語りかけてもらいたかった。

しかし電話のベルは鳴らなかった。僕は瓶《びん》に半分ばかり残ったスコッチウィスキーを全部飲んでしまい、外が明るくなってからベッドに入って眠った。お願いだから僕に夢なんて見せないでくれ、今日だけでいいから僕の眠りをただの空白にしておいてくれ、と眠る前に思った。

でももちろん夢を見た。予想したとおりひどい夢だった。そこにはあのギターケースを持った男が出てきた。夢の中で、僕は現実とまったく同じ行動を取っていた。僕は男のあとをつけ、アパートの玄関のドアを開け、バットで殴りつけられ、それから彼を殴り、殴り、殴り、殴った。でもそこからが実際とは違っていた。僕が殴りやめて立ち上がると、男はやはり涎をたらし、激しく笑いながら、ポケットからナイフを取り出した。小さな、いかにも鋭そうなナイフだった。その刃は、カーテンのあいだからこぼれてくる微《かす》かな夕暮れの光を浴びて、きらりと骨のような白い光を放った。でも彼はそれを使って襲《おそ》いかかってくるわけではなかった。彼は自分で服を脱いで裸になり、まるで林檎《りんご》の皮でも剝《む》くように、自分の皮膚をするすると剝きはじめた。彼は大声で笑いながら皮膚をどんどん剝いていった。からだ中から血がこぼれ、床に黒々とした不気味な池を作った。右手で左手の皮を剝き、剝かれた血だらけの左手で右手の皮を剝いた。そして最後には、男は真っ赤な肉の塊だけになった。でも肉の塊だけになっても、彼はまだその暗黒の穴のような口を開けて、笑っていた。眼球だけが、その肉塊の中で白く、大きく動きまわっていた。やがて不自然なほど大きな笑い声にあわせるように、その剝かれた皮膚が床を這《は》って、ずるずると音を立てながらこちらに近づいてきた。僕は逃げようとしたのだが、足は動かなかった。その皮膚は僕の足もとにたどり着くと、ゆっくりとからだを這い上がってきた。そして僕の皮膚を上からべっとりと覆《おお》っていった。僕の肌《はだ》の上に、男のぬめっとした血だらけの皮膚が少しずつ貼《は》りつき、重なっていった。血糊《ちのり》の臭いがあたりに満ちた。皮膚は薄い膜のように僕の脚を覆い、体を覆い、顔を覆った。やがて目の前が暗くなり、笑い声だけがその暗黒の中に虚《うつ》ろに響いていた。そして僕は目を覚ました。

目を覚ましたとき、僕はどうしようもなく混乱し、そして怯《おび》えていた。しばらくのあいだ、自分自身の存在をうまくつかむことさえできなかった。僕の手の指は細かく震えていた。でもそれと同時に、僕はひとつの結論にたどり着いていた。

僕は逃げられないし、逃げるべきではないのだ。それが僕の得た結論だった。たとえどこに行ったところで、それは必ず僕を追いかけてくるだろう。どこまでも。

18

クレタ島からの便り、世界の縁から落ちてしまったもの、良いニュースは小さな声で語られる

最後までずいぶん考えたのだが、結局僕はクレタ島には行かなかった。かつて加納クレタであった女は、ギリシャに出発するちょうど一週間前に食料品の詰まった紙袋を持って僕の家にやってきて、夕食を作ってくれた。僕らは夕食のあいだはほとんど話らしい話をしなかった。夕食の片づけの終わったあとで、どうも君と一緒にクレタ島に行くことはできないような気がすると僕は言った。僕がそう言っても、彼女はとくに意外ではないようだった。むしろそれを当然のことのように受け入れただけだった。彼女は短くなった額の上の髪を指ではさみながら言った。

「岡田様が一緒に来られないというのはとても残念なことですけれど、でもまあ仕方ありませんわね。クレタ島にはひとりで行けるから大丈夫です。私のことならべつに気にならないでください」

「旅行の準備はもう整ったの？」

「必要なものはだいたいぜんぶ揃《そろ》ったと思います。パスポートも、飛行機の予約も、トラヴェラーズ・チェックも、鞄《かばん》も。でもたいした荷物じゃないんです」

「お姉さんはどう言っていた？」

「私たちはとても親密な姉妹なんです。だから遠くに離れるのはとても辛《つら》いことです。お互いにとって。でも加納マルタは強くて頭の良い人ですから、何が私のためになるのかはよくわかっています」、それから彼女は静かな微笑《ほほえ》みを浮かべた顔で僕を見た。「岡田様はひとりでここに残った方がいいとお思いになったのですね？」

「そうだね」と僕は言った。そして席を立ち、コーヒーを作るための湯を薬缶《やかん》で沸かした。「そういう気がするんだ。このあいだふと思ったんだよ、僕はここから出ていくことはできる。でもここから逃げだすことはできないんだってね。どれだけ遠くに行っても、逃げることのできないものというのはある。君がクレタ島に行くのはいいことだと僕も思う。君はいろんな意味で過去を清算して、新しい人生を始めようとするわけだからね。でも僕はそうじゃない」

「それはクミコさんのこと？」

「たぶんね」

「岡田様はここで、クミコさんが帰ってくるのをじっとお待ちになるのですか？」

僕は流し台にもたれて、湯が沸くのを待っていた。でも湯はなかなか沸かなかった。「何をすればいいのかは、正直に言って僕にもわからない。手がかりも何もない。でもね、僕には少しずつわかってきたんだ。何かをしなくちゃいけないんだということがね。ただじっとここに座ってクミコの帰りを待っていても駄目《だめ》だ。クミコに戻ってきてほしいと思うのなら、僕はいろんなことを自分の手で明確にしなくちゃならないんだ」

「でも何をすればいいのかが、まだわからないんですね？」

　僕はうなずいた。

「何かがちょっとずつ、僕のまわりで形をとろうとしているのが、僕には感じられる。いろんなことがまだぼんやりとしているけれど、そこには何かしら結びつきのようなものがあるはずなんだ。でも無理にそれをつかまえたり、ひきずりだしたりすることはできない。ものごとがもうすこしはっきりしてくるのを待つしかないと思うんだよ」

　加納マルタの妹はテーブルの上に両手を並べ、僕の言ったことについて少し考えていた。

「でも待つのは楽なことではありませんよ」

「そうだろうね」と僕は言った。「それはたぶん、僕が今ここで予想しているよりずっと辛いことだろう。ひとりでここに残って、いろんな問題を中途半端に抱えたまま、果してやってくるかどうかもわからないものを、ただじっと待ち続けるということはね。正直な気持ちを言えば、僕だってできることなら一切を放《ほう》り出して、君と二人でクレタ島に行ってしまいたいと思うよ。そして何もかも忘れて、新しい生活を始めたい。そのためにスーツケースだって買ったし、パスポート用の写真だって写した。荷物の整理もした。本当に日本を出ていくつもりでいたんだ。でもここで何かが自分に求められているという予感なり感触なりを、僕はどうしても振るい落とすことができないんだ。僕が『逃げることができない』というのは、そういうことなんだよ」

加納マルタの妹は黙ってうなずいた。

「表面的に見れば、これは馬鹿《ばか》みたいに単純な話なんだ。僕の奥さんがどこかで男を作って家出した。彼女は離婚したいと言っている。綿谷ノボルの言うように、そんなものはたしかに世間によくある話だ。あれこれ余計なことを考えずに、君と一緒にさっさとクレタ島に行って、すべてを忘れて新しい人生を始めればいいのかもしれない。でも実際には、これは見かけほど単純な話じゃない――僕にはそれがわかっている。君にもそれはわかっている。そうだろう？　加納マルタにもそれはわかっている。たぶん綿谷ノボルにもそれはわかっている。そこには僕の知らない何かが隠されている。僕はなんとかしてそれを明るいところに引きずり出してみたい」

僕はコーヒーを作るのをあきらめ、薬缶の火を消してテーブルの向かいに戻り、加納マルタの妹の顔を見た。

「そしてもしできるものなら、僕はクミコを取り戻したいと思う。僕の手で、この世界に引き戻すんだよ。そうしないことには、僕という人間もまた、このまま失われ続けることになるんじゃないかと思う。そのことが少しずつ僕にはわかってきた。まだぼんやりとではあるけれどね」

加納マルタの妹はテーブルの上の自分の両手を眺め、それから顔を上げて僕を見た。口紅を塗っていない唇《くちびる》をまっすぐに堅く結んでいた。やがて彼女は口を開いた。「私はだからこそ、岡田様をクレタ島に連れていこうとしていたのです」

「僕にそれをさせないために？」

彼女は小さくうなずいた。

「どうして僕にそれをさせたくないんだろう？」

「危険なことだからです」と彼女は静かな声で言った。「そこは危険な場所だからです。今ならまだ戻ることはできます。私たちは二人でクレタ島に行けばいいのです。そこなら、私たちは安全です」

アイシャドウとつけまつげのない、まったく新しい加納クレタの顔をぼんやりと見ているうちに、僕は一瞬、自分が今どこにいるのかわからなくなってしまった。深い霧のかたまりのようなものが、何の前触れもなく僕の意識をすっぽりと包んだ。僕は僕を見失った。僕は僕に見失われていた。ここはどこなんだ、と僕は思った。僕はいったいここで何をしているんだ？　この女は誰なんだ？　でもすぐに現実は戻ってきた。僕は家の台所のテーブルに座っているのだ。僕は台所のタオルで汗を拭《ふ》いた。軽い眩暈《めまい》がした。

「大丈夫ですか、岡田様？」とかつての加納クレタが心配そうに尋ねた。

「大丈夫だよ」と僕は言った。

「ねえ岡田様、岡田様がいつかクミコさんを取り戻すことができるかどうか、それは私にはわかりません。でももし岡田様が実際にクミコさんを取り戻すことができたとして、それによって岡田様が、あるいはクミコさんが、もとのように幸福になれるという保証はどこにもないのです。何もかもそっくりもとのまま、というわけにはいかないんじゃないでしょうか。そのことはお考えになりましたか？」

僕は顔の前で両手の指を組み、そしてほどいた。あたりには物音らしい物音は聞こえなかった。僕はもう一度、自分という存在の中に僕を馴染《なじ》ませた。

「そのことは僕も考えてみた。ものごとはもう既に損なわれてしまっていて、どうあがいてももともとに戻すことはできないのかもしれない。そういう可能性や確率の方が大きいかもしれない。でもね、可能性や確率だけで動かないものもある」

加納マルタの妹は手を伸ばして、テーブルの上の僕の手にほんの少しだけ触れた。「いろんなことを御承知の上でお残りになりたいと思われるのなら、それはお残りになるべきかもしれません。それはもちろん岡田様がお決めになることとです。一緒にクレタ島に行けないのは私にとっては残念ですが、お気持ちはよくわかりました。これからおそらくいろんなことが岡田様の身に起こることと思いますが、どうか私のことを忘れないでいてください。よろしいですか、何かあったら私のことを思いだしてください。私も岡田様のことを思いだしますから」

「君のことを思いだすよ」と僕は言った。

かつて加納クレタであった女はもう一度唇をしっかりと結んで、長いあいだ空中に言葉を探していた。それから彼女はとても静かな声で僕に言った。「いいですか、岡田様、岡田様もご存じのように、ここは血なまぐさく暴力的な世界です。強くならなくては生き残ってはいけません。でもそれと同時に、どんな小さな音をも聞き逃さないように静かに耳を澄ませていることもとても大事なのです。おわかりになりますか？　良いニュースというのは、多くの場合小さな声で語られるのです。どうかそのことを覚えていてください」

僕はうなずいた。

「うまくあなたのねじがみつかるといいですね、ねじまき鳥さん」とかつて加納クレタであった女は僕に言った。「さようなら」

八月も終わりに近いころに、僕はクレタ島からの葉書を受け取った。そこにはギリシャの切手が貼られ、ギリシャ文字のスタンプが押してあった。それはかつて加納クレタであった女が出したものに違いなかった。彼女以外にクレタ島から僕に絵葉書を送ってくれそうな相手は一人も思いつけなかったから。でもそこには差出人の名前が書かれてなかった。まだ新しい名前が決まっていないのだろうなと僕は思った。名前がない人間には、自分の名前を書くことはできない。でもそこには名前だけではなく、一行の文章もなかった。ただ僕の名前と住所が青いボールペンで書かれ、クレタ島の郵便局の消印が押してあるだけだった。裏はクレタ島の海岸風景のカラー写真になっていた。岩山に囲まれた真っ白な狭いビーチがあり、胸を出した若い女性がそこで一人日光浴をしていた。海は深く青く、空にはまるで作りものみたいに見える白い雲が浮かんでいた。その上に立って歩けそうなくらいしっかりとした雲だった。

かつて加納クレタであった女はどうやらちゃんとクレタ島にたどり着いたらしい。僕は彼女のためにそのことを喜んだ。彼女はやがてそこで新しい名前をみつけるだろう。そして名前とともに、新しい自己と、新しい生活をみつけることだろう。でも彼女は僕のことを忘れてはいない。一行の文章もないクレタ島からの絵葉書はそのことを僕に告げていた。

僕は時間つぶしに、彼女に向けて手紙を書いた。といっても相手の住所もわからないし、名前だってない。だからもともと出すつもりのない手紙だった。僕はただ誰かに向けて手紙を書いてみたかったのだ。

「もうずいぶん長いあいだ加納マルタからは連絡がありません」と僕は書いた。「彼女もまた僕の世界からあっさり姿を消してしまったようです。人々は僕の属する世界の縁から一人また一人と静かにこぼれ落ちていくみたいに思えます。みんなあっちの方にずっと歩いていって、突然ふっと消えてしまうのです。たぶんその辺のどこかに世界の縁のようなものがあるのでしょう。僕は特徴もない毎日を送りつづけています。あまりにも特徴がないので、前の一日と、次の一日との区別がだんだんつかなくなってきます。新聞も読まないし、テレビも見ないし、外にもほとんど出ません。ときどきプールに泳ぎにいくくらいのものです。失業保険はとっくに切れてしまったし、今は貯《たくわ》えを食いつぶしているわけですが、それほどの生活費を必要とはしませんし（クレタ島に比べれば少し生活費は高いかもしれないけれど）、母親の残してくれたちょっとした遺産のおかげでまだ当分は食いつないでいくことができそうです。例の顔のあざにもこれといった変化はありません。でも正直に言うと、日にちが経過するにつれて僕はだんだんこのあざが気にならなくなっていきます。もしこれを抱えたまままこの先の人生を生きていかなくてはならないのであれば、抱えて生きていこうと思っています。あるいはこれは僕が抱えて生きていかなくてはならないものなのかもしれないとも思います。どうしてか自分でも理由はわかりませんが、なんとなくそう思うようになってきたのです。いずれにせよ、僕はここで静かに耳を澄ませています」

加納クレタと寝た夜のことをときどき思いだした。でもその記憶は不思議なくらい漠然《ばくぜん》としていた。僕はその夜彼女と抱き合い、何度か交わった。それは間違いのない事実だった。でも何週間かが経過すると、そこからはたしかな手応《てごた》えのようなものがこぼれ落ちていった。僕は彼女のからだを具体的に思いだすことができなかった。どんな風に彼女と交わったのかも、もううまく思いだせなかった。どちらかといえば、その夜の現実の記憶よりは、それ以前に意識の中で――非現実の中で――彼女と交わったときの記憶の方が、僕にとっては遥《はる》かに鮮明だった。あの不思議なホテルの一室で、クミコのブルーのワンピースを着て僕のからだの上に乗っていた彼女の姿は、僕の目の前に何度も何度もはっきりと浮かび上がった。彼女は左の腕に二本のブレスレットをつけていて、それがかたかたと乾いた音を立てた。硬くなった自分のペニスの感触も思いだせた。それはそれまでに経験したことがなかったくらい、硬く大きくなっていた。彼女はそれを手に取って自分の中にするりと入れると、ゆっくりと輪を描くように回転させた。僕は彼女の着たクミコのワンピースの裾《すそ》が、僕を撫《な》でるその肌《はだ》触《ざわ》りをまだありありと覚えていた。でもやがていつのまにか、加納クレタは僕の知らない謎《なぞ》の女に入れ代わっていた。クミコのワンピースを着て、僕の上にまたがっているのは、何度も僕に電話をかけてきたあの謎の女だった。それはもう加納クレタの性器ではなくて、その女の性器だった。僕にはその温度や肌合いの違いがわかった。まるで違う部屋に入ったときのように。「何もかもを忘れてしまいなさい」とその女は僕にそっと囁《ささや》いた。「眠るように、夢を見るように、温かい泥《どろ》の中に寝ころんでいるように」。そして僕は射精したのだ。

それは明らかに何かを意味していた。何かを意味しているからこそ、その記憶は現実を遥かに越えて、鮮明に僕の中に残っているのだろう。でもそれが意味するものを、僕はまだ理解することができなかった。僕はその記憶の限りない再生の中でじっと目を閉じ、ため息をついた。

九月の初めに駅前のクリーニング屋から電話がかかってきた。そして洗濯《せんたく》ものが出来あがっているから取りに来てほしいと言った。

「洗濯もの？」と僕は言った。「洗濯ものなんて何も出してないと思うけど」

「でもちゃんとあるんですよ。取りにきてください。もう代金は済んでるから、取りに来てくれるだけでいいんですよ。おたく、岡田さんでしょう？」

そうだ、と僕は言った。電話番号もたしかにうちのものだった。僕は半信半疑でそのクリーニング店に行ってみた。クリーニング店の主人は相変わらず大きなラジオ・カセットでイージー・リスニング・ミュージックを流しながら、シャツにアイロンをかけていた。駅前のクリーニング店のこの小さな世界では、何ひとつ変化というものはないのだ。ここには流行もなく、変遷《へんせん》もない。前衛もなく、後衛もない。進歩もなく、後退もない。称賛もなく、罵《ば》倒《とう》もない。何も加わらず、何も消えない。そのときかかっていたのは、バート・バカラック、曲は懐《なつ》かしい『サン・ホセへの道』だった。

店に入っていくと、クリーニング店の主人はアイロンを手にしたまましばらく戸惑ったように僕の顔をじっと見ていた。僕にはどうして彼がそんなにまじまじと僕の顔を見るのかよくわからなかった。でもやがてそれが顔のあざのせいであることに気づいた。まあそれはそうだ。見覚えのある人間の顔に急にあざができていたりしたら、誰だってびっくりする。

「ちょっと事故があったんですよ」と僕は説明した。

「それは大変だったね」と主人は言った。心から気の毒に思っているような声だった。彼は手にしていたアイロンを少し眺《なが》めてから、アイロン台の上にそっと立てて置いた。まるで自分のアイロンのせいじゃないのかと疑っているみたいに。「なおるの、それ？」

「わからないですね」と僕は言った。

主人はそれからビニールに包まれたクミコのブラウスとスカートを僕に渡してくれた。加納クレタに与えたクミコの服だった。これは髪の短い女の子が置いていったんですね、これくらいの長さの、と僕は言って指と指のあいだを三センチくらい離した。いやそうじゃないね、髪はこれくらいの長さだった、と主人は言って、肩のあたりを手で示した。茶色のスーツを着て赤いビニールの帽子をかぶっていたけどね。その人が代金を払って、出来上がったらお宅に電話するようにって言ったんだよ。僕は礼を言って、ブラウスとスカートを持って家に帰った。僕は服を加納クレタにあげたつもりだった。彼女の体を買った「代金」だったし、返してもらっても使いみちはなかった。どうしてわざわざそのクリーニング屋に加納マルタがそれらの服を持っていったのか、よくわけがわからなかった。でもとにかくクミコの他の服と一緒に引き出しの中にきちんと畳んでしまっておいた。

僕は間宮中尉《ちゅうい》に手紙を書いた。そして僕の身に起こったことをざっと説明した。彼にとってはあるいは迷惑なことかもしれなかったが、他に手紙を書く相手を思いつかなかったのだ。僕はまずそのことを詫《わ》びた。それから、間宮中尉がうちを訪れたのと同じ日にクミコが家を出ていってしまったことを書いた。彼女がそれまでの何ヵ月か他の男とずっと寝ていたこと、そのあと僕が三日近く井戸の底に入って考えていたこと、今はひとりぼっちでここに住んでいること、本田さんがくれた形見はただのウィスキーの空き箱であったこと。

一週間後に彼は返事を寄越《よこ》してくれた。自分も実を言うとあれから何かしら不思議にあなたのことが気になっていたのだ、と彼は書いていた。あなたとはもっと長く、腹を割って話さなくてはならなかったような気がしていたのだ。そのことを私は少なからず心残りに思っていた。しかしあの日は突然の用があって、どうしても夜までには広島に戻らなくてはならなかった。だからこうして今あなたからの手紙を頂けたのは、自分にとってもある意味では嬉《うれ》しいことである。私は思うのだが、おそらく本田さんは私とあなたとを引き合わせたかったのではないだろうか。本田さんは私とあなたとが会うことが、私のためにもあなたのためにも良いことだと思っていたのではないだろうか。だからこそ形見わけという名目で私をあなたのところに会いにいかせたのだろう。あなたへの形見が空っぽの箱であったことはそれで説明がつくと思う。私をあなたのもとに行かせるということが、すなわち本田さんの形見わけであったのだろう。

「あなたが井戸に入られたというのは、私にとっては大きな驚きであります。何故《なぜ》ならば、私もやはり井戸に心を強くひかれ続けているからです。あのような危うい目にあってもう井戸なぞ見るのもこりごりというのなら話はわかるのですが、そうではなく、私は今でもまだどこかで井戸を見かけると、つい中を覗き込んでしまうのです。それどころか、もし水のない井戸であれば、中に下りていってみたいとさえ思うのです。おそらく私はそこで何かにめぐり合うことを求めているのでしょう。そこに入れば、そしてそこでじっと待っていれば、自分はあるいは何かにめぐり合えるかもしれないという期待があるのでしょう。私は何もそれによって自分の人生が回復できるとは思ってはおりません。そんなものを期待するには、私はもう歳《とし》を取りすぎています。私が求めているのは、私の失われた人生の意味のようなものです。それが何によって、何故失われたかということです。私はそれをこの目でつきとめたいのです。それをもしつきとめることができたなら、私は自分が今よりももっと深く失われてもかまわないとさえ思っています。いや、あと何年生きるのかはわかりませんが、私は進んでその重荷を担《にな》おうとさえ思っております。

奥様が家を出ていかれた由《よし》、私といたしましても誠にお気の毒に感じております。しかしそれについて岡田様に向かってああしろこうしろというようなことは、私にはとても申し上げられそうにありません。私はあまりにも長いあいだ愛情や家庭というようなものとは無縁の場所で生きて参りました。ですから私は、そのようなものごとについて何かを語る資格を持たないのです。しかしもし岡田様の中に、奥様のお帰りをもうしばらく待ってもいいというお気持ちが少しでもおありになるのでしたら、そこで今のようにじっと待っておられるのが、おそらくは正しいことであろうかと思います。私の意見を申せと仰《おっしゃ》るのであれば、それが私の意見であります。誰かに去られたあと、その場所に残ってひとりで生きるというのは、たしかに辛《つら》いことであると思います。それはよく承知いたしております。しかしこの世の中に、何も求めるべきものを持たない寂寥感《せきりょうかん》ほど過酷なものは他にありません。

私はできることなら近いうちにまた東京に出て、岡田様にお目にかかることができればと思っております。しかし今は情けないことながらいささか脚をいためておりまして、これを治すのにあとしばらくの時間がかかりそうです。お体にお気をつけになって、元気にお暮らしくださいます様」

笠原メイは長いあいだ僕の前に姿を見せなかった。彼女が僕の家にやってきたのは八月の終わりのことだった。彼女はいつものように塀を乗り越えて、庭から入ってきた。そして僕の名を呼んだ。僕らは縁側に二人で座って話をした。

「ねえ、ねじまき鳥さん、知ってる？　あの空き家が昨日から取り壊されているのよ。例の宮脇さんの家が」と彼女は言った。

「というと、誰かがあそこを買ったのかな？」

「さあ、知らないわ」

僕は笠原メイと一緒に路地を通って空き家の裏まで行った。たしかに家の解体作業がもう始まっていた。六人ばかりのヘルメットをつけた作業員は雨戸やガラス窓をはずしたり、流し台や電気器具を運び出したりしていた。僕と彼女は二人でしばらく彼らの作業を眺めていた。彼らはそのような作業には慣れているらしく、ほとんど口もきかずに黙々と、きわめてシステマティックに動いていた。空のずっと上の方には、秋の到来を思わせるまっすぐな白い雲がいく筋もたなびいていた。クレタ島の秋はどんなものなんだろうなと僕は思った。そこにもやはり同じような雲が浮かんでいるのだろうか。

「あの人たち、井戸も潰《つぶ》しちゃうのかな」と笠原メイが訊《き》いた。

「おそらくね」と僕は言った。「あんなもの残してたって役にも立たないものな。だいいち危険だし」

「中に入る人がいるかもしれないしね」と彼女はどちらかといえば生真面目《きまじめ》な顔で言った。彼女の日焼けした顔を見ていると、あの激しい熱気に覆《おお》われた庭で彼女が僕のあざを舐《な》めたときの感触を鮮やかに思いだすことができた。

「ねじまき鳥さんは、結局クレタ島には行かなかったのね」

「ここに残って待ってみることにしたんだ」

「クミコさんはもう戻ってこないっていつか言ったわ。言わなかった?」

「それはまた別の問題だ」と僕は言った。

笠原メイは少し目をすぼめて僕の顔を見た。彼女が目をすぼめると、目の脇《わき》の傷が深くなった。「ねじまき鳥さん、どうして加納クレタさんと寝たりしたの?」

「それが必要だったからだよ」

「それもベツの問題なのね?」

「そういうことだね」

彼女はため息をついた。「さよならねじまき鳥さん、またそのうちにね」

「さよなら」と僕も言った。

「ねえ、ねじまき鳥さん」、彼女は少し迷ってから付け加えるように言った。「私はたぶんこれから学校に戻ることになると思うの」

「学校に戻る気になったんだね」

彼女は肩を小さくすぼめた。「ベッの学校だけどね。もとの学校に戻るのはどうしても嫌《いや》だから。それで、そこはここからは少し遠くになるの。だから当分はねじまき鳥さんにも会えないと思う」

僕はうなずいた。そしてポケットからレモンドロップを出して口に入れた。笠原メイはちょっとあたりを見回してから、煙草《たばこ》をくわえて火をつけた。

「ねえねじまき鳥さん、いろんな女の人と寝て楽しい？」

「そういう問題じゃないんだ」

「それはもう聞いたわよ」

「うん」と僕は言った。でもそれ以上何を言えばいいのか、僕にはわからなかった。

「まあいいや、それは。でもね、私はねじまき鳥さんと会ったおかげで、やっと学校に戻る気になれたのよ。これはほんとうの話だけど」

「どうしてだろう？」

「どうしてでしょうね？」と笠原メイは言った。そしてまた目の脇にじっとしわを寄せて僕を見た。「たぶんもっとマトモな世界に戻りたくなったんじゃないかしら。ねえ、ねじまき鳥さん、あなたと一緒にいると、私はすごくすごく面白かったのよ。これはウソじゃないわ。つまりね、あなた自身はすごくマトモなのに、実際にはものすごくマトモじゃないことをしてるし、それになんていうのかな……うん、ヨソク不能だしね。だからあなたのそばにいると、ぜんぜん退屈しなかった。そういうのって、私にはすごく助かったのよ。退屈じゃないっていうのはね、つまり、余計なことを考えないですむっていうことでしょう。違う？　だからそういう点では、ねじまき鳥さんがいてくれて良かったと思うんだ。でもね、正直に言って、ときどきキツくなるの」

「どういう風に？」

「なんていうのかな、あなたのことを見ていると、まるであなたが私のために一生懸命何かと闘ってくれているんじゃないかという気がすることがときどきあるの。変なはなしだけど、そう思うとね、私まで一緒になってだらだら汗をかいちゃうのよね。わかるかな？　あなたはいつも涼しい顔をして、何がどうなっても自分とは関係ないという風に見える。でも本当はそうじゃない。あなたはあなたなりに一生懸命闘っているのよね。他人にはそう見えなくてもね。でなきゃわざわざあんな井戸の中になんか入らないもの。そうでしょ？　でももちろん、ねじまき鳥さんは私のためではなく、あくまでクミコさんを見つけるために、ばたばたみっともなく何かを相手にトックミあっているのよね。だから何も私がわざわざ汗かくことなんかないのよ。それはわかってるんだけれど、それでもやっぱり、ねじまき鳥さんはきっと私のためにも闘っているんだという気がするんだ。ねじまき鳥さんはたぶんクミコさんのために闘いながら、それと同時に、結果的に他のいろんな人のためにも闘っているんじゃないかってね。だからこそあなたは、ときどきほとんどバカみたいに見えるんじゃないかしら。そういう気がするな。でもね、ねじまき鳥さん、私はそういうあなたを見ていると、ときどきキツくなるの。ほんとうにキツくなるの。だってあなたにはぜんぜん勝ち目がなさそうに見えるんだもの。もし私がどうしてもどっちかにお金を賭《か》けなくちゃならないとしたら、悪いとは思うけど、私はきっとねじまき鳥さんが負ける方に賭けると思う。ねじまき鳥さんのことは好きだけど、だからって破産したくもないもの」

「それはとてもよくわかるよ」

「私はあなたが駄目《だめ》になっていくところを見たくないし、これ以上だらだら汗もかきたくないの。だから私はもう少しマトモな世界に戻ろうと思うのよ。でもね、もしねじまき鳥さんにここで会わなかったら、この空き家の前で会わなかったら、たぶんこんな風にはならなかったと思うんだ。学校に戻ろうなんてことはまず考えなかったわね。きっとあまりマトモじゃないところでまだぐずぐずしていたと思う。そういう意味では、まあねじまき鳥さんのおかげっていうわけね」と彼女は言った。「ねじまき鳥さんもぜんぜん役に立たないっていうわけじゃないのよ」

僕はうなずいた。誰かに褒《ほ》められたのはほんとうに久しぶりだった。

「ねえ、握手してくれない」と笠原メイは言った。

僕は彼女の小さな日焼けした手を握った。そしてその手がどれほど小さかったかということに改めて気づいた。まるで子供じゃないか、と僕は思った。

「さよなら、ねじまき鳥さん」と彼女はもう一度言った。「どうしてクレタ島に行かなかったの？　どうしてここから逃げださなかったの？」

「僕には賭ける側を選べないからだよ」

笠原メイは手を離して、ものすごく珍しいものでも見るようにしばらくじっと僕の顔を見ていた。

「さよなら、ねじまき鳥さん。またいつかね」

空き家はそれから十日ほどで完全に壊されてしまった。そしてそこはただのまったいらな空き地になってしまった。家屋は嘘《うそ》のように影もかたちもなくなり、井戸も痕跡《こんせき》も残さずに埋められた。庭の草花や樹木は抜かれ、鳥の彫像もどこかに持っていかれてしまった。きっとどこかに捨てられてしまったのだろう。鳥にとってはその方がよかったのかもしれない。路地と庭とを隔てていた簡単な垣根《かきね》は、中が覗《のぞ》き込めない高さの頑丈《がんじょう》な板塀に代えられてしまった。

十月の半ばの午後のことだが、区営プールでひとりで泳いでいるときに、僕は幻影のようなものを見た。そのプールではいつもバックグラウンド・ミュージックが流れているのだが、その時にかかっていたのはフランク・シナトラだった。『ドリーム』とか『リトル・ガール・ブルー』といったような古い唄《うた》だ。僕はそれを聴くともなく聴きながら二十五メートル・プールをゆっくりと何度も何度も往復していた。そしてそのときに僕は幻影を見たのだ。あるいは啓示のようなものを。

　ふと気がつくと僕は巨大な井戸の中にいた。僕が泳いでいるのは区営プールではなく、その井戸の底だった。身体《からだ》を取り囲む水はもったりと重く、温かかった。そこでは僕はまったくのひとりぼっちで、まわりの水音はいつもとは違う奇妙な響き方をした。僕は泳ぐのをやめ、静かに水に浮かんでゆっくりあたりを見回し、それから仰向けになって頭上を見上げた。水の浮力のせいで、何の苦労もなくそこに浮かんでいることができた。まわりは深い闇《やみ》に包まれ、ちょうど真上に丸く綺麗に切り取られた空が見えるだけだ。でも不思議に怖くはなかった。ここに井戸があり、その底に今こうして僕が浮かんでいるというのは、とても自然なことのように思えた。これまでそのことに気がつかなかったことの方がむしろ驚きだ。それは世界のあらゆる井戸のひとつであり、僕は世界のあらゆる僕の一人だった。

　丸く切り取られた空には、まるで宇宙そのものが細かいかけらになってはじけ飛んだみたいに、無数の星が鮮やかに光っていた。幾重にも暗黒を重ねた闇の天井に、星たちは無言のうちに鋭い光の錐《きり》を突き立てていた。そして僕は井戸の上を吹き過ぎていく風の音を聞くことができた。その風の中で誰かが誰かを呼んでいる声を聞くこともできた。その声はずっと前にどこかで聞いたことがあった。僕もその声に向けて声を出したかったが、声は出てこなかった。たぶん僕の声はその世界の空気を震わせることができないのだ。

　井戸は恐ろしく深かった。じっと開口部を見上げていると、いつのまにか頭の中で上下位置が逆転して、まるで高い煙突のてっぺんからまっすぐに底を見下ろしているみたいな感じがした。でも僕は本当に久しぶりに静かで安らかな気持ちになることができた。僕は水の中にゆっくりと手足を伸ばし、大きく何度か呼吸をした。僕の身体は内側から温かくなり、まるで何かにそっと下から支えられているみたいに軽くなった。僕は囲まれ、支えられ、守られているのだ。

それからどれくらいの時間が経過したのだろう、やがて音もなく夜明けがやってきた。円周の縁に沿って現われたほのかな紫色の光の筋が、色あいを変化させながらゆっくりとその領域を広げ、星たちはそれにつれて輝きを失っていった。いくつかの明るい星はしばらくのあいだ空の一画に残っていたが、それも結局は鈍くかすみ、かき消されてしまう。僕は仰向けになって重い水の上に浮かんだまま、じっと太陽の姿を眺《なが》める。眩《まぶ》しくはない。まるで濃いサングラスをかけているみたいに、僕の両方の眼は何かの力によって太陽の激しい光から守られている。

少しあとで、太陽が井戸のちょうど真上あたりに差しかかったとき、その巨大な球体に微《かす》かな、しかし明確な変化が生じる。それに先立って、まるで時間の軸がぶるっと大きく身震いしたような奇妙な瞬間が訪れる。僕は息を止め、眼をこらし、これから何が起ころうとしているのか見定めようとする。やがて太陽の右側の隅《すみ》にまるであざのような黒いしみが現われるのが見える。そしてその小さなあざは、ちょうどさっき新しい太陽が夜の闇を浸食していったのと同じように、じわじわと太陽の光を削りとっていく。日蝕《にっしょく》だと僕は思う。僕の目の前で今これから日蝕が起ころうとしているのだ。

でもそれは正確な意味での日蝕ではない。なぜなら黒いあざは太陽のおおよそ半分を覆ったところで、そのままぴたりと浸食を中止してしまうからだ。そしてそのあざは、通常の日蝕に見られるようなくっきりとしたきれいな輪郭を持っていない。それは明らかに、日蝕という形を装っていながら、実際には日蝕とは呼べないはずのものだった。しかしだからといって、その現象をいったいどのような名前で呼べばいいのか、僕には見当もつかない。ロールシャッハ・テストを受けるときのように、僕は眼を細めてそのあざの形の中に何かしら意味のようなものを読み取ろうと試みる。でもそれは形でありながら形ではなく、何かでありながら何でもない。その形をじっと見つめていると、僕は自分というものの存在にだんだん自信が持てなくなってくる。僕は何度か深呼吸をして心臓の鼓動を整えてから、手の指を重い水の中でゆっくりと動かし、暗闇の中にいる自分自身をもう一度確かめる。大丈夫、間違いない。間違いなく僕はここにいる。ここは区営プールでありながら井戸の底であり、僕は日蝕でありながら日蝕でないものを目撃しているのだ。

　僕は眼を閉じる。眼を閉じると、遠くの方にくぐもった物音を聞くことができる。最初のうちそれは、聞こえるか聞こえないかという程度の微かなものだった。壁を通して聞こえてくる人々の不明瞭《ふめいりよう》な話し声のようにも聞こえる。でもやがて、まるでラジオの波長を合わせるときのように、少しずつそれはくっきりとした輪郭をとっていく。良いニュースは小さな声で語られるのです、とかつて加納クレタであった女は言う。僕は神経を集中し、耳を澄ましてその言葉を聞き取ろうとする。しかし、それは人の声ではない。何頭かの馬の混じりあった鳴き声だ。馬たちはその闇の中のどこかの場所で、何かに興奮しているように鋭くいななき、鼻を鳴らし、足で強く地面を叩《たた》いていた。彼らは様々な音声や身振りを使って、いかにも切迫した様子で、何らかのメッセージを僕に送ろうとしているみたいだった。でも僕にはよくわからない。だいたいどうしてこんなところに馬がいるのだろう？　そして彼らは僕に何を訴えかけようとしているのだろう？

見当もつかない。目を閉じたまま、僕はそこにいるはずの馬たちの姿を思い浮かべようとする。僕の思い浮かべることのできる馬たちはみんな納屋《なや》の中にいて、藁《わら》の上に横になって口から白い泡《あわ》を吹きながら苦悶《くもん》にあえいでいる。何かが彼らをひどく苦しめている。

それから僕は、日蝕のときに死んでいく馬の話をはっと思いだす。日蝕が馬たちを殺すのだ。僕がその話を新聞で読んで、クミコに話して聞かせた。クミコが夜遅く帰ってきて、僕が夕食を捨てたあの夜のことだ。馬たちは欠けゆく太陽の下で混乱し、恐れている。そしておそらく彼らのうちのあるものは、これから実際に死んでいこうとしている。

目を開けると、太陽は消えていた。そこにはもう何も存在しなかった。円の形にきれいに区切られた虚空《こくう》が頭上に浮かんでいるだけだ。今では沈黙が井戸の底を覆っている。その沈黙はあたりにある何もかもを吸いこんでしまいそうなくらい深く、強い。僕はやがて息苦しくなって、大きく胸に息を吸い込む。そしてその中に何かの匂《にお》いを感じとる。花の匂いだ。大量の花が暗闇の中で放つなまめかしい匂いだ。その匂いはまるで無理やり引きちぎられた夢の名残のようにはかない。しかし次の瞬間、僕の肺の中で、その匂いは強力な触媒でも得たように痛烈になり、激しい勢いで増殖していく。花粉の細かい針が僕の喉《のど》や鼻孔やからだの内側を突き刺す。

２０８号室の暗闇に漂っていたのと同じ匂いだ、と僕は思う。テーブルの上に置かれた大きな花瓶、その中の花。グラスに注《つ》がれたスコッチウィスキーの匂いも微かに混じっている。そしてあの奇妙な電話の女――「あなたの中には何か致命的な死角があるのよ」。僕は反射的にあたりを見回す。深い闇の中には何の姿も認められない。でも僕ははっきりと感じる。ついさっきまでここにあり、そして今はもうないものの気配を。彼女はそこでわずかな時間、僕と暗闇を共有し、その存在のしるしとして、花の香りをあとに残して去っていった。

僕は息をひそめてそっと水の上に浮かびつづけている。水は僕の体重を支え続けている。まるで僕の存在を暗黙のうちに励ますかのように。僕は胸の上で静かに両手の指を合わせる。僕はもう一度目を閉じて、意識を集中する。生々しい心臓の音が耳もとで聞こえる。それは誰か別の人間の心臓の音みたいに聞こえる。でもそれは僕の心臓の音だ。僕の心臓の音がどこか別の場所から聞こえてくるだけなのだ。あなたの中には何か致命的な死角があるのよ、と彼女は言った。

そう、僕には何か致命的な死角がある。

僕は何かを見逃している。

彼女は僕がよく知っているはずの誰かなのだ。

それから何かがさっと裏返るみたいに、僕はすべてを理解する。何もかもが一瞬のうちに白日のもとにさらけ出される。その光の下ではものごとはあまりにも鮮明であり、簡潔だった。僕は短く息をのみ、ゆっくりとそれを吐き出す。吐き出す息はまるで焼けた石のように固く、熱い。間違いない。あの女はクミコだったのだ。どうしてこれまでそれに気がつかなかったのだろう。僕は水の中で激しく頭を振った。考えればわかりきったことじゃないか。まったくわかりきったことだ。クミコはあの奇妙な部屋の中から僕に向けて、死に物狂いでそのたったひとつのメッセージを送りつづけていたのだ。「私の名前をみつけてちょうだい」と。

クミコはあの暗黒の部屋の中に閉じこめられ、そこから救《たす》け出されることを求めていた。そして救け出すことができる人間は僕の他には誰もいなかった。この広い世界にあって、僕だけがその資格を持っていた。何故《なぜ》なら僕はクミコを愛していたし、クミコも僕を愛していたからだ。そしてもしあの時点で彼女の名前をみつけることさえできていたなら、たぶんそこに隠されているはずの何らかの方法を用いて、クミコを闇の世界から救い出すことができたはずだ。でも僕はそれをみつけられなかった。そのうえ僕は彼女が呼びかけてくる電話のベルを黙殺までしたのだ。そんなチャンスはこれから先もう二度と巡ってはこないかもしれないというのに。

しばらくたつと身を震わせるような興奮は静かに引いて、そのかわりに恐怖が音もなく押し寄せてきた。まわりの水がその温かみを急速に失い、クラゲの群れのようなぬるぬるとした異形のものが、僕のまわりを包むようにとりかこんだ。耳の中で、心臓が大きな音を立てていた。僕は自分がその部屋で目にしたものをありありと思いだすことができた。誰かがドアをノックする硬く乾いた音は耳にまだ焼き付いていたし、廊下の明りを受けた白いナイフの一瞬のきらめきは、今でも肌《はだ》を粟立《あわだ》たせた。それらはおそらくクミコという人間のどこかに潜んでいた光景だったのだ。そしておそらく、あの暗黒の部屋はクミコ自身が抱えていた暗闇の領域だったのだ。唾《つば》を呑《の》み込むと、空洞《くうどう》を外から叩いたような大きな虚《うつ》ろな音がした。僕はその空洞を恐れ、同時にその空洞を満たそうとするものを恐れた。

やがてその恐怖も、やってきたときと同じように急速にどこかに引いていった。僕は凍《い》てついた息をゆっくりと肺の外に吐き出し、新しい空気を吸い込んだ。まわりの水が少しずつ温かみを取り戻し、それにつれて身体の奥底から喜びにも似た生々しい感情がわきあがってくるのが感じられた。もう二度とあなたと会うことはないだろうとクミコは僕に言った。どうしてかはわからないけれど、クミコは唐突にきっぱりと僕のもとを去っていった。でも彼女は決して僕を捨てたわけではなかった。それどころか彼女は本当は僕を切実に必要とし、激しく求めていた。ただ何かの理由でそれを口に出すことはできなかった。だからこそいろいろな方法で、さまざまに形を変えて、必死に何か大きな秘密のようなものを僕に伝えようとしていたのだ。

そう思うと、僕の胸は熱くなった。それまで僕の中で凍りついていたいくつかのものが、突き崩され、溶けていくのが感じられた。様々な記憶や思いや感触がひとつになって押し寄せ、僕の中にあった感情のかたまりのようなものを押し流した。溶けて押し流されたものは、静かに水と混じりあい、僕の身体を闇の中で淡い膜でやさしく包んだ。それはそこにあるのだ、と僕は思った。それはそこにあって、僕の手が差しのべられるのを待っている。どれだけの時間がかかることになるのかはわからない。どれだけの力が必要とされるのかもわからない。でも僕は踏みとどまらなくてはならない。そしてその世界に向けて手を伸ばすための手だてをみつけなくてはならない。それが僕のやるべきことなのだ。待つべきときには待たねばならん、それが本田さんの言ったことだった。

鈍い水音が聴こえた。誰かが魚のようにするすると水の中をやってきた。そして頑丈な腕で僕のからだを抱いた。プールの監視員だった。僕はこれまでに彼と何度か言葉を交わしたことがあった。

「あなた大丈夫ですか」と彼は僕に尋ねた。

「大丈夫です」と僕は言った。

そしてそこはもうあの巨大な井戸の底ではなく、二十五メートルの長さのいつもの区営プールだった。消毒薬の匂いと、天井に反響する水音が一瞬のうちに僕の意識に戻ってきた。プールサイドに何人か人が立って、何事が起こったのかと僕の方を見ていた。急に足の筋肉がつったのだと僕は監視員に説明した。だからそこに浮かんでじっとしていたのだと。監視員は僕をプールからあげて、しばらく水からあがって休んでいた方がいいですよと言った。

「どうもありがとう」と僕は彼に礼を言った。

僕はプールサイドの壁にもたれて座り、静かに目を閉じた。僕の中には、その幻影のもたらした幸せな感触が、まだ日溜《ひだ》まりのように残っていた。そして僕はその日溜まりの中で思った。それはそこにあるのだ、と。何もかもが僕の手からこぼれ落ちていったわけではない。何もかもが闇の中に追いやられてしまったわけではないのだ。そこにはまだ何かが、何か温かく美しく貴重なものがちゃんと残されているのだ。それはそこにあるのだ。僕にはわかる。あるいは僕は負けるかもしれない。僕は失われてしまうかもしれない。どこにもたどり着けないかもしれない。どれだけ死力を尽くしたところで、既にすべては取り返しがつかないまでに損なわれてしまったあとかもしれない。僕はただ廃墟《はいきょ》の灰を虚《むな》しくすくっているだけで、それに気がついていないのは僕ひとりかもしれない。僕の側に賭《か》ける人間はこのあたりには誰もいないかもしれない。「かまわない」と僕は小さな、きっぱりとした声でそこにいる誰かに向かって言った。「これだけは言える。少なくとも僕には待つべきものがあり、探し求めるべきものがある」

それから僕は息を殺し、じっと耳を澄ませる。そしてそこにあるはずの小さな声を聞き取ろうとする。水しぶきと、音楽と、人々の笑い声の向こうに、僕の耳はその音のない微かな響きを聞く。そこでは誰かが誰かを呼んでいる。誰かが誰かを求めている。声にならない声で。言葉にならない言葉で。

（第3部　鳥刺し男編につづく）

この作品は平成六年四月新潮社より刊行された。

村上春樹
安西水丸 著

象工場のハッピーエンド

都会的なセンチメンタリズムに充ちた13の短編と、カラフルなイラストが奏でる素敵なハーモニー。語り下ろし対談も収録した新編集。

村上春樹
安西水丸 著

村上朝日堂

ビールと豆腐と引越しが好きで、蟻ととかげと毛虫が嫌い。素晴らしき春樹ワールドに水丸画伯のクールなイラストを添えたコラム集。

村上春樹 著

螢・納屋を焼く・その他の短編

もう戻っては来ないあの時の、まなざし、語らい、想い、そして痛み。静閑なリリシズムと奇妙なユーモア感覚が交錯する短編7作。

村上春樹 著

世界の終りとハードボイルド・ワンダーランド（上・下）
谷崎潤一郎賞受賞

老博士が〈私〉の意識の核に組み込んだ、ある思考回路。そこに隠された秘密を巡って同時進行する、幻想世界と冒険活劇の二つの物語。

村上春樹
安西水丸 著

村上朝日堂の逆襲

交通ストと床屋と教訓的な話が好きで、高いところと猫のいない生活とスーツが苦手。御存じのコンビが読者に贈る素敵なエッセイ。

村上春樹
安西水丸 著

日出る国の工場

好奇心で選んだ七つの工場を、御存じ、春樹&水丸コンビが訪ねます。カラーイラストとエッセイでつづる、楽しい〈工場〉訪問記。

新潮文庫最新刊

森達也著
東京番外地
皇居、歌舞伎町、小菅――街の底に沈んだ聖域へ踏み込んだ、裏東京ルポルタージュ。文庫書き下ろし「東京ディズニーランド」収録。

手塚正己著
軍艦武蔵（上・下）
十余年の歳月をかけて徹底取材を敢行。世界最大の戦艦の生涯、そして武蔵をめぐる蒼き群像を描く、比類なきノンフィクション。

青沼陽一郎著
帰還せず
―残留日本兵 六〇年目の証言―
祖国のために戦いながら、なぜ彼らは日本へ帰らなかったのか。現地に留まった兵士たちの選択とその人生。渾身のルポルタージュ。

新潮社編
子供たちに残す戦争体験
子を探す父、道に積み上げられた死体の山。これは全国から寄せられた体験者たちの生の声。教科書には書かれない真実の記録です。

J・バゼル
池田真紀子訳
死神を葬れ
地獄の病院勤務にあえぐ研修医の僕。そこへ過去を知るマフィアが入院してきて……絶体絶命。疾走感抜群のメディカル・スリラー！

R・バック
法村里絵訳
フェレット物語
二匹は人気作家
作家バジェロンの夢は壮大な歴史小説の上梓。一方、彼の妻も娯楽作品でデビューする。芸術の意味と愛の尊さを描くシリーズ第三作。

ねじまき鳥《どり》クロニクル

第2部 予言する鳥編

新潮文庫 む－5－12

平成 九 年十月一日 発行
平成二十一年八月十日 三十三刷

著者 村《むら》上《かみ》春《はる》樹《き》
発行者 佐藤隆信
発行所 株式会社 新潮社
郵便番号 一六二—八七一一
東京都新宿区矢来町七一
電話 編集部(〇三)三二六六—五四四〇
読者係(〇三)三二六六—五一一一
http://www.shinchosha.co.jp

価格はカバーに表示してあります。

乱丁・落丁本は、ご面倒ですが小社読者係宛ご送付ください。送料小社負担にてお取替えいたします。

印刷・大日本印刷株式会社 製本・加藤製本株式会社

ISBN978-4-10-100142-5 C0193